BİR HAYALDİ
GERÇEKTEN GÜZEL

BARIŞ MÜSTECAPLIOĞLU

Barış Müstecaplıoğlu, 1977'de Kocaeli'de doğdu. Boğaziçi Üniversitesi'nde İnşaat Mühendisliği okudu. 2002-2005 yılları arasında, Türkiye'nin ilk fantastik diyarı Perg'i yarattı ve bu diyarda geçen *Korkak ve Canavar, Merderan'ın Sırrı, Bataklık Ülke, Tanrıların Alfabesi* romanlarını kaleme aldı. *1002.Gece Masalları, İstanbul Noir ve Time Out İstanbul Öyküleri* isimli öykü seçkilerine katıldı. İslami cemaatleri ve hayatın anlamını arayan bir adamı konu alan romanı *Şakird* 2005'de, sokak çocuklarını ve suç örgütlerini işleyen bir polisiye olan *Kardeş Kanı* 2007'de yayımlandı.

Yazarın eserlerinden *Kardeş Kanı,* 2008 yılında Polonya'da lehçe olarak basıldı, 2009'da Romanya'da raflara çıkacak. *Perg Efsaneleri* ise 2009'da Bulgaristan'da yayımlanacak. www.barismustecaplioglu.com

BİR HAYALDİ
GERÇEKTEN GÜZEL

Barış Müstecaplıoğlu

PROFİL

© Barış Müstecaplıoğlu

© Profil Yayıncılık

Yazarı / Barış Müstecaplıoğlu

Kitabın Adı / Bir Hayaldi Gerçekten Güzel

Genel Koordinatör / Münir Üstün

Genel Yayın Yönetmeni / Cem Küçük

Kapak Tasarım / Kenan Özcan

İç Tasarım / Adem Şenel

Baskı-Cilt / Kitap Matbaası

Davutpaşa Cad. No: 123 Kat: 1

Topkapı -İstanbul Tel: 0 212 482 99 10

1. BASKI TEMMUZ 2009

978-975-996-217-3

Kültür Bakanlığı Yayıncılık Sertifika No:
1206-34-004350

PROFİL: 151

TÜRK EDEBİYATI :01

PROFİL YAYINCILIK

Çatalçeşme Sk. No: 52 Meriçli Apt. K.3

Cağaloğlu - İSTANBUL

www.profilkitap.com / bilgi@profilkitap.com

Tel. 0212. 514 45 11 Faks. 0212. 514 45 12

Profil Yayıncılık Maviağaç Kültür Sanat Yayıncılık Tic.Ltd.Şti markasıdır.

Kârı Üstad Mehmet Siyah Kalem

GİRİŞ

Merzifonlu Hasan Paşa sarayın süslü koridorlarında öyle hızlı adımlarla yürüyordu ki, gören peşinde yağlı ilmikle dolaşan amansız bir cellat var sanırdı. Güçlü ayak sesleri duvarlarda yankılanıyor, bazen aralanan bir kapıdan uzanan meraklı bir baş, paşanın al al olmuş öfkeli suratını görünce korkuyla içeri kaçıyordu. İhtiyar paşa altın telli şeritler ve kordonlarla süslü kadife bir kaftana bürünmüştü, ateş kırmızısı kaftanı geniş omuzlarına daha bir heybet katmış, onu iyiden iyiye önünde durulmaz kılmıştı. Başındaki yeşil kavuğa işlenmiş altın ve zümrütler, divanda sözü geçen biri olduğunu cümle âleme ilan ediyor, azametini artırıyordu.

Paşayı üç beş adım gerisinden kişisel koruması olan iki sipahi takip ediyordu. Bu pala bıyıklı, yağız delikanlıların yaşlarının toplamı Merzifonlu'nun yaşına erişmezdi, gene de birçok savaşa katılmış gözüpek yiğitlerdi. Daha çocukken paşanın yanına verilmişler, onu bir nevi baba bellemişlerdi. Uzun boylu, uzun bacaklı efendilerine yetişmek için kah yürüyor kah koşuyorlar, geride kalınca bellerindeki geniş kılıçların onları yavaşlatan ağırlığına küfrediyorlardı. Paşa birkaç dakika önce, tam gecelik entarisini giymiş dinlenmeye çekileceği sırada, saray hattatlarından Mehmet Efendi'nin getirdiği haberle hışımla odasından fırlamıştı, sipahiler bundan fazlasını bilmiyorlardı. İhtiyar adamın arada bir gür sakalını hırsla sıvazlayarak Kur'an'dan ayetler söylendiğini işitiyorlar ve doğal olarak bunu pek de hayra yormuyorlardı.

"Bre densizler... Bre haddini bilmezler... Zakkum ağacı, günahkârların yemeğidir! Erimiş maden tortusunun potada kaynaması gibi, sıcak suyun tencerede kaynaması gibi karınlarında kaynar!"

"Tutun onu, cehennemin ortasına sürükleyin! Sonra azap olarak başının üstüne kaynayan sular dökün! Ve deyin ki: Tat bakalım! Çünkü sen zannınca çok güçlüydün ve üstündün! İşte bu, o şüphe edip durduğunuz şeydir!"

Her şey Padişah Hazretleri Yavuz Sultan Selim'in isyankarlığı katlanılmaz hale gelen Şah İsmail'e haddini bildirmek maksadıyla İran'a düzenlediği seferde başlamıştı. Şah'ın ordusunun peşinde dağlar tepeler aşarken uğradıkları bir köyde, Yeniçeri ağalarından birinin eline günah dolu bazı parşomenler geçmişti. O da eski Allah'sız yaşamını özlediğinden midir nedir, bu parşomenleri yok etmek yerine ta İstanbul'a kadar yanında taşımış, bununla yetinmeyerek Sultan Hazretleri'nin sarayına sokma cüretini göstermişti. Sultanın seferde kahramanlıkları saymakla bitmeyen bu yeniçeri ağasına sevgisini bilen Merzifonlu Hasan Paşa, sorunu büyümeden çözmenin evla olacağını düşünüyordu. Zaferden mutlu dönmüş sultanın keyfini kaçırmanın âlemi yoktu. Hem yeniçerilerin birçoğu pek dile getirmeseler de aynı Allah'a ibadet eden bir orduyla savaştıkları için huzursuzdular, bunun farkındaydı. Daha seferden yeni dönmüşken içlerinden birinin canını yakıp onları divana iyice düşman etmek akıllıca olmayacaktı.

Merzifonlu Hasan Paşa saray kütüphanesine ulaştığında soluk soluğa kalmıştı ama durup dinlenecek zaman değildi. Kendisine anlatılanların yarısı doğruysa, bu küfrü tez elden saraydan uzaklaştırmak boynunun borcuydu. Mehmet Efendi'nin hattatlık sanatından gelen duygusallığıyla gördüklerini anlatırken bir miktar abartmış olabileceğini hesaba katıyordu, ama aynı zamanda hafız olan bu mübarek ihtiyarın suratındaki kaygı bir türlü gözünün önünden gitmiyordu. Adamcağız bir cinin gözlerinin içine bakmıştı sanki, cehennemin kapısını görmüş, ruhunu yitirmenin eşiğinden dönmüştü. O cehennem ağzıysa şu an tam bu kapının ardında, itikadı Mehmet Efendi'den daha zayıf saray sakinlerini yutmayı bekliyordu. Doğrusunu Allah bilir ya, Merzifonlu Hasan Paşa'ya göre bunların sayısı hiç de az değildi.

"Burada bekleyin!" diye buyurdu Hasan Paşa, yanına yetişen sipahilere. Karşısında boyun kıran delikanlılara bir karış yukarılarından, ruhunun gücünü hissettirerek baktı. "Benden destur almadan kimse içeri girmesin! Kimse dışarı çıkmasın! Ne duyarsanız duyun, ben çağırmadıkça siz de bu kapıdan öteye adım atmayacaksınız."

Kapıyı ittirip devasa şamdanlarla aydınlatılan kütüphaneye girdiğinde, etrafta kimsenin olmayışı onu memnun etti. Oldukça geniş bir odaydı burası, daima düzenli tutulan raflarında her derde deva ilaçların sırrından tarihe tanıklık yapan asırlık kitaplara paha biçilmez bir bilgelik saklıydı. Buraya her gelişinde aynı duyguya kapılır, içini onu ürperten bir hayranlık kaplardı, bedensiz bir ermişin karşısındaymış gibi yüzüne bir saygı ifadesi yerleşti.

Hattat Efendi parşomenleri büyük masanın üstünde bıraktığını, yerlerine koymak adına bile onlara ikinci kez dokunmaya yüreğinin yetmediğini söylemişti. Bir la havle çekip masaya doğru yürümeye başladı. Daha önce Frenk ressamlarının eserlerini görmüştü, hem fethettikleri topraklarda hem de elçilerle birlikte gönderilen hediyeler arasında portre ve benzeri isimlerle anılan o süprüntülere rastlamıştı. İnsanları ve hayvanları kağıdın üstünde birebir taklit edip bir nevi putlar yaratan, çizdikleri bu resimlere ruh üflemedikleri sürece günahın en derinine batmış olan o kafirlere sadece acımıştı. Hiç etkilenmemişti gördüğü şeylerden, hem gerçeği birebir yansıtmak, içine hiçbir ulviyet, hiçbir incelik katmamak nasıl sanat sayılabilirdi? Bunları ustaca yapılmış bir minyatürün derinliğiyle, Allah'ın harfleriyle çizilmiş bir hatla kıyaslamak olacak iş miydi?

Mehmet Efendi bu parşomenler için "Başka... Daha başka..." demişti, bu yüzden neyle karşılaşacağını merak ediyordu. Bu kez rabbinin onu daha çetin bir sınavdan geçireceğini hissediyordu, içten içe kendini buna hazırlıyordu. Gene de metin adamdı Merzifonlu Hasan Paşa, yüreğinde bu sınavın sonucuyla ilgili bir kaygı olduğu söylenemezdi.

Omuzlarında kıpırdanan kaftanı bir kez daha çekiştirip sabitledikten sonra, masanın önüne geçti. Orada yanyana duran birçok kıvrılmış parşomen vardı, içlerindeki sırları ele vermeden sakince yatıyorlardı. Kâğıtları oldukça eski ve yıpranmıştı, yer yer kırışmış, yaşadıkları zorlu yolculuklardan olsa gerek bazılarının uçları yırtılmıştı.

Birini rastgele aldı ve elinde pislik tutuyormuşçasına yüzünü buruşturdu. Parşomeni açtı, öyle kalması için bir ucunu masada duran hokkanın altına sıkıştırdı.

Merzifonlu Hasan Paşa, uzun hayatında çok şey görmüştü. Ama şu an gözlerinin önünde açılan âlemin, gördüğü her şeyden farklı ve özel bir dünya olduğunu anlayabilecek derinlikte bir adamdı. Evet, parşomenin üzerinde beklediği gibi frenklerin küfrünü anımsatan resimler vardı, insanlar ve hayvanlar, türlü türlü işler yaparken, ateş yakarken, yemek yerken, sohbet ederken çizilmişlerdi, ama çok yabancı, hiçbir şeyle kıyaslayamadığı bir tarzda yapılmıştı bu çizimler. Onu daha da sarsan, tüm resimlerin birbirleriyle bağlantılı görünmesiydi, sanki geçmişten bir olayı anlatıyor, bir sırrı açığa vuruyorlardı. Karşı koyamadığı bir dürtüyle parşomenleri tek tek açtı, her gördüğüyle yeni hayretlere ve korkulara düştü, bu resimler gerçek gibiydi, onunla konuşmaya, bir şeyler söylemeye çalışıyorlardı, yanyana koyulduklarında neredeyse bunu başarıyorlardı da. Üstelik bunların bir kısmı cehennemden firar etmişe benzeyen cinleri andırıyordu ve anlattıkları öyküler insanın kanını donduracak cinstendi. Sahte tanrılarına kurban sunan şeytanlar ya da o tanrılar için kendilerinden geçerek dans eden şeytandan beter büyücüler...

"Şirk bu..." diye mırıldandı. "Şirk bu, tövbe estağfurullah!" Alnından soğuk terler boşandı. Yeniçeri ağasının bu parşomenleri neden yakıp kül etmediğini anlamış gibiydi, herhalde o da şu an kendisine hakim olan düşüncenin pençesine düşmüştü. Evet bu resimler günahtı, kimse görmemeli, varlıklarını bilmemeliydi, ama onları yok etmek de günahtı, çünkü bu resimleri yapan büyücü, artık hangi karanlık yoldan becerdiyse, içlerine bir nevi ruh üflemişti ve onları yok etmek, o ruhu da yok etmek anlamına gelecekti.

Resimlerin fısıldadığı cümleler kulaklarında acı veren bir uğuldamaya dönüştü. Onu kendilerini dinlemeye zorluyorlardı. Büyülendiğini hisseden Merzifonlu Hasan Paşa, aniden büyük bir korkuya kapıldı. Parşomenleri yok edemeyecek olsa da, en azından konuşmalarını önlemeliydi, dillerini kesip atmalı, başka biçareleri de anlattıkları öykülerle büyüleyip günaha sürüklemelerine engel olmalıydı.

Elini kaftanının içine attı, kabzası elmas işlemeli hançerini çıkardı. Gözlerini kapayıp kendisine güç verecek kısa bir dua okudu. Hançerin ucunu yıllanmış kağıdın üstüne koydu, usulca aşağı çekti ve kağıdı ikiye ayırdı. İçinde bir rahatlama hissedince doğru olanı yaptığını düşünüp sevindi. Hiç üşenmeden, bir kulluk görevini huşuyla yerine getirircesine, parşomenleri özenle avuç kadar parçalara bölmeye başladı. Resimlere zarar vermemeye dikkat ediyordu, sanki onları kesse kâğıttan al kanlar akacak, bir kayıp ruhun çığlığını duyacaktı. Bu yüzden hançeriyle elinden geldiğince boş yerlerin üzerinden geçti. İşini bitirdiğinde, parçaları karışık bir şekilde üst üste yığdı, bir tutam kağıdı alttan alıp üste, bir diğerini üstten alıp alta koydu. Bir kısmını da sırf bağları tümden kopsun diye alıp iç cebine yerleştirdi. Artık hiç kimse hangisinin bir sonrakini takip ettiğini bilemeyecek, birbiriyle bağlantısı kalmayan resimlerin sesi kesilecek, anlattıkları öyküler kimseye zarar veremeyecek birer sır haline gelecekti.

Ter içinde dışarı çıktığında, kapıdan bir an olsun ayrılmamış sipahiler ona merakla baktılar. Efendilerinin içeride niye bu kadar uzun kaldığı ve elinde sıkı sıkı tuttuğu hançer yüreklerine dert olmuştu. Ama paşanın suratındaki zafer ifadesini, büyük bir mücadeleden çıkmış gibi alnında biriken ter damlalarını görünce soru sormanın zamanı olmadığını anladılar.

"Nakkaş Hüsrev Efendi'yi tez buraya çağırın," dedi Paşa, elinde kaldığını yeni fark ettiği hançeri kaftanına soktu. "Ali sen git nakkaşı çağır, Mehmet yiğidim sen bir yere kıpırdama. Nakkaş gelene kadar kapıyı beklemeye devam et. Hüsrev Efendi ona vereceğim işi bitirmeden kimse içeri girmeyecek. Kendisine söyleyin, büyük masanın üzerinde bir kâğıt yığını var. Onları boş kitapların sayfalarına tek tek yerleştirsin. Bir düzen gözetmesin, karışık koysun, farklı kitaplara dağıtsın. Sonra da bu kitapları kütüphanenin kuytu bir köşesinde kilitli bir dolaba kaldırsın."

Sipahilerden daha genç olanı, emri nakkaşa iletmek için hemen destur alıp oradan uzaklaştı. Neler olduğunu hiç anlamamıştı, ama koskoca paşayı sorgulayacak değildi. Merzifonlu Hasan Paşa, dinlenmek için odasına doğru yürürken, uykuya çekilmeden önce birkaç rekat namaz kılıp bulandığı günahtan arınmasının iyi olacağını düşündü. Ellerinde hâlâ cehennem sıcaklığı hissediyordu. Gün doğunca belki tekkeye de bir uğrardı. Sabah ola hayrola...

Hüsrev Efendi'nin ona verdiği görevi layığıyla yerine getireceğine inancı tamdı. Nakkaşlık hünerini zirveye taşımak için geceler boyu çalışmanın sonucu görme yeteneğini neredeyse tümden yitirmiş o adama bu resimlerin zararı dokunmazdı.

Hem dilleri kesilmişken bir daha hangi kara büyü, öykülerini ve sırlarını yeniden fısıldamalarını sağlayabilirdi ki?

-1-

Su damlası milyonlarca benzerinin ardından buluttan koptuğunda güneş yeni doğuyordu. Kilometrelerce sürecek yolculuğuna yavaş başladı, gittikçe hızlandı. Gözleri olsaydı altında sadece birbirine girmiş renkler görürdü, zaman geçtikçe bu görüntü vahşi bir orman gibi plansızca büyümüş bir şehrin evlerine dönüşürdü, sanki her çatıdan bir tohum düşmüş, yanıbaşında bir diğeri bitmişti. Rüzgâr onu on binlercesiyle birlikte önüne katıp açısını değiştirdi; evlerden uzaklaştı, içinde fıskiyeli havuzlar olan küçük bir parkı aştı, arabaların karınca misali gidip geldiği bir yolun üzerinden geçti, duvarlarla çevrili, kocaman ve çirkin binalardan oluşan bir siteye ulaştı. Binalar yan yana, neredeyse askeri bir birlik intizamında dizilmişlerdi. Yolculuğu önüne çıkıveren bir martının kanadında bitiyordu, ama bir saniye gecikmeyle ıskaladı. Yağmurdan şaşalayan martı alelacele geçip gitti altından. Yanındaki binlerce damlayla birlikte binalardan en gösterişlisine doğru düşmeye başladı. Çoğu binanın farklı noktalarına çarpıp kaldı, onu ve yanında kalan yüzlercesini ise, köşelerine geniş yapraklı zevksiz bitkiler yerleştirilmiş boş bir balkon karşıladı. Zemine yaklaşırken ansızın patlayan rüzgârla sürüklendi, onlarcasıyla beraber dikdörtgen bir cama tosladı.

Teoman, pencerede kayan damlayı pervaza ulaşıp oradaki su birikintisine katılıncaya kadar gözleriyle takip etti. Şu an tıpatıp aynısı milyonlarca yağmur damlası şehrin üzerine düşmekle meşguldü, bunu biliyordu, ama sanki ona odaklandığı süre bu damlanın diğerlerinden bir farkı olacaktı, özel bir kimliğe bürünecekti. Kendisi milyarlarca insan arasında nasıl özelse o da öyle olacaktı. Damla birikintiye ulaşıp yok olunca bu düşünce aklından silinip gitti.

Kendini kandıracak değildi.

Her şey ve herkes aynıydı.

"Çantanı toplamışsın..." dedi arkasından bir ses. Bir kadın sesi. Narin, hüzünlü, dokunsan ağlayacak. Olacaklardan korkan, kaderi değiştirebilecek gücü olmayan bir kadının sesi.

"Gidiyorum," dedi. Sesinde herhangi bir duygu yoktu o an. Dönüp kadını gördüğünde canı yanacaktı, bunu biliyordu, onun ağlamaklı yüzüne bakarken her seferinde olduğu gibi yüreği ezilecekti. Ama henüz değil. Şu birkaç saniye daha acısız geçsin bari.

Bir sessizlik oldu.

"Gideceğini biliyordum," dedi kadın.

"Bunu seninle konuşmuştuk canım. Daha ilk günden."

Karyolanın gıcırdadığını duydu, sevgilisi yataktan kalkmış olmalıydı. Dün geceki sevişmenin sesleri geldi aklına. Halıfleksin üzerinde atılan minik adımları dinledi. Yeniden cama vuran damlalara odaklanmaya çalıştı ama başaramadı. Az sonra sırtında sıcak bir nefes hissetti.

Bir çift yumuşak el, omuzlarından başlayarak aşağı doğru kaydı, ağır ağır, bileklerine gelinceye kadar, orada durdular. Damarların üzerinde gezindiler biraz. İnce parmaklar bileklerine sarılınca içi ürperdi.

"Söylemiştin."

"Evet, söylemiştim," diye içinden geçirdi. Her zaman söylerdi.

Peki niye böyle acı çekiyor şimdi... Sesindeki bu sızı neden?

"Ama çok çabuk oldu." dedi kadın, düşüncelerini duymuş gibi. "Daha fazla vaktimiz olur sanıyordum."

Arkasına döndü. Kadının başı omuzlarının hizasına geliyordu. Karşısında çırılçıplaktı. Uzun saçları sırtına akmış. Göğüs uçları bedenine değdi değecek. Onu sımsıkı kucaklamak geldi içinden, kucakladığı gibi yatağa götürmek, iki elinin parmaklarını kadının kalça kemiklerine koydu, her santimin hakkını vererek usulca yukarı kaydırdı, koltuk altlarına gelince durdu, dün gece ne harikaydı, ama hayır, şimdi bu her şeyi berbat etmek olur. Şu an, tam şu an, burada bitmeli.

Ellerini çekti. Kadının yanağını parmaklarının tersiyle usulca okşadı.

"Bana dokunmanı çok seviyorum."

"Özür dilerim hayatım. Gitmem gerek. Bu benim seçimim değil... Keşke her şeyi anlatabilseydim. Hayal edemeyeceğim kadar güzeldi... Sen muhteşemdin. Her şey muhteşemdi. Seninle ilgisi yok, buna inan."

"Daha yaşayacağımız şeyler vardı," diye mırıldandı kadın. Sanki küçük, incinmiş bir kız çocuğu. Onu dinlemiyor. Sadece kendi sesini duyuyor o an. Tüm kırgın çocukların yapacağı gibi. Tamamen kendine odaklanmış.

"Seninle birlikte gitmek istediğim yerler. Yapmak istediğim ne çok şey..."

Teoman derin bir iç çekti. Sevgilisinin başını tuttu, alnından aşkla öptü. İçinde gittikçe büyüyen acıdan nefret ediyordu.

"Lütfen beni affet."

Kadın, burnunun kenarlarına süzülen birkaç damla gözyaşını parmak uçlarıyla sildi. Sahte bir gülümsemeyle, "Neden hemen gitmedin ki sanki," dedi. "Uyanmamı niye bekledin. Madem fikrini değiştiremeyeceğim?"

"Gidemedim. Gözlerine bakabilmek istedim. Son bir kez seninle konuşabilmek... Benden nefret etmeyeceğini bilmem lazım."

Bir sessizlik oldu.

"Bugüne kadar tanıdığım en harika kadınsın. Bundan emin ol."

Kadın gözyaşlarını tutmaya çalışmadı. Ama yüzünde ufak bir gülümseme de vardı, bu defa içtendi. Genç adamın suratına, hatlarını aklına kazımak isteyerek dikkatle baktı, gözleri dudaklarında, burnunda, kaşlarında, şakaklarında, saçlarında gezindi, sonra yere indi.

"Öyle akıllıydın ki... Hayata dair her şeyi bildiğini sanmıştım. Hayır, daha öğrenmen gereken çok şey var. Sadece hayat hakkında değil, kendin hakkında da... Ne istediğini bilmeyen koca bir çocuksun..." Ayakuçlarında yükseldi, çenesini usulca öptü. "Kalsaydın seni mutlu ederdim, eminim bundan. Umarım bir gün kalmayı öğrenirsin."

Teoman ona daha fazla bakamadı. Gözlerini kaçırdı.

"Seni arayabilir miyim?" diye sordu kadın. "Ya da arada bir, sen beni arar mısın?"

"Çok isterdim... Ama yapamam, sen de biliyorsun. Bu şekilde olmaz. Her şeyi zorlaştırır."

"Öyle olsun." Kadın burnunu çekti. Sonra Teoman'ın önünden çekildi. Kollarını çıplak göğüslerinin hemen altından, kendine sıkıca sardı.

"Hadi git artık. Başka bir şey söylemeden git."

Teoman elinde çantayla dışarı çıktığında, biri onu omuzlarından yere bastırıyormuş gibi hissediyordu. Adım atmak canını yakıyordu, her seferinde böyle olurdu, böyle olmasından nefret ediyordu. Birkaç saniye yağmurun onu ıslatmasına izin verdi, serinlik alnını kaplayan ateşe iyi geldi, gözkapaklarına düşen damlalar yüzünden gözlerini kırpıştırdı. Sonra bir refleksle şemsiyesini açtı. Düşünmekten kaçmak için şemsiyeye vuran damlaların gürültüsüne odaklandı.

Belki böylece acıdan da kaçabilirdi.

Ceketini başının üstüne çekmiş yaşlı bir adam önünden koşturarak geçti. Üstü başı perişan haldeydi ihtiyarın, uzun zamandır dışarıda, yağmurun altında olmalıydı. Sıçrattığı sular üzerine geldi, buna aldırmadı.

Sokağın köşesine geldiğinde durdu, biraz bekledi, içinden arkasına dönüp eve son bir kez bakmak geçiyordu, kadın orada, pencerede olmalıydı, hep pencerede olurlar... son bir bakış, akılda yer edecek, yaşadıkları güzel şeyleri anımsatacak.

Ama aynı zamanda yaşayamadıklarını da...

Bakamadı.

Umarım bir gün kalmayı öğrenirsin.

Hızlı adımlarla köşeyi dönüp bomboş sokakta ilerledi.

-2-

Dakikalardır aynanın karşısındaydı. Dudaklarına vişne rengi ruju itinayla sürerken bu kadar süslenme yeter diye düşünüyordu. Bir adım geri çekilip kendine alıcı gözle baktı, geceliğini biraz aşağı çekiştirip göğüs çatalının daha belirgin görünmesini sağladı. Havaya kalkmış birkaç saç telini eliyle bastırdı.

Güzelsin Beyza, yeter artık...

Kabul etmeliydi, yirmilik çıtırların yanında kart tavuktan farksızdı, gene de kırkına yakın bir kadın için formu hayli yerindeydi. Elini göbeğinin üstünde gezdirdi, biraz kilo almıştı son günlerde, ama olsun varsın, hayatındaki bütün erkekler etli butlu kadınlardan hoşlanıyordu. Saçlarını daha dün boyatmış olmasına sevindi, Murat'ın bugün ona geleceğini bilmeden, sırf kendine hoş görünmek için yapmıştı bunu. Genç adam onu en kötü hallerinde görmüş, hiçbir zaman kalbini kıracak bir söz söylememişti, hatta galiba kendisini iyi hissetmesi için dağınık ve bakımsız olduğunda her zamankinden fazla iltifat ediyordu. Gene de onun yanındayken olabileceği en cazip hale bürünmek istiyordu.

Mutfağa gidip kahve var mı diye baktı, kutunun dibinde bir fincanlık kalmıştı. Murat sabahları kahve içmek isterdi, bazen seviştikten sonra yaptıkları uzun sohbetler sırasında da, bu seferlik ikisinden birini seçmesi gerekecekti. Hem ne biliyordu ki, belki sabaha kalmazdı, çoğu zaman kalmazdı zaten. Kaldığı geceler sevinirdi, ama onu hiç buna zorlamamıştı, bu gece de istisna olmayacaktı.

Yeniden yatak odasına döndü, az önce sıktığı oda parfümünün kokusunu içine çekti. Gözleri temiz çarşaflara kaydı, sonra birden "Hay Allah," deyip öfkeyle yatağa yürüdü, yastığı alıp iri mor çiçeklerle bezeli kılıfı çıkardı. Top haline getirip çamaşır kutusuna attı. Temizini takarken acaba başka ne unuttum diye kaygılanıyordu.

Aynada kendine bir kez daha baktı. Biraz yaklaştı, yansımasına doğru eğildi, böyle yakından göz altı morlukları makyaja rağmen kötü görünüyordu. Canı sıkıldı, ama buna bir çözüm bulamazdı. Onu seven böyle sevecekti. Yaşı hakkında kimseye yalan söylememişti. Omuz silkti, sevişirken ışığı fazla açmamak yeterdi. Sonra bu içine sinmedi, yatağın dibinde duran ayaklı lambayı biraz uzağa, tam açılsa bile yatağı loş bırakacak bir yere taşıdı.

Evet, böyle daha iyi...

Komodinde duran parfümü aldı, biraz eğilip eteğinin yırtmacından içeri soktu, bacaklarının arasına birkaç kez sıktı.

Şimdi hazırdı.

Yo hayır, daha değil...

Üç gözlü ahşap dolabın en üst gözünü açtı, aradığı kutuyu bulunca içinden bir prezervatif çıkardı, yatağa gitti, yastığın altına koydu.

İşte şimdi hazırım.

Basit bir melodiye sahip zil hemen hemen o dolabı kapadığı anda çaldı.

Kapının kolunu tuttuğunda, üzerindeki geceliği ve davetkâr kokusu aklına geldi, önce gözetleme deliğinden baktı. Muhafazakâr ev sahibinin aklında bu haliyle yer etmek istemezdi. Beklediği kişiyi görünce yüzüne yayılan istemsiz bir gülümsemeyle ona kapıyı açtı.

"Hoş geldin..." dedi sadece. Yanında olduğu için duyduğu memnuniyeti sesine yansıtarak, zeytin karası gözlerin içine tutkuyla baktı.

Birkaç dakika sonra sarmaş dolaş öpüşüyorlardı.

Murat'la sevişirken en çok neden zevk aldığını defalarca düşünmüştü. Çoğunlukla ondan uzak kaldığı geceler, içine hayallerini ve özlemini de katarak bu sorunun cevabını aramıştı. Dilinin tadını seviyordu, ağzının içinde özenle dolaştırmasını, sert davranmamasını, dilleri birbirini keşfetmeye çalışırken, Murat lezzetli bir şey yiyor ve bunun keyfini sonuna dek çıkarmak istiyor gibi davranırdı, acele etmezdi. Okşayışlarını da seviyordu, sadece kendi hoşlandığı yerlere değil, ona en çok zevk veren yerlere de dokunurdu. Daha ilk günden bir kaşif merakıyla bedenini incelemiş, fırtınalar koparan noktaları keşfetmişti. İçinde fazla kalmazdı, sevişmeyi çok uzatamazdı, ama o ana dek kendisini öyle ısıtmış olurdu ki, genelde tepeye birlikte ulaşırlardı. Gene de tüm bunların ötesinde, galiba asıl sevdiği *onunla* sevişiyor olduğu düşüncesiydi. Onunla, kırk yıla yaklaşan hayatında karşısına çıkan en harika adamlardan biriyle.

Yatakta soluk soluğa durduklarında, Murat yüzünü ve dudaklarını Beyza'nın boynundan çekti, uzun uzun gözlerinin içine baktı. Orada gördüğü sevgi ve şefkatin içindeki bunaltıyı biraz olsun dağıtmasını bekledi. Elinin tersiyle kadının yanağını okşadı, önce yukarıdan aşağı, sonra aşağıdan yukarı, olabildiğince yavaş. Birkaç dakika hiç konuşmadan o anın zevkini çıkardılar, sevdikleri tene dokunmanın, birbirlerine ait olmanın tadına vardılar. Duygular yatıştı, bedenler usulca gevşedi. Sonra Murat, "Sen olmasan ne yapardım bilmiyorum," dedi.

"Ben biliyorum," dedi Beyza, yalandan yüzünü buruşturdu. "Başkasını bulurdun."

"Denerdim," diye güldü Murat. "Ama bir çölde iki kere vahaya rastlamak zor."

Beyza yanaklarının kızardığını hissetti, bir çocuk gibi şımarmak geldi içinden. "Böyle cümlelere liseli kızlar kanar ancak. Hangi romandan çaldın bakalım?"

Genç adam gülümsedi. Kadının yanaklarını iki elinin arasına aldı ve başparmaklarıyla dudaklarını okşadı. Birini ağzına sokup hafifçe ısırmasına izin verdi.

"Sadece içimden geleni söylüyorum. Beni çalıştığın yazarlarla karıştırma."

"Yazarlarımla yatmıyorum beyefendi!" diye şakadan kaşlarını çattı Beyza. "Ne bileyim tavlama yöntemlerini?"

"Tamam tamam kızma." Murat uzanıp yanağını omzuna yasladı. "Ne yapayım, seni herkesten kıskanıyorum."

"Peki ilk söylediğin kadın ben miyim?"

"Bundan emin olabilirsin." Murat, Beyza'nın göğsünü iki kere öptü. İkincisinde dudaklarını çekmeden önce uzun bir süre orada tuttu. "Yanında gerçekten harika hissediyorum hayatım. Benim için ne kadar değerli olduğunu biliyorsun, değil mi?"

"Kanıtla," dedi Beyza. Derin bir nefes aldı, bir elini adamın ensesine koyup yüzünü yüzüne yaklaştırdı, dilini ağzına alınca uzun süre bırakmadı. O an sevgilisini tüm varlığıyla içinde hissetti.

Yan yana uzandıklarında, başını hafifçe çevirip Murat'ı hayranlıkla seyretti. Gür ve düzgün kaşlarını, iri kara gözlerini, nedense ona çok çekici gelen kemerli burnunu. Bu güzellik kendisine ait olduğu için mutluydu. Murat sessizdi. Düşünceli görünüyordu. Nedenini tahmin ediyordu, konuşmaya ihtiyacı olduğunu da, ama söze nereden başlayacağını bilemedi.

"Kahve ister misin?"

Murat başını iki yana salladı.

"Teşekkür ederim. Şimdi canım çekmiyor. Sabah birlikte içeriz."

Sabaha kalacak diye düşündü, içindeki ağırlık kayboldu. Uzanıp genç adamın yanağını usulca okşadı.

"Olur canım. Öyle yaparız. Hem sabah yüzün biraz daha güler belki. Hadi anlat bana sorun ne? Şu sergiye üzülüyorsun değil mi?"

"Koca hafta boyunca tek bir fotoğrafın satılmamış olması beni deli ediyor. Bunu aklımdan çıkaramıyorum."

"Boş ver hayatım, bu ülkede kaç kişi sanata para ödüyor," dedi Beyza. "Hem organizatörün de suçu var. Hiç tanıtım yapmadı, bari bir gazeteye, dergiye ilan verselerdi... Çok az kişinin haberi oldu serginden."

"Kimseye yapmıyorlar öyle bir tanıtım," dedi Murat. "Hem sen birçok yere haber vermiştin, insanların ilgisini çekseydi gelirlerdi. Bu benim için çok önemli bir fırsattı canım, büyük bir galerideki ilk sergimdi. Tam bir fiyasko! Bir daha hiçbir galeri fotoğraflarımla ilgilenmeyecek. En azından birkaç sene yüzüme bile bakmazlar."

Beyza'nın içinde çaresizlikle karışık bir acı büyüdü. Başını sevdiği adamın göğsüne koydu, birkaç saniye kalp atışlarını dinledi. Sonra bir eliyle yorganın altında kolunu buldu, bileğini sıkıca tuttu.

"Bugünler geçecek Murat. Zamanla her şey güzel olacak."

"Biliyorum geçecek," dedi Murat. Yüzünde ıstıraplı bir gülümseme vardı. "Hayatta her şey gelip geçiyor. Kötü günler, güzel günler, kadınlar da gelip geçiyorlar... Peki sen kalacak mısın?"

Beyza gülümsedi. Adamın bileğini bıraktı, eli bu kez nerede olduğunu iyi bildiği bir uzuva süzüldü. Ona dokunduğunda cansızdı, ama çok geçmeden avucunu doldurdu. Nazikçe adamın üstüne çıkarken, bir an için eğilip onu dudaklarından öptü. Bu gece ona olan aşkını hiçbir kötü düşünceyle aldatmak istemiyordu. Sorusuna cevap veremezdi, doğru yanıtı bilmiyordu. Ama sevdiği adama dertlerini unutturacaktı, kısa bir süre için bile olsa.

Kadın üzerine uzandığında, nefesleri birbirine karışırken, Murat için de odada sadece ikisi kalmıştı.

-3-

Karanlık. Sadece karanlık. Her şeyi yutan, sindiren, kendinden başka hiçbir şeye saygısı olmayan karanlık. Senin içindeyim. Sınırların ve duvarların olmadığı bir dünya bu. Kendimi sonsuzluğun ortasında hissediyorum.

Sesler duyuyorum. Daha önce duyduğum sesler. Ama hiç bu kadar net değildiler, şimdi hepsi olabildiğine yakın. Ben karanlıkta küçüldükçe, onlar içimde büyüyorlar.

Az önce biri çayını karıştırdı. Aceleyle, soğumasından korkar gibi. Rüzgâr sert esti, yapraklar birbirine vurdular. Adamın teki arkadaşıyla mırıl mırıl konuşurken sesini yükseltti, kızmış gibiydi, belki sadece öylesine. Bir yerlerde bir kedi miyavladı, bir kadın çocuğunu çağırdı. Bir araba gürültüsü, birkaç korna sesi. Martıların bağrışları. Bir vapur düdüğü öttü, kalkıyor mu acaba, yoksa yanaşıyor mu? En son bir vapur görüşümün üstünden yıllar geçti, hatırladığıma, hayalimde canlandırdığıma ne kadar vapur denebilir, gerçeğine ne kadar benziyor, acaba hangi özellikleri silindi hafızamdan...

Vapuru gözlerimin önüne getirmeye çalışıyorum: Sivri burnu, pencereleri, üst katını çevreleyen parmaklıklar, anten direği, iki yanına sıralanmış can kurtaran simitleri, düz ve köşeli kıçı, arkasında dalgalanan bayrak, borazanvari kornası, suların aşındırdığı, paslandırdığı yerler. Pek bir vapur olmadı bu, daha çok bir Üsküdar-Beşiktaş motoru. Ona da peki.

Çoğunlukla gözlerimizi diktiğimiz şeye hakkını vererek bakmayız. Bir şeye ancak bir daha göremeyecekmişiz, bundan böyle sadece bu bakışta yakaladığımız ayrıntılarıyla anımsayacakmışız, bizim için bütün gerçekliği o andan damıttıklarımız, kendimize mal ettiklerimiz olacakmış gibi baktığımız zaman, işte sadece o zaman onu gerçekten görürüz.

Evet, ben hiçbir şey göremiyorum. Ama çoğu insan da öyle az şey görüyor ki, kendimi pek bahtsız saymıyorum.

❖ ❖ ❖

"Uyuya mı kaldınız beyefendi? O kadar da gecikmedim yahu."

Metin, işittiği genç kadın sesini birkaç saniye diğer seslerden ayırt edemedi. Daldığı hayal âleminden sahici dünyaya dönmesi için biraz zaman gerekti. Gözkapaklarını araladığında, içlerinde dolan ışık yüzünden gözlerini kırpıştırdı, sonra ona gülümseyerek bakan kadını gördü, sesin sahibini ancak o zaman tanıdı. Gülümsemesine karşılık verdi.

"Yalnızca gözlerin kapalıyken görebildiğin şeyler vardır," dedi dostça bir ifadeyle.

"Öyle mi ukala? Masanda oturabileceğim bir sandalye olmaması bunlardan değil sanırım."

Metin şaşırdı. Hayallerine dalıp gittiğinde, biri sandalyeyi teklifsizce almıştı anlaşılan. Uzanıp yan masadan boş bir tane çekti, kadının altına sürdü.

"Gel Beyza. Epeydir görüşemedik, kusura bakma. Ancak kendimi toplayabildim."

"Buluşmayı üç kez ertelemek için yetersiz bir açıklama. Neler oluyor kuzum? Merak ettim seni."

"Yok bir şey, her zamanki hikaye işte."

"Sende hikayeden bol şey yok ki?"

"Her zamanki hikaye... Yani bir adam bir kadına aşık olur, kadın adamın ilgisinden hoşlanır. Adam kendisinden hoşlanıldığını sanır. Gerçeği anladığında toparlanmak için vakte ihtiyacı olur. Bir süre yalnız kalmam lazımdı canım, kusura bakma."

"Hımm..." dedi Beyza, yıllardır tanıdığı dostunun yüzüne bir cevap ararcasına baktı. O an içinde bir sevgi büyüdü, evet, seviyordu bu adamı, huylarını, yeteneğini, kırılganlığını, her şeyini seviyordu. Yanında olabildiği, onun gözünde özel olduğunu bildiği için kendisini iyi hissetti. Kalbi kırık görmekse canını sıktı, hayatındaki bütün erkeklerin mutsuz olması şart mıydı?

"Hepsi bu kadar mı?"

Metin hemen cevap vermedi. Parmaklarıyla çay bardağının ince belini okşadı, kadının yüzüne bakmadan boşluğa konuştu.

"İnsan yanlış zamanda yanlış yerde olduğunu nasıl fark edebilir?"

Bir soru değildi sanki, daha çok bir iç dökme gibiydi.

"Bunu açıklaman gerekecek canım," dedi Beyza.

"Leyla diye bir kızla görüşüyordum, biliyorsun. Başından bir evlilik geçmişti, kötü bir evlilik, daha doğrusu kötü bitmiş. Çok yıpratmış kızcağızı. Bir daha böyle şeyler yaşamak istemiyordu, bu yüzden aramızdaki en ufak sorunlar bile ilerisi için onu korkutuyordu. Onu er ya da geç inciteceğime inanıyordu, bu korkusunu geçiremedim. Son konuşmamızda beni suçladığı şeylerin hiçbirini yapmamıştım aslında, bir süre sonra anladım ki, evliliğinde yaşadığı şeylerden bahsediyormuş, bizim yaşadıklarımızla bunlar arasında bağlantılar kuruyormuş. Aynı sorunların tekrarlanacağından emindi. Biriyle mutlu olabileceğine dair güvenini kaybetmişti, ona bu güveni veremedim, kaygılarını gideremedim. Bilmiyorum, ben de o kadar güçlü değildim galiba, ona kendisini rahat hissettiremedim. Eski kocasının açtığı yaralar öyle derindi ki, onları iyileştirmeye çalışmaktan mutlu olmaya fırsat bulamadık. İkimiz de kötü zamanlar geçirdik, şimdi ayrıyken her şey daha iyi. Hayat daha huzurlu. Ama onu çok özlediğimi inkar edemem."

"Hiç umut yok mu şu an?"

"Onu aramamı istemiyor. Ben de aramıyorum."

Çaycı çocuk önlerine iki bardak bırakırken, birbirlerine sessizce baktılar. Metin, Beyza'nın gözlerinde anlayış gördü, o an en çok ihtiyaç duyduğu şeyi, ondan bir çözüm ya da öneri beklemiyordu, bilakis böyle bir deneme aralarında yıllardır var olan köprüyü sarsar, söze dökülmemiş anlaşmalarını bozardı. Bazen birinin onu sadece dinlemesini ister insan, yargılamadan, yönlendirmeye çalışmadan yalnızca kulak vermesini, içine bağırılan bir kuyu olmasını, yankı yapsa bile, söylediği sırf duyduğu olan bir kuyu, Beyza Metin için öyleydi, o da Beyza için ihtiyacı olduğunda aynı rolü oynamaya çalışırdı. Nasıl olsa akıl veren çoktu, öylesini bulmak kolaydı.

"Dün bütün gün İstanbul'u dolaştım," dedi kendi kendine konuşur gibi dalgın. "Sultanahmet'le başladım, Kapalıçarşı'yı gezdim, o çok severdi oraları. Beşiktaş'ta her zaman gittiğimiz çayhanede oturdum. İstiklal'e çıktım, Fransız caddesinde yürüdüm, onu ilk kez öptüğüm kafede, orada her akşam çalan gitaristi dinledim. Birbirimize yaptığımız şakaları, beni nasıl güldürdüğünü hayal ettim. Onunla yaşadığım her güzel şeyi anımsamaya çalıştım, gözlerimin önünde canlandırmaya, o anlarda neler hissettiysem aynısını hissetmeyi denedim. Beklediğimden zor oldu, zaman duyguları hızlı köreltiyormuş."

"Leyla'yla bu kadar çok şey yaşadığınızı bilmiyordum," dedi Beyza, biraz tereddütlü bir sesle.

"Leyla'yla değil," diye cevap verdi Metin. Başını çevirip kadına baktı. "Onunla hiçbir şey yaşayamadık neredeyse, Eylem'le yaşadıklarımı hatırlamaya çalıştım. Bir önceki sevgilimle. Hani geçen yıl ayrıldığım, şu üniversiteli kız."

"Bunu neden yaptın?" diye sordu Beyza, hafif şaşkın, genç adamın onu her zaman her durumda şaşırtabilmesinden dolayı da hafif neşeli. "Onu aklından tamamen sildin sanıyordum."

"Eylem'le ayrı kalamayacağımıza çok inanmıştım. Buna rağmen onsuzluğa alışabildiğimi kendime hatırlatmak istedim. Kolay olmamıştı, ama başarmıştım bunu. Üzerine bir de gidip Leyla'ya aşık olabildim... Demek ki Leyla'sız kalmaya da alışabilirim, öyle değil mi? Daha önce atlattıysam gene atlatırım. Eylem'le yaşadıklarımı hayal ederken bu düşünceye sarılmaya çalıştım, kendimi böyle teskin ettim. Tutunacak bir şeye ihtiyacım vardı, düşmek üzereydim."

Genç adamın sesi son cümlelerde kırılmış, gücünü kaybetmişti. Beyza uzandı, dostunun elini tuttu ve birkaç saniye öylece durdu. Konuyu değiştirse iyi olacaktı.

"Telefonda anlattıklarımı düşündün mü?" diye sordu, bugün neden buluştuklarını hatırlayarak.

"İlginç görünüyor."

"Sadece ilginç mi? Ciddi olarak düşünmedin mi üstünde? Aman Metin, bugün bir cevap vermem gerek adama. Böyle bir fırsat kaç kere gelir?"

"Bilemiyorum Beyza. Peki derdi neymiş bu herifin? Beni üç ay köşkünde ağırlayacak, yedirip içirecek, okkalı bir ücret ödeyecek, karşılığında gerçekten tek bir öykü yazmamı mı istiyor? Hasta falan mı yoksa, ölmeden önce anılarını mı yazdıracak? Ukala bir zenginin biyografisini yazmak isteyeceğimden emin değilim."

"Öyle bir şey değil. Konuyu tam bilmiyorum, ama kurgusal bir öykü olacakmış. Senin kitabını okumuş Metin, öykülerinden örnekler vererek konuştu. Bu iş için biçilmiş kaftan olduğunu düşünüyor. Dediğin gibi parası da iyi, bence en azından gidip tanışalım."

"Hiç tanımıyor musun bu adamı?"

"Çok az. Sadece gazetelerden. Fazla medyatik biri değil, gizemli kalmayı seven tiplerden. Birkaç arkadaşıma sordum, çok zengin dediler."

"Ben de satın alabileceği şeylerden miyim?"

"Buna sadece iş gözüyle bakmaya çalış."

"Yazar ajanım öyle diyorsa..." diye güldü Metin. Çayından bir yudum aldı. "Ben sadece yazmak istiyorum, senin işin bunları benim yerime düşünmek. Tartışacak değilim, gidip konuşalım o zaman."

"Üç ay adada yaşamak konusuna ne diyorsun? Sıkılmayacak mısın? Sonradan cayarsan başımızı ağrıtırlar."

"O kısmı dert olmaz. Büyükada'ya birkaç kez gitmiştim. Güzel bir yer... Aslında bilakis şu an İstanbul'da olmak sıkıyor beni. Aşina yerlerden uzaklaşmak iyi gelebilir. Burada Leyla'yı düşünmeden yapamıyorum, bu kadar yakın olup da onu arayamamak... Yazmaya bile odaklanamıyorum, belki sakin bir ortamda romanımın üstünde de düşünebilirim. Farklı bir mekân yeni ilhamlar verebilir. Hem parası gerçekten iyi, yılsonuna kadar başka iş yapmam gerekmeyecek. Gene de söz vermiyorum, gidelim, adamın derdini öğrenelim. Sinir bozucu bir tipse ya da aptal bir biyografi yazmamı bekliyorsa, teşekkür eder çıkarız. Anlaştık mı?"

Beyza başını salladı. Arkadaşına tatlı tatlı güldü. Bu işin olmasını ne kadar çok istediğini bakışlarına yansıtmamaya özen gösterdi. Alacağı komisyon şu sıkışık zamanda ilaç gibi gelecekti, Murat çektiği fotoğraflarla ancak kirasını ödeyebiliyordu ve o bir çıkış yolu bulana kadar çift kişilik harcaması gerekiyordu. Ama çalıştığı yazarlar arasında istemediği bir şey yapması için ısrar etmeyeceği biri varsa, o da en zor zamanlarında hep yanında olan Metin'di.

29

Karamsar düşüncelerden sıyrıldı, çayından son yudumu aldı.

"Yeni roman ne hakkında?"

"Daha belli değil. Ana karakteri seçtim. Bir körün hikayesini anlatacağım. Doğuştan kör değil, sonradan olmuş, kaza ya da öyle bir şey. Henüz karar vermedim. Piyango kazanmış bir adam ya da mirasyedi olabilir. Bohem bir hayat sürüyor, gezmek için, düşünmek için bol vakti var. Zaman içinde sesler konusunda aşırı bir hassasiyet kazanacak. Bir süre sonra başka kimsenin duymadığı, gerçek mi hayal mi olduklarını kestiremediği sesler duymaya başlayacak. Bu sesler onu gizemli olayların içine sokacak. Elimdeki sadece bu, gizem ne, olaylar nasıl olacak, daha düşünecek çok şey var. Yan karakterler de bulmam gerek. Aklımda bir iki tane var ama... Hem biliyorsun, yazmaya başladıktan sonra bambaşka yerlere gidebiliyor kitap, hele şu karakterle iyice bir özdeşleşeyim. Dünyaya onun gözlerinden bakabileyim... Acelesi yok."

"Güzel olacağa benzer," dedi Beyza keyifle. "Gizemli öyküler iyi satıyor, bence çok değiştirme konuyu. İlgi çekici bir isim de bulduk mu tamamdır."

"Çikolata markası üretmiyoruz Beyza," diye şakadan kızdı Metin.

"Parasız da olmuyor ama," diye göz kırptı genç kadın. "Markete gittiğinde yazarsın diye indirim yapmıyorlar, öyle değil mi?" Dostunun yüzünde ciddileşen bir gücenme görünce lafı değiştirdi.

"Frankfurt Kitap Fuarı'nda kitabınla ilgilenen bir iki yayınevi olmuştu, bundan bahsetmiştim. Bir tanesi geçenlerde e-posta atmış, İngilizce olarak özetini istemiş. Bir çevirmene verdim, halledecek bu hafta. Maliyetini bölüşürüz, olur mu?"

"Hangi ülke için?"

"Macaristan. Biliyorum çok heyecan verici değil. Ama bir ülkede çıkması diğerlerine satabilmemizi kolaylaştırır. Bu yüzden inşallah olur."

"Haklısın," dedi Metin. "Elinden geleni yaptığını biliyorum canım, biraz zaman lazım bu işler için. Ben sana güveniyorum."

"Şu çeviri işi..."

"Tamam tamam, bölüşürüz."

Beyza birden gülümsedi, ama bakışları başka yerdeydi. Metin başını çevirip kadını keyiflendiren manzaraya baktığında, birbirlerine sımsıkı sarılmış iki genç gördü, yirmili yaşların başında olmalıydılar.

"Epeydir röntgenliyorum bunları," dedi Beyza hınzırca. "Hangisi diğerinin üstüne atlayacak diye bekliyordum. Çok şirinler değil mi, amma aşıklar..."

Metin bu yoruma burun kıvırdı.

"O çocukların gerçekten aşık olduklarını nereden biliyorsun?"

"Anlamadım."

"Belki oğlan kızı yatağa atmaya çalışıyor ya da kız bir zengin çocuğu bulmuş, ayartmaya uğraşıyor. Ne biliyorsun ki haklarında?"

"Amma yaptın. Baksana şunlara. Nasıl da sarılmışlar."

"Büyük konuşma derim. Kız belki ona sarılırken bir başkasını hayal ediyor, sevdiğini kıskandırmak için bu zavallıyla takılıyor, hatta oğlan kızı tavlamak için arkadaşlarıyla iddialaşmış bile olabilir. Belki aslında biri diğerinden nefret ediyor, onu aşık edip sonra terk etmenin hayalini kuruyor. Ya da sadece kendilerini aşık sanan iki aptal çocuk... Yıllar sonra cidden birine tutulduklarında birbirlerini hatırlamayacaklar bile. Bana sarmaş dolaş bir çift ver, sana yüzlerce öykü vereyim."

Beyza gençlere bir kez daha, bu sefer dikkatle baktı ve yeniden gülümsedi.

"Bu çocuklar aşık."

Metin de uzun uzun baktı ve bir iç çekişle başını salladı.

"Evet, tamam, kıskandım. Yeni terk edilmiş biri böyle konularda konuşmamalı."

Genç kadın güldü, dostunun elini şakadan, usulca tokatladı.

Kısa bir sessizlik oldu. Sonra Metin, düşünceleri uzaklarda, kadına bakmadan sordu.

"Kalkalım mı artık?"

Beyza çay paralarını toplamak için masaların arasında dolanan çocuğa el ederken, Metin başını çevirip dalgın bir ifadeyle iskeleye yaklaşan motoru seyretti. Az önce gözleri kapalıyken hafızasından çağırdığı, aklında canlandırmaya çalıştığı şekliyle kıyasladı. Üst katı saran parmaklıklar, anten direği, cankurtaran simitleri, her şey yerli yerindeydi. Simitlerin arasındaki mesafeyi bile doğru hayal etmişti. Birkaç saniye sonra kendisiyle dalga geçercesine güldü. Söylenirken sesinde belirgin bir kızgınlık vardı.

"Burnundakileri unutmuşum! Motorun burnundaki kocaman kamyon lastiklerini hatırlayamadım! Benimki iskeleye sadece bir kez yanaşabilecek, çünkü kahrolası lastikleri unuttum! Bir kez yanaşacak ve güm! Artık bir burnu olmayacak. Milyon kere gördüm halbuki, helal olsun bana."

Beyza, neden bahsettiği hakkında hiçbir fikir yürütemediği adama yan gözle baktı.

"Ne lastiği yahu? Ne motoru?"

"Boşver," dedi Metin sandalyeden kalkarken. Ayakta ellerini beline koydu, gözlerini kıstı ve motora bir kez daha, son görüşü olacakmış gibi tüm ayrıntılarını aklına kazımaya çalışarak baktı. Onu bir kez daha hayal ettiğinde hiçbir özelliğini atlamayacaktı.

"Lastikleri nasıl unuturum..."

-4-

Paris'in Eyfel'i, New York'un Hürriyet Heykeli gibi İstanbul'un bir simgesi, olmazsa olmazı yoktur derler, bu doğru değildir. İstanbul'un vazgeçilmezi, martıların dostları boğaz vapurlarıdır, onların içinden şehri seyretmek de kıyıda oturup onları seyretmek de ayrı bir mutluluktur. Günün birinde sihirli bir el Topkapı Sarayı'nı, Yerebatan Sarnıcı'nı alıp götürse İstanbul topal kalır kalmasına, ama ayakta durur da, eğer vapurları giderse ona aşık pek çok gönül için İstanbul olmaktan çıkar.

Suları köpürterek harekete geçen vapur, güzel havalarda adet olduğu üzere o sabah da hıncahınç dolmuştu. Şık kıyafetli kadınların üstü başı dökülen çingene çocuklarına, mini etekli kızların çember sakallı muhafazakârlara karıştığı renkli bir kitle vapurun eski ve yıpranmış, tahta sıralarını paylaşmış, hatırı sayılır bir kalabalıksa ayakta kalmıştı. Yanık tenli turistlerin binbir dilden sözcükleri, Türkçe'nin onlarca lehçesine eklenerek kapalı bölmelerde insanı yoran bir uğultuya dönüşüyordu. Bir köşede aşık bir çift sevgi sözcükleri fısıldar, elleri birbirlerinin tenini usulca keşfederken, bir başka köşede pikniğe giden dindar gençler cemaat liderlerinin öğütleri üzerine hararetle söyleşiyorlardı. Hırpani görünümlü iki delikanlı ellerindeki tek simidi paylaşıyor, karşılarında oturan adam yanındaki arkadaşına yeni aldığı yazlıktan bahsediyordu. Kimsenin kimseyle bir derdi yoktu, herkes varacakları yerin hayaliyle keyifli, dünyaya ve etrafındakilere her zamankinden daha sıcak bakıyordu. Aynı yolun yolcusu olmak, başka zaman başka yerde birbirlerine diş gıcırdatacak türlü insanı yakınlaştırmış, adaların büyüsü tüm farklılıkları törpülemişti. O an vapuru dolduranlar önlerindeki birkaç saat için sadece ve hep birlikte ada yolcusuydular o kadar.

"Ya da belki yalnızca ben böyle hissediyorum," diye düşündü Metin. "Belki imkanı olsa vapurun yarısını denize dökecek olan da az değildir. Belki sadece şu an mutlu olduğum için..."

Gemi Kadıköy iskelesinden yavaş yavaş uzaklaşırken, Metin kendisini epeydir yoran her şeyin karada kaldığını, çevresini kuşatan enginliğin içinde sıkıntılarının, hatta nicedir ruhunda koca bir yara olan Leyla'nın bile önemini yitirdiğini hissetti. Beyza çay almak için büfeye yollandığında, o da yerlerini yanlarında oturan yaşlı bir adama emanet edip güvertenin açık kısmına çıktı. Fotoğraf çeken meraklı turistlerle birlikte gittikçe geride kalan kıyıyı doya doya seyretti. Görkemli Haydarpaşa garına, saraylara, irili ufaklı camilere, sahile sıralanmış çay bahçelerine "son bakış"la baktı, daha önce fark etmediği ilginç ayrıntılar yakalamaya çalıştı. Martıların kanat uçlarındaki griliği, süzüldükleri zaman portakal rengi ayaklarının dümdüz kesilip bedenlerine yapışmasını, kuyruklarının üçgenleşmesini aklının bir köşesine yazdı. Geminin adalara dönük yüzünde şehir yavaş yavaş gözden kaybolurken, diğer tarafta oturanlar tarafından uzunca bir süre silüet halinde de olsa görülebilecekti.

Beyza elinde çay bardaklarıyla döndüğünde, onu bıraktığı yerde, gözleri uyuyormuş gibi kapalı, huzurlu bir ifadeyle buldu.

"Neler görüyorsun şu an?" diye sordu alçak sesle.

Metin gözlerini açmadan cevap verdi.

"Kızıl saçlı, hoş bir kadın görüyorum. Orta boylu, yuvarlak hatlı; mavi bir kot pantolon, kısa kollu bir gömlek giymiş. Şahane ela gözleriyle bana bakıyor. Çenesinde minik bir ben var, kaşları ince, dudağı kalın sayılabilir, o güzel dudağın bir ucu alaycı bir ruh haline büründüğünde hep olduğu gibi hafifçe aşağı kıvrılmış."

Beyza'nın dudağı düzeldi. Arkadaşının omzunu yumruğuyla dürttü, etkilenmiş bir ifadeyle başını salladı.

"Dudağım cidden hep kıvrılıyor mu öyle, aman tanrım, iğrenç bir şey bu!"

"Hayır değil," diye gülümsedi Metin. Şimdi kadının gözlerinin içine bakıyordu. "Bilakis çok şeker oluyorsun."

"Hadi çayını iç. Soğutma bak, buraya kadar taşıdım. Peki başka neler gördün. Ben gelmeden önce mesela."

"Sesler görüyorum Beyza. Karanlığa odaklandığın zaman sesler gerçekten bir vücut kazanıyorlar. Anlattığım öyküdeki gibi değil tabii, gene de normalde duymadığın birçok şey duyuyorsun. Şu gemideki uğultu var ya, ayrı ayrı cümlelere dönüşüyor, insanların kendi aralarında konuştuklarını az çok seçebiliyorsun. Garip bir şey. Ama en çarpıcı anı gözlerini açtığın zaman yaşıyorsun, yeniden doğmaya benziyor... Sanki etrafındaki her şeyi ilk kez gören bir bebeğin şaşkınlığı... Hiç açamayacağımı düşünmek korkutucu olurdu."

Genç adam sustu. Gözleri ufuk çizgisine, iki mavinin buluştuğu yere odaklandı.

"Ama bunu da yapmam gerekecek. Göremeyen birinin hislerini anlayamazsam bu romanı hakkıyla yazamam."

"Keşke biraz daha kolay konular seçsen... Ne bileyim, şöyle keyifli, mutlu karakterlerle empati kurman gerekse. Çok zorluyorsun kendini Metin. Ruhunu fazla yorma olur mu, zaten üzücü şeyler yaşadın, biraz rahatlamaya çalış."

Metin kadının elini tuttu.

"Endişe etme. Yazar Metin, Romantik Metin'den çok daha güçlü biri, üstesinden gelir."

"Öyle diyorsan öyledir... Ama bu arada Arkadaşım Metin'e de göz kulak olsun, tamam mı? Benim için en değerlisi o."

"Tamam canım," dedi Metin, içtenlikle güldü.

Sevimsiz, metalik bir ses konuşmayı böldü. Beyza irkildi, elini çantasına attı, çıkardığında avucunda bir cep telefonu tutuyordu. "Affedersin," dedi, biraz mahcup bir tavırla, gelen mesajı bir çırpıda okudu. Uzun ince, ojeli parmaklar hızlı hızlı çalışırken, Metin bunun sevilen bir adama yazılan bir mesaj olduğunu sezdi ve engel olamadığı hafif bir kıskançlığa rağmen, içinden dostuna iyi şanslar diledi.

Denizin ıssızlığında sakince yol alan gemi, yarım saat sonra İstanbul adalarından ilk durak olan Kınalıada'ya yanaşmıştı. Kraliyet üyeleri için sürgün yeri olarak kullanıldıkları zamanlarda Prens adaları, manastırlarla ve keşişlerle doldukları yıllarda ise Papaz adaları olarak anılan bu güzel kara parçaları, kışın pek bir sakin olurken yazları turist akınına uğrar, nüfusları birkaç misli artardı. Adaların en küçüğü olan Kınalıada, pek popüler bir yer olmadığı için gemiden fazla inen olmadı. Boşalan yerler hemen ayaktakiler tarafından kapışıldı. Şişman bir kadın terli vücuduyla yanına kurulup yelpaze yaptığı gazeteyle kokusunu etrafa yayınca, Beyza hoşnutsuz bir suratla homurdandı.

Her köşesine en azından birkaç ev kondurulmuş olmasına rağmen, Heybeliada'da Ruhban Okulu'nun bulunduğu tepede hiç yerleşim yoktu, tepe tamamen sık ağaçlı bir ormanla kaplıydı. Kıyıya yakın bir yerde piknikçilerin yaktıkları ateşlerin dumanları göğe yükseliyor, orman üç yerden tutuşmuş gibi ürkütücü bir yanılgıya yol açıyordu. Yeşilin farklı tonları arasında, muhtemelen arkasındaki villanın sahipleri tarafından dikilmiş bir erguvan ağacının eflatunu manzaraya renk katıyordu. Yerleşimin başladığı noktada adanın büyüsü nispeten kayboluyor, evlerle dolu tepeler yüzünden manzara sanki İstanbul kıyılarından alelade bir sahneye dönüşüyordu. Gene de havanın tazeliği ve gemiyi kuşatan saf deniz kokusu yolculara hâlâ şehirden çok uzakta olduklarını hatırlatıyordu. Martılarsa bazen azalıp bazen kalabalıklaşarak yolculuğun her anını onlarla paylaşıyorlardı.

Metin akıp giden manzarayı seyrederken kendisini şanslı hissetti. Bu adalara sahip olmak için tarih boyunca pek çok savaş yapılmış, şu an gittikleri rotadan zamanında ne karşı konulmaz kadırgalar ne görkemli kalyonlar geçmişti. Akına giden donanmaların ikmal, yenilgiye uğrayanların ise sığınmak amacıyla uğradığı bu küçük kara parçaları mağrur Cenevizlilere de açmıştı bağrını, Bizanslılara, Venediklilere, acımasız Kazak korsanlara da. Zırhlara bürünmüş bir şovalye de kavuklu bir Osmanlı paşası da gemilerinin parmaklıklarına yaslandıklarında, onun seyrettiği güzelliklere aynı hayranlık duygusuyla bakmış olmalıydılar. Onların kelle koltukta yaptığı yolculuğun kendisine iki simit parasına mal olduğunu düşünmek keyifliydi.

Heybeliada geride kaldığında, güverte yarı yarıya boşalmıştı. Metin, kısa bir süre önce başını omzuna koyup uykuya dalan kadını usulca, çok da içinden gelmeden sarstı. Gözleri açıldığı zaman ona sevgiyle bakarak, "Hadi tembel az kaldı," dedi alçak sesle, "Amma horluyorsun, bütün gemi seni dinledi valla."

"Yapma ya horladım mı... Uff, kusura bakma, kaç gecedir doğru dürüst uyuyamadım."

"Yok yok şaka. Bebekler gibi uyudun canım. Niye öyle oldu? Gene bir fuar mı var?"

"Öyle bir şey," dedi Beyza. "Bu kez bir yayınevi etkinliği. Her şeyi üstüme yıktılar, ama iyi para ödeyecekler. Beni birkaç ay idare eder. Tabii planlarda değişiklik olmazsa... " Aniden elini kaldırdı, büyük bir keşifmişçesine coşkuyla ileriyi işaret etti. "Bak! Büyükada!"

Metin, uzakta huzurlu bir yalnızlık içinde görünen adaya bakarken yüreğinde bir heyecanın kıpırdadığını hissetti. Acaba gelecek onun için neler planlıyor, ne sürprizler hazırlıyordu. Nedense derinlerinde bir yerde, bu adada kendisini ilginç günlerin beklediğine dair güçlü bir his vardı.

Büyükada yolcuları, denizin toprağa kavuştuğu çizgi belirince gemiden inmeleri gecikmesin diye yavaş yavaş toplanmaya, iskele verilecek açıklıklara doğru yürümeye başladılar. Herhalde uzun yolculuktan sıkılmış, bir an evvel karaya ayak basmak, kendilerini sahildeki kafelere atmak istiyorlardı. Beyza ve Metin, turistler, aşıklar, neşeli öğrenciler, eli kolu dolu pikniğe gelenler önlerinden bir bir geçerken, gemide olmanın tadını biraz daha çıkarmayı tercih ettiler. Adanın mütevazı rıhtımı ve tarihi iskele binasının önü bir anda insan kalabalığıyla doldu. II.Abdülhamit döneminde inşa edilmiş olan bu küçük binanın, kemerli kubbeleri ve renkli camlarıyla masalsı bir havası vardı.

Herkesten sonra indiklerinde, Beyza Metin'in koluna girdi, itiraz etmesine fırsat bırakmadan onu yolun karşısına sürükledi.

"Bizi bekleyecek bir fayton olacağını söylemişlerdi. Gel, fayton durağına gidelim."

"Yolu biliyorum yahu. İlk gelişim değil."

"Olsun, olsun. Ne olur ne olmaz," diye güldü Beyza. "Seni Yiğit Bey'e sağ salim teslim etmem lazım. Kaybolursun falan."

"Paket servise mi başladın? Aman soğumadan götür bari, tadım kaçmasın."

"Tabii, öyle götürmezsem para almayacağım. Şirket politikamız!"

"En iyi halim kaç lira eder ki zaten?" diye güldü Metin. "Cidden yemek işine girmeliydin sen. Daha kolay para kazanırdın."

"Aman Metin..."

"Yoo, valla, ciddiyim. Şu çayhanelerden birini işletsen mesela? Müşteri hazır nasıl olsa. Ben geldiğimde ucuza çay, tost verirdin, ben de bir köşede romanlarımı yazardım, şöyle açık havada, rüzgâra karşı, daha mutlu olmaz mıydık güzelim?"

"Sizi ciddiye almıyorum Metin Soydemir!" dedi Beyza.

"Ne zaman aldın ki zaten!"

Güldüler.

Denize sıfır çaybahçeleri tıklım tıklım doluydu, sahile uzak olanlarda yer bulmak nispeten kolay görünüyordu. Fazla rağbet görmeyen, garsonların "hemen bitir de kalk, yeni müşteri ve yeni bahşiş gelsin" bakışlarıyla insanın keyfini kaçırmadığı manzarasız kahvehanelerde, tavla ya da okey oynayanlar çoğunluktaydı, ama bunlar genelde saçına ak düşmüş erkeklerdi. Kadınlar ve gençler bu güzel havada sokaklarda olmayı tercih etmişlerdi.

Meydana ulaştıkları zaman Metin etrafı taze bir merakla inceledi, adaya son gelişinin üstünden epey zaman geçtiği için buradaki mimari kaos ona yeni ve şaşırtıcı bir şey gibi geldi. Tam ortada etrafında bir turist grubunun kümelendiği bir saat kulesi yükseliyordu, boyu mütevazı bir ağaç kadardı. Oldukça iğreti bir yapıydı, herhalde tarihi açıdan bir anlamı vardı, yoksa aklı başında hiç kimse onu burada tutmazdı. Hiçbir standartı olmayan iki-üç katlı evler, yıpranmış ya da yeni yapılmış, beyaz badanalı ya da rengarenk, düz çatılı, üçgen çatılı, balkonlu ya da balkonsuz, oymalarla süslenmiş ve ruha neşe katan ya da çirkin lokantalara dönüştürülmüş binalar meydanı herhangi bir uyum gözetmeden çevreliyordu.

Gene de sevimli, diye düşündü Metin, sonra kendisine güldü. Ada havası başka yerde küçümseyeceği şeylere bile kendine has bir güzellik katıyordu.

Meydanda fayton bekleyenler uzunca bir kuyruk oluşturmuşlardı, büyük çoğunluğu çocuklu ailelerdi. Aslında pahalı bir yolculuk tarzı olsa da adaya gelip faytona binmemek çoğu insanda bir eksiklik duygusu uyandırırdı. Beyza Metin'i kolundan çekip sıraya girmesini önledi.

"Bizi bekleyen fayton durağında olmalı."

"Adını biliyor musun?"

"Kimin?"

"Aradığımız kişinin."

"Onlar bizimkini biliyordur."

"Burada o kadar meşhur muyum?"

"Dalga geçme. Yiğit Bey bu adada önemli biri. Bizi bekleyenler vardır mutlaka."

Görevlinin işaret ettiği yere vardıklarında, ilk yolculuğuna çıkacakmış gibi pırıl pırıl parlayan, arkasına güllerle dolu bir saksı monte edilmiş yeşil bir fayton gördüler. Koltukları kırmızı, sürücünün oturduğu yastık altın sarısıydı. Metin motorlu taşıt kullanmanın yasak olduğu bir yerde bulunma düşüncesinin tadını çıkarırken, biri siyah diğeri kahverengi iki ata başka bir dünyadan gelmişler gibi ilgiyle baktı. Güreşçi cüsseli, kaytan bıyıklı bir adamdı arabacı, başında eski bir kasket, üstünde kısa kollu bir gömlek vardı. İsimlerini duyunca bir miktar aşağı eğilip onları abartılı bir hareketle selamladı.

"Yiğit beyimin misafirlerisiniz, öyle değil mi? Buyurun, buyurun, ben götüreceğim. Çok vakitli geldiniz hiç gecikmediniz maaşallah."

"Konakta bizi bekliyorlar," dedi Beyza. "Zamanında gidelim, ayıp olmasın."

"Uzak mı köşk, çok sürer mi yol?" diye sordu Metin, deri koltuğa sırtını verirken.

"Yok beyim, bu adada hiçbir yer uzak değildir," diye yanıt verdi faytoncu. "Tümünü turlasak bir saat." Atları güçlü bir ho çekerek harekete geçirdi.

"Yavaş git öyleyse," dedi Metin. Kulağı tekerleklerin hoş tıkırtısındaydı. "Buraya kadar gelmişken biraz manzara görelim bari."

"Ama yolu uzatmayalım," diye uyardı Beyza. "Acelemiz var, köşke geç kalmayalım."

"Tamam be," dedi Metin, huysuzlanarak. "Yiğit Bey hazretleri de biraz beklesin."

Genç adam parmaklarını tepesindeki çatıyı çepeçevre saran saçaklarda gezdirdi. Başını yan çevirdi ve sahili, kıyı boyunca uçan martıları, gamsız dolaşan insanları, bisikletli çocukları seyre daldı. Hayat güzeldi. Burada olmak güzeldi. Konakta onu bekleyen şeyin ise hoşuna gidip gitmeyeceğini bilmiyordu. Ne demeye koşturacaktı ki?

Birkaç mütevazı evi ve bunların arasında kendilerine yer bulmuş küçük dükkanları geçtikten sonra yokuş yukarı gitmeye başladılar. Sabahın erken saatleri olduğundan güneş henüz yakıcı yüzünü göstermemişti. Bir iki katlı, hepsi bakımlı evlerin, bahçeleri türlü çiçeklerle, palmiye ağaçlarıyla ama en çok güzelim mimozalarla bezeli görkemli köşklerin arasında ilerlediler. Bahçelerden birinde, yarı çıplak, çiçekli bir şort giymiş yaşlı bir adam, elindeki hortumla çimenleri suluyordu, Metin demir parmaklıklar arasından ona baktığında, adamın suratındaki keyif ve huzur içini ısıttı. Dudaklarının kıpırdanmasına bakılırsa bir şarkı mırıldanıyordu adam, eskilerden olmalı diye düşündü Metin, daha yakında olup şarkıyı, daha çok da aynı huzuru taşıdığına emin olduğu sesi dinleme isteği duydu. Ona "son bakışla" bakmak da hoşuna giderdi, ama hem uzaktaydı hem de bunun için faytonu durdurmasını diğerlerine açıklayamazdı. İhtiyar başını kaldırıp faytonu şöyle bir süzünce, onu rahatsız etmekten, kendine kurduğu küçük cennetin mahremiyetini bozmaktan çekinip gözlerini kaçırdı.

Turistlere ada turu yaptıran faytonlar gördüler, bisiklet keyfi süren gençler, sessizce dolanan başıboş köpekler, köpeklerle ve birbirleriyle oynaşan çocuklar. Ada sakinlerinin evlerine damacanalarla su taşıyan bir at arabasını solladılar, tam o sırada karşıdan bisikletinin arkasına taktığı kasayı ekmekle doldurmuş bir adam geliyordu.

Derme çatma birkaç dükkanı geride bıraktıktan sonra, nispeten ıssız bir yola girdiler. Metin yolun başında, kanadı yaralı bir güvercin fark etti, uçamadığı arada bir zıplayıp yere düşmesinden belliydi. Etrafında uçuşan onlarca iri sineğe bakılırsa, güvercinin üstünde kan kurumuş kanadı oldukça lezzetli bir koku salıyor olmalıydı. Sinekler kanadına hücum ettikçe güvercin zıplıyor, onları birkaç saniyeliğine kendinden uzaklaştırıyor, yere konduğu anda ısrarcı yaratıklar gene üstüne üşüşüyordu. Kuşun sıkıntısı ve çaresizliği Metin'in az önce içinde yüzdüğü tatlı duyguları bulandırdı, bir an için kendisini onun yerine koydu, sineklerin koluna doluştuğunu hissetti, sonra bundan kaçmak istedi, başını kaldırıp bakışlarını gökyüzünde gamsız uçan kuşlara odakladı. O an hissettiği zayıflıktan utandı, gene de dönüp yaralı hayvana bir kez daha bakmadı.

Fayton yol boyunca gördüklerinin hepsinden daha gösterişli bir köşkün önünde, yüksek ve çift kanatlı bir bahçe kapısının dibinde durdu. O ana kadar söyledikleri "şuna bak", "ah ne güzel"den öteye gitmeyen Beyza, faytoncuya usulden seslendi:

"Borcumuz nedir?"

"Param ödendi hanımım," dedi adam. "Sen onu merak etme."

Bu cevaba ikisi de şaşırmadı.

Arabadan indiler, genç kadın kapının yanındaki aslan başının içine elini soktu, düğmeye bir kez bastı. Onlar duymadılar, ama içeride bir zil çalmış olmalıydı, çok geçmeden kulaklarına kaynağı belirsiz bir ses geldi. Metin ses cihazını gözleriyle aradı ama görünür bir yerde değildi.

"Buyurun, kimsiniz?"

"Ben Beyza Toptekin. Yazar ajanıyım, birkaç gün önce telefonda konuşmuştuk. Metin Soydemir Bey'i getirdim. Yiğit Bey kendisiyle tanışmak için bizi davet etmişti."

Yiğit Bey, Yiğit Bey, diye içinden tekrarladı Metin. Daha şimdiden, insanların her kapıyı açan sihirli bir sözmüş gibi telaffuz ettiği bu ismi duymaktan sıkılmıştı.

"Hoşgeldiniz, biz de sizi bekliyorduk," dedi ses. "Buyurun, dümdüz köşke yürüyün lütfen."

Kapının kilidi ve kanatları otomatik olarak açıldı. Metin ve Beyza, geniş ve türlü ağaçlarla, birbirinden güzel çiçek tarhlarıyla süslü bahçeye girerlerken, köşkün kapısından bir adamın çıktığını gördüler. Merdivenlerden inen adamın acelesine bakılırsa, onları yarı yolda karşılamak istiyordu. Beyza köşkten etkilenmişti. İki kenarı kule şeklinde tasarlanmış olan devasa yapı, bembeyazdı ve her ayrıntısında zevkli bir işçilik göze çarpıyordu. Üst kattaki kapılar üç kişinin yanyana durabileceği genişlikte, binayı çevreleyen bir balkona açılıyordu, balkona aralıklı olarak büyük saksılar içinde çiçekler konulmuştu. Kulelere gül şeklinde kabartmalar işlenmişti, iki gülün dalları birbirine dolanmışken üçüncüsü aralarından boy veriyordu.

Metin ise bahçedeki çiçek tarhlarına odaklandığı için henüz köşkü inceleme fırsatı bulamamıştı. Çok özenle, belirgin bir sevgiyle yapılmıştı bu tarhlar, usta işiydiler. Biri onlara tüm hünerini, ruhunu katmış, üzerlerinde tutkuyla çalışmış olmalıydı. Elini uzatıp yanından geçtikleri bir çiçek kümesine dokunmak istedi, işaret parmağıyla mimozalardan birini usulca okşadığı an, arkasından gelen ürkütücü bir homurtuyla irkildi, geri çekildi.

Dönüp baktığında, elinde keskin kenarlı bir bahçe makasıyla, o güne kadar gördüğü en güzel yüzlü adamla karşı karşıya geldi. O an biri neden donup kaldığını sorsa, onu en çok sarsan şeyin bu güzellikten duyduğu şaşkınlık mı, yoksa adamın gözlerindeki bu dünyaya ait değilmiş havası taşıyan çılgınca bakış mı olduğunu söyleyemezdi.

"Tamam Ahmet, tamam!" diye bağırdı köşkten çıkan adam. Sesi sevecen, ama bir o kadar da otoriterdi.

"Misafir onlar, tamam."

Yunan heykeltraşların yarı tanrılarına benzeyen bahçıvan, tehditkâr bir ifadeyle kaldırdığı bahçe makasını indirdi, biraz mahcup bir tavırla iki adım geriledi. Başını öne eğip bir çocuk çekingenliğiyle kararsız duruşu, Metin'in az önceki bakışı anlamlandırmasına yetti. Yanlarına koşarak gelen adamın soluk soluğa açıklaması, yargısını onaylamıştı.

"Kusura bakmayın. Zekası pek parlak değildir. Zararsızdır ama, korkmayın."

Bahçıvan onlar orada yokmuş gibi dönüp bir ağacın dallarını budamaya koyuldu. Varlıklarını birkaç saniye içinde unutmuş görünüyordu. Beyza genç adamın yandan da çok etkileyici olan güzelliğine birkaç saniye daha bakmaktan kendini alamadı. Sonra diğerine dönüp, "Merhaba," dedi. "Yiğit Bey siz misiniz?"

"Yok hayır," diye güldü adam. Yaşı ellinin üzerinde olmalıydı, ince yapılı ve orta boyluydu. Saçları düzgünce taranmıştı, sinek kaydı traş olmuştu. Sıcak havaya rağmen üzerinde yeni ütülendiği belli olan uzun kollu bir gömlek vardı. Suratındaki ifadeye bakılırsa patronuyla karıştırılmak hoşuna gitmişti. "Ben Rıza, köşkün kahyasıyım. Yiğit Bey sizi içeride bekliyor. Gelin yolu göstereyim. Yorgunsanız önce bir acı kahvemizi için, biraz soluklanın. Yiğit Bey de telefonda zaten, azıcık işi var."

Kahyanın arkasından yürürlerken Metin başını çevirip önce işine dalmış olan bahçıvana, sonra şahane çiçek tarhlarına, ardından yaklaştıkları görkemli köşke baktı. Ruhunda burası hakkında hoş duygular uyanıyordu. Arzuladığı kadar farklı bir ortama düştüğünü hissediyordu, ona İstanbul'u, Leyla'yı, oradaki sıkıntıları bir süreliğine unutturabilecek, kafasını boşaltıp yazmaya odaklanmasını sağlayabilecek kadar farklı.

Merdivenleri çıkarken gözlerini kapadı ve basamakları o şekilde, hiç bilmediği bir yere gelmiş, her an bir şeye takılabilecek ya da çarpabilecek, göremeyen bir adamın tedirginliğini duymaya çalışarak aştı.

"Karanlığın içindeyim. Her şeyi yutan, sindiren, anlamsız kılan karanlık... Tam kalbindeyim."

-5-

"Ooo.. Hoşgeldiniz! Hoşgeldiniz! Kusura bakmayın, bek-lettim sizi. Ankara'dan aradılar, acil bir konuydu. Geveze bürokratlardan birine çattım. Burada bile rahat bırakmıyorlar beni."

"Rica ederiz Yiğit Bey," dedi Beyza. "Ne kadar meşgul olduğunuzu tahmin ediyoruz. Biz de erken gelmiştik zaten."

Yiğit Ulaşlı, altmışlı yaşlarda ama dinç görünen, orta boylu, geniş omuzlu, kendine iyi bakmış bir adamdı, omuzlarına kadar inen simsiyah saçları büyük ihtimalle boyalıydı. Yakışıklı denemezdi, gene de iri gözleri, keskin kenarlı çenesi ve suratının kıvrımlarına sinmiş özgüvenle etkileyici bir havası vardı. Kimi güçlü insanlar gibi bakışlarıyla çevresindekileri ezmeye çalışmıyor, ama gerektiğinde bunu yapabileceğini de hissettiriyordu.

Beyza'nın elini sıkarken gözlerine neşeli bir çapkınlıkla baktı, "Telefonda sesinizi güzel bulmuştum, sesiniz kadar güzelmişsiniz," diye ekledi gülümseyerek. Metin'in elini ise uzun zaman bırakmadı, içten bir ifadeyle ona kitabı hakkında övgüler yağdırdı.

"Dudaklar ve Mühür çok özel bir roman. Her sayfasından keyif aldım. Kerem'in Neşe'yi bu kadar sevmesi ama söyleyememesi... İçime işledi cidden. Yine de öyküleriniz bir başka Metin Bey. Hele şu evden kaçan köpekle ilgili olanı, hani cinlerle konuşabilen bir dilenciye rastlıyor, tüm olayları köpeğin gözünden izlemek harikaydı. Nerden buluyorsunuz böyle şeyleri?"

"O öyküyü ben de severim."

"Batık gemide geçene de bayıldım. O dalgıçlarla zamanda yolculuk etmek, alternatif Bizans'ınızı onlarla gezmek istedim. Çok güçlü bir hayalgücünüz var."

"Teşekkür ederim."

Duvarları yerli ressamların eserleriyle süslü, mütevazı bir çalışma odasındaydılar. Bir duvar Özer Kabaş'larla, bir diğeri Mümtaz Yener'lerle donatılmıştı. Odanın bir ucunda, şık bir masanın yanında insan boyunda çıplak bir kadın heykeli duruyordu. Heykele kusursuz bir tanrıça havası verilmemiş, yüzü yolda rastlanacak sıradan bir kadın gibi yontulmuştu.

Geniş, deri koltuklara kurulduklarında, Yiğit elindeki kumanda benzeri aletin bir düğmesine dokundu, birkaç saniye sonra kahya yanlarına geldi.

"Rızacım, bana bir kadeh şarap gönder, her zamankinden. Misafirlerimize de ne arzu ediyorlarsa."

"Ben bir kahve daha alırım," dedi Beyza. "Gene sütlü olsun lütfen."

Metin kahyaya dostça gülümsedi. "Bir Türk kahvesi almam mümkün mü?"

"Elbette," dedi kahya, nazik bir ifadeyle. "Şekerli şekersiz?"

"Şekersiz."

Adam kapının ardında gözden kayboldu.

"Geldiğiniz için teşekkür ederim," dedi Yiğit, ikisine birden hitap ederek, ama gözlerini Metin'inkilerden ayırmadan.

"Burada birkaç gün geçirip Ankara'ya dönmem gerekiyor. Orada yeni bir yatırımımız var, işleri başı boş bırakamıyorum. Ortam kurt sofrası... Gitmeden görüşebilmemiz harika oldu, zira vaktimiz biraz dar. Köşkü de kendi gözlerinizle görün istedim, Metin Bey'in projeme katılmayı ve burada bir süre kalmayı kabul etmesi için etkili olacağını umuyorum. Hoş bir yerdir, bu mevsimde ada da çok güzeldir. Sizi misafir etmekten mutluluk duyacağız."

"Beyza Hanım projeden biraz bahsetti," dedi Metin. "Ama o da çok az şey biliyor. Biraz daha detaylı anlatmanız mümkün mü?"

"Elbette. elbette. Bunun için toplandık zaten. Ama öncelikle bir söz almam gerekiyor, konuştuklarımız bu dört duvarın dışına çıkmamalı. Ticari bir işten bahsetmeyeceğiz, ama benim için bunu ilk yapacak kişi olmak önemli. Anlayacağınızı sanıyorum, siz de aklınızdaki bir öyküyü birine anlatsanız ve oturup sizden önce yazsa rahatsız olursunuz eminim."

"Deli olurdum," diye güldü Metin. "Merak etmeyin, benden sır çıkmaz."

"Benden de," dedi Beyza.

"Peki öyleyse. Benim hakkımda neler duydunuz, bilmiyorum. Çeşitli sektörlerde başarılı işler yaptım bugüne kadar. Daha çok sanayici ve tekstilci olarak tanınırım. Anadolu'da iki fabrikam ve ortak olduğum birçok şirket var. Yurtdışındaki yatırımlarımı belki okumuşsunuzdur, geçenlerde gazetelerde epey yer aldı."

"Ekonomi sayfalarına pek bakmam," diye itiraf etti Metin.

"Neyse boşverin. Bugün iş konuşmayacağız! Metin Bey, pek az kişinin, sadece yakın dostlarımın bildiği bir tutkum var, çizim sanatına, minyatürlerden modern resime kadar her dalına hayranım. Yıllardır bu alanda pek çok koleksiyonum oldu, paramın önemli bir kısmını bu koleksiyonları genişletmeye adadım. Tarihin büyük ressamlarının eserlerini, onlar hakkında yazılmış sayısız kitabı bir araya getirdim. İstanbul'daki evim bir nevi müze gibidir, içinde kendimi çok mutlu hissederim. Ama tüm bu ressamların arasında bir tanesi var ki, benim gerçek aşkım diyebilirim ona. Mehmet Siyah Kalem hakkında ne biliyorsunuz?"

"Şu gizemli adam mı?" diye sordu Metin. "Bir katalogta birkaç eserini görmüştüm. Etkileyiciydi."

Yiğit genç adama mutlu bir ifadeyle baktı.

"Eserlerini gördünüz demek. Bu harika..."

"Yurtdışında bayağı konuşulan bir isim," dìye lafa karıştı Beyza. "Ben çalışmalarını görmedim maalesef. Yani gazetelerde basılan minik fotoğrafları saymazsak. Ama yabancı dostlarla muhabbetlerimde adını çok duydum. Turks sergisinde, Londra'da, epey ilgi çekmiş galiba. Kim olduğu bilinmiyor, öyle değil mi? Hangi milletten olduğu bile muamma."

"Evet Beyza Hanım, ikinizin de onu tanımasına sevindim. Bu ressamın kimliği bir sır perdesinin ardında saklı. Hakkında hiçbir kayıt yok. Günümüze kadar gelebilen bazı resimlerin üzerine yazılmış bir ibareden ibaret. İbareyi onun koyduğu bile şüpheli, muhtemelen başkasının düştüğü bir not, *Kârı Üstad Mehmed Siyah Kalem* diye yazılmış resimlere, *Üstad Mehmed Siyah Kalem'in İşi* anlamında. 1400'lü yıllarda, muhtemelen Türkmen yörükler arasında yaşamış. O zamanın yörüklerini, yani göçebe Türklerini, karşılaştıkları diğer milletleri resmetmiş. O dönemki şamanist inanışlara uygun düşen fantastik yaratıklar da çizmiş, başka hiçbir şeye benzemeyen, tamamen özgün yaratıklar. Ama her kimse, bir dahi olduğu kuşkusuz. Zamanının çok ilerisinde, hatta bazı açılardan bugünün bile ilerisinde bir dahi."

Yiğit heyecanlı bir ifadeyle kalktı, odadaki büyük, ahşap çalışma masasının arkasına gitti. Eğilip masanın gözünü açtı, büyük boyutlu, kalın kapaklı bir kitap çıkardı. Kapağına yaldızlı şeritlerle çeşitli süslemeler yapılmıştı.

"Ressamın kimliği bir sır olsa da, resimlerinin gerçekliğinden şüphemiz yok, elimizdeler ve yapıldıkları günkü kadar büyüleyici görünüyorlar. En azından zamana karşı koyabilmiş, bugüne ulaşmış olanları."

Metin yerinden kalktı, masaya yürüdü. Beyza da birkaç saniye sonra yanına geldi. Önlerinde açık duran kitabın sayfalarında, yıllar önce o katalogta gördüğü olağanüstü resimlere benzeyen çizimler vardı. İçki içip dans eden karakterlerle aynı karede resmedilmiş bir yiğit, ağzından ateş çıkan bir aslanla güreşiyordu, pelerini alev almıştı. Bu figürlerin ortasında çarşaflı, ihtiyar bir kadın kendisini ilgiyle dinleyen bir adama bir şeyler anlatıyordu, belki de yiğit ve aslan kadının anlattığı bir öykünün kahramanlarıydı. Bir başka resimde iki rahip bir sırrı paylaşırcasına gizli gizli konuşuyor, bir diğerinde kuyrukları canlı yılanlar olan ürkütücü yaratıklar kurban edilmiş bir atın parçaları için kavga ediyorlardı. Çizimler tek bakış açısına göre yapılmamıştı, bir atın dört ayağı yanyana görülebiliyordu mesela, ata aynı anda her yönden bakılıyormuş hissi uyandırıyordu. Hiçbir resmin arka fonu yoktu, gene de ayakların toprağı kavrar gibi şekiller alması ve bacak kaslarının şişkinliğiyle, karakterlere yere bastıkları hissi verilebilmişti. Çizimlerin altına bazı tarihi bilgiler, o günün kıyafetleri ve yaşantısı hakkında kısa notlar yazılmıştı. Herhalde bunlar sonradan eklenmişti.

"Şuna bak," diye resimlerden birini işaret etti Beyza. İhtiyar bir yörük dilini iki parmağıyla tutmuş ve gösteri yaparcasına olabildiğince dışarı çekmişti. Metin parmağının ucunu resmin üstünde gezdirdi, "Çok naif..." dedi gülümseyerek.

Yiğit'in açtığı ve öyle bıraktığı son sayfada, Timur döneminde Türkistan'ın toplum yapısı hakkında fikir veren bir çizim vardı. Sakalsız bıyıksız genç bir adam diz çökmüş, saksı içinde yapma bir çiçeği önünde oturan yaşlı adama saygıyla uzatıyordu. Tepesinde basit metal bir süs olan keçe bir külah giymişti, karşısındaki azametli ihtiyar ise üst sınıftan olduğunu gösteren bir kavuk takmıştı. İhtiyarın hemen arkasında, onun koruması gibi ayakta duranın başında ise kenarları ve tepesi simlerle işlenmiş bir başlık bulunuyordu, muhtemelen kendisi orta sınıftan önemli bir memurdu. Bu sahnede genç olanın konuşmakta diğerlerininse onu dinlemekte olduğu yüz ifadelerinden kolayca anlaşılıyordu, delikanlı verdiği armağan karşılığında ihtiyardan bir yardım diliyor gibiydi, belki bir parça toprak, belki ona kötülük yapan birine karşı korunma, kimbilir belki de ailesinden bir kızla evlenmek için izin istiyordu.

"Siyah Kalem hakkında son yıllarda bazı araştırmalar yapıldı," diye anlatmaya devam etti Yiğit. "Türkiye'de bu işin üstüne en çok düşen Mazhar Şevket İpşiroğlu isminde bir sanat tarihçisi oldu. Onun yazdığı birkaç kitap dışında, yapılan çalışmaların elle tutulurları hep yurtdışı kaynaklı. Gene de tümünü bir araya koysanız bile gizemi çözmeye yetmiyor, hatta buna yaklaşamıyorlar. Elimizde çok az bilgi var, ama en azından artık şunu tereddütsüz söyleyebiliyoruz. Bu resimler yalnızca görsel bir süs değiller, belli bir amaç için yapılmışlar."

"Nasıl bir amaç?" diye sordu Metin ilgiyle.

"Basitçe açıklarsak, bir tür öykü resimlemesi diyebiliriz. Resimler aslında geniş rulolara çizilmişler. Daha sonra onlara el koyanlar tarafından kesilip albümlere yerleştirilmiş, tozlu raflarda unutulmaya terk edilmişler. Büyük ihtimalle İslam'da resim yasak olduğu için, bir günah sayılarak, gözden uzak kalsınlar diye. Bu arada pek çok resim kaybolmuş ya da hasar görmüş. Yavuz Sultan Selim'in İran seferi sırasında, ganimetler arasında İstanbul'a gelmişler, şu an büyük bölümü Fatih Albümü adıyla bilinen bir albümün içinde, Topkapı Sarayı'nda bulunuyor. Siyah Kalem'in eserleri yıllarca gün ışığı görmemiş, ta ki İpşiroğlu bir çalışma için saray arşivlerini inceleyene kadar. O sırada sanat tarihçilerimizden Sabahattin Eyüboğlu da yanındaymış. Bu resimleri keşfetmek onlar için büyük bir sürpriz olmuş. Siyah Kalem'in dünya tarafından tanınmasını, değerinin anlaşılması-

nı büyük ölçüde bu iki sanat adamına borçluyuz. 57'de bu konu-
da kısa bir belgesel film bile hazırlamışlar.

"Gezgin öykü anlatıcıları Siyah Kalem'in rulolarını atlarının
arkasına koyup yaylalarda dolaşır, seyirci bulduklarında açıp re-
simlerin anlattığı öyküleri dillendirirlermiş. Burada tamamen
sözel bir kültürden bahsediyoruz, hiçbir öykü yazıya geçirilme-
miş. Bu yüzden resimler günümüze kadar ulaşsa da, eşlik ettik-
leri öyküler tamamen sır."

Beyza gülümsedi.

"O zaman belki parşomenlere Siyah Kalem'in işi diye yazan
da o öykü anlatıcılarıydı."

"Bu da bir ihtimal," dedi Yiğit. "Muhtemelen gerçeği asla öğ-
renemeyeceğiz, ama öyle olması mümkün. Belki de çıraklarından
dan biriydi, ustasının adı unutulmasın istemişti. Siyah Kalem'in
çırakları, en azından etkilediği insanlar olduğu kesin. O dönem
benzer teknikle farklı kişiler de çeşitli çizimler yapmış. Bazıları o
kadar başarılı ki gerçek Siyah Kalem'lerden ayırmak zor."

Koleksiyoncu, gözlerini Metin'e dikip konuşmaya devam
etti.

"Dediğim gibi resimlerin birçoğu kayıp. Bu yüzden onla-
rı yan yana koyup öykülerini tahmin etmek olası değil. Ama bu
işin ustası olan biri, hayal gücünü kullanarak, kayıp parçala-
rın yerine kurgu yeteneğini koyarak, en azından elimizdekilerle
uyum sağlayabilecek öyküler tasarlayabilir. Yüzyıllardır öyküle-
rine hasret kalmış, sessizliğe mahkum olmuş bu şaheserleri ye-
niden konuşturabilir. Bu yapılabilir."

Metin başını kaldırdı, koleksiyoncunun yüzüne dikkatle
baktı.

"Benden yapmamı istediğiniz bu mu?"

Yiğit gülümsedi. Hemen cevap vermedi. Kitabı özenle ka-
patırken, "Gelin oturalım," dedi. "Anlatmam gereken başka şey-
ler de var."

-6-

"Yani bu bir tür yarışma mı olacak?" diye sordu Metin. Yüzünde hoşnutsuz bir ifade belirdi. Hayal kırıklığına uğradığı her halinden belliydi. "Beyza senin bundan haberin var mıydı?"

Beyza önce mahcup bir tavırla arkadaşına baktı, sonra öfke saçan gözlerini Yiğit'e çevirdi.

"Açık söylemek gerekirse bana da sürpriz oldu. Telefon konuşmamızda böyle bir şeyden bahsetmemiştiniz. Biz de kalkıp buraya kadar geldik..."

"Kusura bakmayın Beyza Hanım," dedi koleksiyoncu. "Bazı şeyleri karşılıklı konuşmak gerekir. Hayır, bu bir yarışma sayılmaz, öyle algılamayın lütfen. Daha çok bir tür garanti benim için. Üç ay sonra Almanya'da Siyah Kalem'le ilgili bir etkinlik yapılacak, sponsorlardan biri de benim. Orası iş yaptığım bir yer, bu sadece sanatsal değil ticari bir olay aynı zamanda. Gazetelere çıkacak, televizyonda bahsedilecek, Almanya'daki şirketimin bugüne kadarki en ciddi tanıtımı olacak. Etkinliğe büyük para yatırdım Metin Bey, yazacağınız öyküyü de bu kapsamda kullanmayı planlıyorum. Şayet ayakkabı ya da saat üretseydiniz, daha önce yaptığınız işlere bakardım ve bu bana yeterdi. Ama burada sanattan bahsediyoruz mirim, bir öykü yazmaktan, bana iyi bir öykü yazacağınıza dair garanti verebilir misiniz? Evet, kitabınızı okudum, yeteneğinizi biliyorum, takdir de ediyorum, bunun için buradasınız. Ama bizim vaktimiz kısıtlı, üç ay içinde yurtdışında ses getirecek çarpıcılıkta bir konu bulabileceğinizden nasıl emin olabilirim? Siz bunun için söz verebilir misiniz? Bir anlaşma imzalayabilir misiniz? Bu süre zarfında adada kalmanızı şart koşmam da aynı sebepten. Tüm vaktinizi bu işe ayırmanızı istiyorum, kafanız rahat olarak, İstanbul'un ayartıcı meşgalelerinden uzak, sadece yazmaya odaklanmalısınız. Benim koşullarım bunlar. Eğer kabul ederseniz, burada kaldığınız sürece tüm masraflarınızı karşılayacağım."

Metin sessiz kaldı. Odadaki herkes, böyle bir konuda garanti verilemeyeceğini biliyordu.

"Etkinliğin tarihi kesinleşti, değiştiremem, bu yüzden risk almam mümkün değil. Diğer yazara o gözle bakmanızı rica ediyorum, benim için bir tür B planı. Hiçbir koşulda kaybınız olmayacak. Üç ayın sonunda, öykünüzü kullansak da kullanmasak da anlaştığımız parayı alacaksınız. İkiniz de alacaksınız, aynı şartlar diğer yazar için de geçerli. Öyküleri tanınmış eleştirmenlerden oluşan bir kurul değerlendirecek, isimleri burada, bu içinizi rahatlatır sanıyorum."

Yiğit, ceketinin cebinden çıkardığı bir kağıdı onlara uzattı. Beyza kalkıp aldı, yerine oturduktan sonra isimleri yüksek sesle okudu. İkisinin de yakından tanıdığı, edebi yargılarına güveneceği kişilerdi bunlar, koleksiyoncunun adamları iyi çalışmışlardı. Eleştirmenler, akademisyenler, sanat tarihçileri, Mehmet Siyah Kalem'in resimlerinden ilham alan bir öykü hakkında konuşabilecek insanlardı hepsi.

"Kurula sadece öyküler verilecek," diye ekledi Yiğit. "Kimin neyi yazdığını bilmeyecekler. Bundan emin olabilirsiniz. Değerlendirme tamamen adil koşullarda yapılacak."

Beyza, düşüncelerini okumak istercesine Metin'e baktı. Her koşulda paranız ödenecek cümlesinden sonra, bu yeni durum ona eskisi kadar rahatsız edici gelmemeye başlamıştı. Bu yüzden dostunun suratında birkaç dakika öncesine göre sakin bir ifade görünce kendini iyi hissetti.

"Ne dersin Metin?"

"Öykülerin sadece biri mi kullanılacak?" diye sordu genç adam.

"Eğer kuruldan geçerlerse ikisini de kullanabiliriz. Ama biri diğerinden belirgin şekilde iyi olursa, o zaman seviyeyi düşürmemek adına onunla yetineceğiz. Şu an kesin bir şey söylemem mümkün değil."

"Modern bir öyküleme tekniğinden bahsediyoruz, öyle değil mi? Yani Siyah Kalem'in öyküleri tarz olarak şu an yazılanlardan çok farklıdır muhtemelen. Hafızada tutulması gereken, yazıya dökülmeyen metinlerden bahsediyoruz."

"Evet, o günlere dönmeye çalışmayacağız elbette. Benim tek istediğim, yazacağınız öykülerin resimlerle sıkı bağlarının olması, onlarla atbaşı gitmesi. Yoksa teknik olarak tamamen serbestsiniz."

"Peki diğer yazar kim? Bilinen bir isim mi?"

"Bunu şu an için söyleyemem. Onunla her şartta anlaştık, iki gündür burada kalıyor. Projeye katılmayı kabul ederseniz, sizleri tanıştıracağım. Şimdilik gizli tutmak durumundayım, kendisi de öyle rica etti zaten. Etrafta konuşulmasını istemiyor."

"En azından tanınmış biri mi, onu söyleyin bari."

"Sizden daha tanınmış değil. Bu işte yetenekli ama genç yazarlarla çalışmayı tercih edeceğim. İsmi Mehmet Siyah Kalem'in önüne geçmeyecek kişilerle, nedenini anlarsınız."

"Anlıyorum," dedi Metin. "Bak Beyza, fazla medyatik olmadığım için homurdanıyordun, işe yaradığı da oluyormuş."

Beyza cevap vermedi.

Kapının usulca çalınmasıyla konuşma bölündü. "Gel," diye seslendi Yiğit. İçeri giren genç bir kız sessizce masaları dolaştı, boş bardaklarla fincanları topladı. Orta boylu, sıradışı güzellikte bir kızdı, giydiği uzun kollu gömlek ve gri pantolonla bile göz alıcıydı.

"Başka bir şey ister misiniz?" diye sordu koleksiyoncuya.

"Teşekkür ederim Zeynep. Bana bu kadarı yeter. Siz bir şey alır mıydınız?"

Beyza başıyla gerek olmadığını işaret etti. Aslında Metin'in de canı çekmiyordu, ama kıza yakından bakabilmek için, "Bir kahve alabilir miyim?" diye sordu tatlı bir sesle.

Zeynep dönüp elbette derken, gözleri genç adamla bir saniye için buluştu. İri, yeşil gözleri vardı ve anlamlı bakışları. Metin o bakışlarda beğeni diyebileceği bir ışıltı sezer gibi oldu, sadece bir histi bu, gene de hoşuna gitti.

"Türk kahvesi mi?"

"Mümkünse filtre olsun"

"Süt ister misiniz?"

Çok hoş dudakları vardı kızın.

"Hayır sade lütfen. Şeker de getirmeyin. Kullanmıyorum."

Kız çıktıktan sonra, Beyza sorusunu yineledi.

"Ne dersin Metin? Bu işe katılmak istiyor musun?"

Genç adam, Siyah Kalem'in olağanüstü resimlerini gözlerinin önüne getirdi, o an aklında tek bir öykü fikri olmamasına rağmen, üzerinde düşünmeye, emek harcamaya değerdi. Siyah Kalem'in öykü anlatıcısı olma düşüncesi onu heyecanlandırıyordu, bu uğurda çalışmaktan keyif alacağını hissettiğine göre iyi bir öykü yazabileceğini de umabilirdi. Adaya gelirken içinden geçenleri düşündü, fayton yolcuğunda gördüğü güzellikleri, köşkü ve büyüleyici bahçesini, heykel yüzlü bahçıvanı, ilk görüşte sempati duyduğu kahyayı ve az önce gözgöze geldiği çekici kızı, burada üç ay geçirmek ve üstüne para almak hiç de fena bir fikir değildi.

İstanbul'a Leyla'nın açtığı yaralar tümden kapanmış, belki yeni romanı için pek çok ilham biriktirmiş olarak dönebilirdi.

Ne kaybedebilirim ki...

En kötü ihtimalle, bedavadan bir tatil yapacaktı.

"Ben varım," dedi. Kollarını kavuşturup bacak bacak üstüne attı. Karar vermek onu rahatlatmıştı. "Çağırın şu rakibimi de tanışalım artık. O da beni merak ediyordur eminim."

Yiğit'in ne kadar sevindiği suratından belli oluyordu. "Rakip olarak görmeyin lütfen," dedi sevecen bir sesle. "Sizi daha iyi yazmak için zorlayacak bir dost sayın onu. Ben iyi anlaşacağınızdan eminim, neredeyse aynı yaştasınız."

Koleksiyoncu masadaki telefonu aldı, alçak sesle birkaç cümle söyledi. Kısa bir süre için odaya bir sükunet hakim oldu. Kapı açıldığında, Metin gelenin az önceki güzel kız olmasını umduğunu hissedip bu haline güldü, ama içeri giren, uzun boylu, etkileyici görünümlü bir adamdı.

"Ama nasıl..." dedi Metin, oturduğu yerde kaskatı kesilerek.

Ama bu olamaz...

Metin'i gördüğü zaman, ayaktaki adam da aynı şekilde sarsılmıştı. İki genç yazar ne diyeceklerini bilemez halde, birbirlerine suratlarında okunması zor ifadelerle baktılar. İlk andaki şaşkınlık geçtikten sonra, bu ifadeler nefret ve düşmanlıkta netleşti, odadaki sakin hava, yerini elle tutulabilecek kadar yoğun bir gerginliğe bıraktı. Tek bir kıvılcım, bu havayı tutuşturmaya yetecekti.

Yiğit ayağa kalkıp misafirini selamladı.

"Hoş geldiniz Teoman Bey. Beklettiğimiz için kusura bakmayın. Sizi Metin Bey'le tanıştırmak istiyorum, bilmiyorum daha önce karşılaşmış mıydınız? Kendisi de projemize katılacak. Çok beğendiğim, harika bir öykücüdür kendileri. Detayları evvelden anlatmıştım. Bundan böyle üç ay birliktesiniz!"

-7-

Beyza, yolun aşağısından yaklaşmakta olan faytona kararsızlıkla bakıyordu. İçinde ona rahat vermeyen bir huzursuzluk vardı, yanlış bir şeyler olduğunu seziyor ama ne olduğunu tam anlamıyla bilemiyordu, can sıkıcı bir duyguydu bu. Teoman'ı gördüğü andan beri, Metin'in adada kalma kararını tüm kalbiyle desteklediğini söyleyemezdi. Sevgili dostunun mantığıyla değil duygularıyla hareket ettiği apaçıktı, onun bu noktaya gelmesinde payı olduğu için kendisini suçlu hissediyordu. Keşke Yiğit Ulaşlı hakkında daha fazla araştırma yapsaydı, nasıl biri olduğunu daha ayrıntılı öğrenseydi. Bu hırslı para babasının hedefine ulaşmak için ne kadar ileri gidebileceğini bilseydi, muhtemelen Metin'i hiç buraya getirmez, böyle zor bir durumda kalmasına yol açmazdı. Yaşananların tesadüf olmadığına kalıbını basardı, genç adamı hayatta en nefret ettiği insanla bir konağa kapatmak ancak hasta bir ruhun planı olabilirdi. Bu projeye dahil olması için ona az dil dökmemişti, şimdi bundan nasıl vazgeçirebileceğini bilmiyordu.

Gerçekten öyle mi... Bunu gerçekten yapar mıydın? Bu işten alacağın pay ne olacak? Kendini kandırma, aslında burada kalmasını köpek gibi istiyorsun.

Aklına Murat'ın güzel gözleri ve elleri geldi, dokunuşlarını teninde hissetti, bu paraya gerçekten ihtiyacı vardı.

"O kadar da kötü olamaz," diye mırıldandı, kendini ikna etmeye çalışırcasına. İçinden söylemek yetmemişti, kulaklarıyla duymak istemişti. Metin'in burada kötü günler geçireceğinden emin olsa, bir şeyler yapmadan durmazdı, bunu biliyordu. Belki de boş yere tasalanıyordu.

Koca bir adam o... Kendi kararlarını kendi verir. Sen karışamazsın.

Fayton tam önünde durdu. Arabacı, onları köşke getiren adamdı. Beyza birkaç saniye olduğu yerde hareketsiz bekledi, sonra sanki sihirli bir dokunuşla irkildi.

"Biraz bekleyebilir misiniz? İçeride bir şey unuttum."

"Tabii hanımım," dedi adam saygıyla. "Acele etmeyin, bir yere ayrılmam."

Genç kadın gülümseyerek başını salladı.

"Uzun sürmez."

Hızlı adımlarla geri döndü, bahçenin ortasına kadar yürüdü, gözleriyle etrafı taradı. Sonunda aradığını buldu ve güzel yüzlü bahçıvana bir şeyler anlatmakta olan kahyanın yanına gitti.

"Rıza Bey, merhaba."

"Merhaba Beyza Hanım," dedi kahya biraz şaşkın. "Ne oldu, fayton gelmedi mi? Yolda demişlerdi bana..."

"Geldi Rıza Bey, sorun yok. Gitmek üzereydim ama yapmam gereken bir şey olduğunu hatırladım."

Çantasından çıkardığı bir kartviziti adama uzattı, yüzüne en masum, en sevecen ifadesini yerleştirdi. "Sizden bir şey rica edebilir miyim? Metin Bey bir süre burada misafiriniz olacak. Sanırım haberiniz var. Kendisi benim çok değerli bir dostumdur. İşlerim yüzünden onu sık sık ziyaret edemeyeceğim, ama şayet bir sıkıntısı, bir derdi olduğunu hissederseniz, arayıp haber verirseniz sevinirim. O zaman mutlaka gelirim. Bunu benim için yaparsanız size minnettar kalırım."

Kahya kartviziti aldı. "Tabii Beyza Hanım," dedi düşünceli bir ifadeyle. Biraz kafası karışmış görünüyordu. "Ararım elbette. Burda rahat edecektir, hiç merak etmeyin. Her ihtiyacını karşılarız."

"Bundan şüphem yok. Beni düşündüren bu değil..." dedi Beyza içtenlikle. Daha fazlasını söyleyemedi. "Teşekkür ederim. İstanbul'da geniş bir çevrem var. Şayet sizin için yapabileceğim bir şey olursa da çekinmeden arayın lütfen, memnun olurum."

"Yok canım, estağfurullah."

"Gene de aklınızda bulunsun."

Yüreği biraz ferahlamış olarak faytona doğru yürürken, tam kapının dibinde, o an görmeyi hiç beklemediği ve açıkçası ummadığı biriyle karşılaştı.

"Yiğit Bey..."

"Beyza Hanım. Ben gittiğinizi sanıyordum. Vedalaşmalar bitmedi mi henüz?"

"Gitmek üzereyim," dedi Beyza. Adamın suratında bir an önce gitmesini isteyen bir ifade görünce öfkelenir gibi oldu.

"Biliyordunuz, öyle değil mi?"

"Neyi?"

"Metin'le Teoman arasındaki sürtüşmeyi. Bunu biliyordunuz, yalan söylemenize gerek yok. Ne yapmaya çalıştığınızı görebiliyorum. Hoşuma gitmiyor. Ama nedenini anlayabiliyorum."

"Bu proje benim için çok önemli," dedi Yiğit, inkar etmeden. "Benim için güzel bir öykü yazacaklarından emin olmam lazım. Evet, aralarındaki rekabetten haberim vardı. Ayrıntısını bilmiyorum, ama birbirlerini pek sevmediklerini duymuştum. İhtiyacım olan da bu, diğerinden daha iyi yazmak için hırslanacak iki yazar. Bu onlar için de iyi olacak Beyza Hanım, sınırlarını zorlamalarını sağlayacak. Ortada canınızı sıkacak bir durum göremiyorum."

"Onları zerre kadar düşündüğünüzü zannetmiyorum," diye acı acı güldü Beyza. "Ama sizden böyle bir beklentim de yok. Sonuçta bu bir iş, öyle değil mi?"

"Evet bu bir iş. Ve hâlâ bir anlaşmamız var, yanılıyor muyum?"

"Evet... Bir anlaşmamız var."

"Öyleyse izin verin, sizi geçireyim."

Genç kadın, faytona binerken arkasına dönüp bakmadı. Madem bir şeyleri değiştiremeyecekti, bir an evvel gitmesi en iyisiydi. Evde onu Murat bekliyordu. Şu an onun kollarında huzur bulmak istiyordu.

Yiğit, arabanın uzaklaşmasını rahatlamış bir ifadeyle seyretti. Bu sorundan kolay kurtulduğu için mutluydu. Fayton yokuşun aşağısında gözden yittikten sonra, hâlâ bahçıvanla konuşan kahyanın yanına gitti.

"Sana verdiği kartviziti alabilir miyim?"

Kahya patronuna itiraz etmedi. Zaten kadının sözlerine bir anlam verememişti.

Yiğit kartviziti aldı ve okuduktan sonra ikiye böldü, parçalarını cebine koydu.

"Bu kadın buralara sık gelmesin, ben yokken bu konuyla ilgilen lütfen. Bir daha geldiği zaman da haberim olsun."

Rıza ses etmedi, başıyla onayladı. Yiğit kendisine boş gözlerle bakan bahçıvanın yanağını babacan bir şefkatle okşadı. "İyi misin çocuğum?"

Genç adam, gördüğü ilgiden duyduğu memnuniyeti genzinden gelen bir hırıltıyla ve kocaman bir gülümsemeyle belli etti.

Başını sallamak yerine bahçe makasını salladı. Beyinin yanında olmaktan mutluydu.

Koleksiyoncunun gözleri az önce Beyza'yla konuştukları noktaya çevrildi, bir an için kadın hâlâ oradaymış, onu gözlüyormuş gibi hissetti.

"Bu sadece bir iş değil güzelim," diye mırıldandı düşünceli bir ifadeyle.

"Yakınından bile geçemedin..."

-8-

Faytonun ağır ağır uzaklaşmasını seyreden bir başka adam, araba yolun aşağısında görünmez olunca kendisini tamamen kaybolmuş hissetti.

Teoman Uysal... Nereden nereye...

Üç ay boyunca aynı çatı altında yaşamayı, her gün suratını görmek zorunda kalmayı en az isteyeceği insanların listesini yapsa, ilk sıraya yerleştireceği isimdi Teoman Uysal. Ama aynı zamanda derinlerinde bir yerde, bu ukala ve kıskanç adama haddini bildirme, kimin daha iyi olduğunu gösterme fırsatı bulduğu için mutluydu da.

Bu iki çelişen duygunun sürtüşmesi onu yoruyor, içindeki gel gitler suratına yansıyordu.

Perdeyi çekti ve odanın ortasına yürüdü. Gözü masanın üstünde duran kitaba kaydı, Dudaklar ve Mühür, ilk gözağrısı, yıllarca öykülerle üslubunu olgunlaştırmaya çalıştıktan sonra, hayatının iki yılını adayarak yazdığı ilk ve şimdilik tek romanı. Çocuğu, sevdalısı, dert ortağı. Teoman Uysal'ın hayatına dokunduğu günü yeniden yaşamaya başladı. Uzun yıllar sonra ilk defa birinin gerçekten acı çekmesini dilediği sabaha döndü.

❖ ❖ ❖

Onu suya bastırdığımı hayal ediyorum. Tüm gücümle, omuzları avuçlarımda, su burnuna, kulaklarına, yalvarmaya çalışan, af dileyen ağzına doluyor, aksırıyor, ellerimin altında çırpınıyor çaresizce, bırakmıyorum. Hareketlerinin yavaşlamasını seyrediyorum, kolları artık benimle boğuşmuyor, elleri arada bir suyun üstüne çıkmıyor eskisi gibi. Son bir gayret, birkaç irkilme, vücudun giderek azalan titremesi. Görebildiğim son kabarcıklar: üç, iki, bir, bitti. Bütünüyle sessizliğe bürünüyor az sonra, ellerimin altındaki direnç kayboluyor, gömülüyor suyun içine.

Ölüyor...

Ona suyun dışından bakıyorum. Dipte bir taş gibi duruyor, o kadar değersiz, anlamsız, kimseye söyleyecek lafı olmayan, kimsenin canını yakamayacak bir taş. Olması gerektiği gibi. Olması gerektiği yerde. Elimle suyu karıştırıp bulandırıyorum. Anlamsız görüntüsü kayboluyor.

Ona ait cümleler de... Onunla birlikte...

"Duygusal bağlamda içerdiği derinlik ne yazık ki abartılmış, örneklerden de görüldüğü üzere, kurgusu ve karakterlerin tutarlılığı açısından ciddi sorunları olan, iyi niyetli bir denemeden öteye gidemiyor Dudaklar ve Mühür. Topladığı ilgiyi, gürültülü tanıtım kampanyasına bağlamak mümkün."

Orospu çocuğu...

Sekiz ay önceydi. Metin, evinin salonunda bir başına oturmuş, ellerinin arasında çok satan bir gazetenin kitap ekini tutuyordu. Romanı hakkında çıkan eleştiriyi ikinci okuyuşuydu, ilkinde dayak yemiş gibi hissetmiş, sonrakinde ezikliği ve hırpalanmışlığı koyu bir öfkeye dönüşmüştü.

Bu ekte sık sık imzasını gördüğü bir isimdi Teoman Uysal. Bazen edebiyat tadı olan denemeler kaleme alır, bazen yeni çıkan kitapları irdelerdi, arada bir oldukça beğendiği, hatta kesip arşivine eklediği yazıları olurdu. Dudaklar ve Mühür hakkında yazdığını duyunca, içinde tatlı bir heyecanla gitmişti gazeteyi almaya. Sayfaları bir bir çevirirken suratında içten bir mutluluk ifadesi vardı. Daha ilk satırda gülümsemesi solmuştu, cümleler geride kaldıkça, acımasız gözleriyle onu ölçüp biçen alaycı bir kalabalığın ortasında, çırılçıplak hissetmişti kendisini.

Bu romanı yazarken büyük beğeni toplamak, övgülere mazhar olmak gibi beklentileri yoktu, hayır, aklına bile gelmemişti daha ilk kitabıyla köşe yazarlarına malzeme olacağı, değme eleştirmenlerden takdir göreceği. Sadece içinde tutamadığı duyguları insanlarla paylaşmak, hep hayalini kurduğu romancı sıfatına bir adım daha yaklaşmak istemişti, o kadar. Yayınevinden mutlu haberin geldiği akşam heyecandan sabaha kadar uyuyamamış, tüm dostlarını bir bir arayıp sevincini onlarla paylaşmıştı. Kitap basıldıktan sonraki birkaç ay, hayatını Beyza'nın da katkılarıyla epey ses getiren bir tanıtım kampanyası doldurmuştu. Yeni bir yazar olarak okurlara ulaşmasının tek yolu göz önünde olmaktı, röportaj vermekten, fotoğraf çektirmekten pek hazzetmese de, kitabının okunma ihtimalini artıran hiçbir teklife hayır demiyordu. Onun için asıl önemli olan eleştiri yazıları ise beklediğinden çok daha çabuk geldi. Dudaklar ve Mühür'ü ilk fark eden, kalburüstü bir gazetenin ünlü bir köşeyazarı oldu, siyasetten magazine her konuda söyleyecek bir çift lafı olan tiplerdendi. Bir Pazar günü yazısının neredeyse yarısını kitabından bahsetmeye ayırmıştı kadın. Beyza'nın arkadaşı olan bu gazetecinin övgüleri, danışıklı dövüş olabilir kaygısıyla Metin'i fazla heyecanlandırmamıştı, ama başkalarının da ilgi göstermesi için yeterli olmuştu. Güvendiği eleştirmenlerin güzel yazılar kaleme almaları, okurun duygularını tetiklemedeki başarısını vurgulamaları gecikmedi. Ardı ardına o kadar çok övgü yazısı çıkmıştı ki, romanı kısa sürede oldukça başarılı bir satış rakamına ulaşabilmişti. Her şey mükemmeldi, Metin mutluydu, yayınevi mutluydu, Beyza mutluydu. Yıllarını adadığı, uğrunda çok fedakârlık yaptığı edebiyat, ona karşılığını beklentisinin üzerinde ve hayal etmediği kadar çabuk vermişti. Bir yazar olarak yeteneklerinin, o güne dek inandığından bile fazla olduğuna ikna olmak üzereydi.

Ne saçmalık...

Teoman Uysal'ın yazısının onu bu kadar sarsmasının nedeni, içten içe itiraf edebileceği gibi özünde doğru saptamalar içermesiydi. Birdenbire gerçekle yüzleşmek bir dağın tepesinden düşme etkisi yaratmıştı. Böyle öfkelendirmesinin sebebi ise, son derece ikna edici ve insanları etkilemesi kaçınılmaz bir güçle sıralanmış eleştirilerin, tamamen tek yanlı bir bakış açısı içermesiydi. Evet, romanın kurgusunda onun bile ancak Teoman'ın yazısını okuduktan sonra fark ettiği hatalar vardı, bazı olaylar zaman akışına uymuyordu, karakterlerin tutarlı davranmadığı sahneler yaşandığını da inkar edemezdi. Her ne kadar o ana dek kimse bu sorunları fark etmemiş, romanın yarattığı atmosferin etkileyiciliği bunların üstünü örtmüş olsa da, Teoman'ı sırf detaycı olduğu için suçlayamazdı. Ama adamın tüm yazı boyunca kitabın güzel yanlarına neredeyse hiç değinmemiş olması, yakaladığı bazı basit hataları iyiden iyiye abartarak amatörlükle bağdaştırması tek kelimeyle artniyetti. Ayrıca Dudaklar ve Mühür hakkında övgüler düzen kişileri de iğneleyici bir üslupla eleştirmişti Teoman Uysal. Romanın duygulara hitap eden boyutu hiç önemli değilmiş, bu alandaki başarısını küçümsüyormuş gibi...

Yazıyı okuyan pek çok insan kitaba el uzatmaktan kaçınacak, diğer eleştirmenler de bundan böyle çok daha ince eleyip sık dokuyarak değerlendireceklerdi, buna şüphe yoktu. Ama daha önemlisi, Metin'in kendi kendine duyduğu saygı, yazarlık yeteneğiyle ilgili özgüveni yerle bir olmuştu.

Kucağındaki gazete ekini bir kenara fırlattı, ayağa kalktı. İçindeki tüm heyecan ve neşe bir anda silinip gitmişti. Cep telefonunun çaldığını duyunca masaya yürüdü, yeşil ekranda beliren isme baktı: Beyza Toptekin. Herhalde o da dergiyi çıkar çıkmaz okumuş, arkadaşına moral vermek için arıyordu. Ama hayır, şu an onunla konuşamayacaktı.

Telefonu alıp kapama düğmesine birkaç saniye basılı tuttu. Bir süre için hiç kimseyle konuşmak istemiyordu.

❖ ❖ ❖

Bir hafta sonra, Edebiyat Gündemi isimli derginin düzenlediği kokteyl için, Beyoğlu'nda Cezayir adında bir restoranın bahçesindeydi. Burası yayıncılık dünyasının sevdiği bir mekândı, bulunduğu Fransız Sokağı'nın ve geniş bahçesinin cazibesiyle sık sık bu tür organizasyonlara ev sahipliği yapardı. Daha birkaç hafta önce benzer bir etkinlik için yine burada olduğundan ortam ve etraftaki insanlar onu pek heyecanlandırmıyordu. Bir görev bilinciyle gelmiş, vakit çabuk geçsin diye bedava sunulan içkiye sığınmıştı.

Ülkenin en büyük ikinci yayınevinin editörü Kemal Susuz'la edebiyattan çok uzak konularda, esprili bir sohbete koyulmuşlardı. Kendisini geleceği parlak bir yazar olarak gördüklerini, transfer etmek istediklerini biliyordu, Beyza'ya bununla ilgili bir teklif sunmuşlardı, ama o konu hiç açılmamıştı bu gece. Kendi yayınevi de en büyüklerden sayıldığı için, Metin'in böyle bir hevesi yoktu, adam da bunun farkındaydı. Uzaktan bakıldığında roman sanatını kurtarır havası verseler de, sohbet daha çok futbol ve kadınlar üzerinde dönüyordu. Yalnızken hemen hemen tüm vakitlerini edebiyatla dolduran bu adamlar için bir nevi nefes alma sayılırdı.

Kemal, anlatmakta olduğu eğlenceli anıyı birden yarıda kesti. Suratına imalı bir ifade yerleşti. Elindeki kadehten bir yudum şarap aldı, hınzır bir gülümsemeyle bahçenin bir köşesini işaret etti.

"Bak kim burdaymış? Senin favori eleştirmenin! Keyfi yerinde görünüyor beyefendinin. Doğrusu öyle bir hatun bulsam ben de keyiflenirdim. Böylesini epeydir görmemiştim."

Metin başını çevirdi, genç ve oldukça hoş bir kadınla konuşmakta olan, uzun boylu, karizmatik bir adam gördü. Spor ceketi ve şık kadife pantolonuyla her ortamda dikkatleri üzerinde toplayacak bir tipti. Kemal'in vurgularından, bu adamın Teoman Uysal olduğunu hemen anladı, daha birkaç dakika önce ona bu eleştirinin sonuçları hakkında uzun uzun yakınmıştı. O yazı çıktı çıkalı, kitabı hiçbir eleştirmenden tek satır övgü almamıştı, kötü de yazmıyorlar, kararsız kalmışçasına görmezden geliyorlardı. Açık açık söylemeseler de Teoman'ın hepsini etkilediği belliydi.

Hoş bir adammış diye düşündü Metin. Okuduğu yazılarından onu hep orta yaşın üstünde, bilge görünümlü biri olarak hayal etmişti, kendisi kadar genç olması dizginlediği öfkesini kabarttı.

Daha bir çömezmiş...

Kim oluyordu da kitabını bir tanrı edasıyla yargılıyordu?

"Biliyor musun, onun da bir romanı çıktı geçenlerde," dedi Kemal, bir sırrı paylaşır gibi.

"Öyle mi?" dedi Metin. "Hiç haberim olmadı..."

"Doğaldır. Küçük bir yayınevinden çıktı, tanıtım falan hak getire. Hakkında yazan da olmadı pek, sadece bir iki arkadaşı. Halbuki eli yüzü düzgün bir romandı. Piyasadakilerin çoğundan iyi. İlk bize getirmişti, sonra bütün büyük yayıncıları dolaştı diye biliyorum. Hepsi geri çevirmiş."

"Siz niye basmadınız?" diye sordu Metin.

"İçinde bir şeyler eksikti, nasıl anlatayım, kitabın bir ruhu yoktu. Rahat okunuyordu, pürüzsüzdü, ama iyi satması için gereken o kıvılcımı göremedim. Gündeme gelmesini, konuşulmasını sağlayamazdık. Depomuz yeterince dolu, rafımızda kalacak kitap basmıyoruz epeydir."

"Ne zaman oldu bu? Yani ne zaman çıktı bu kitap?"

"Seninkinden iki ay önce."

Metin, kadehinden koca bir yudum aldı. Gözleri gittikçe büyüyen ve kontrolden çıkmakta olan bir öfkeyle Teoman'ın yakışıklı suratına odaklandı. Uzun zamandır aradığı bir sorunun cevabını aniden bulmuştu ve ulaştığı sonuç onu fena halde kızdırmıştı. Kadehini yanından geçmekte olan bir garsonun tepsisine bıraktı, tek kelime etmeden Kemal'in yanından ayrıldı. Editör, genç adamın Teoman'a doğru hipnotize olmuş gibi yürümesini şaşkınlıkla seyretti. Yürüyüşündeki dengesizlik gece boyu durmadan içtiği şaraplardan olsa gerekti.

"İyi günler Teoman Bey," dedi Metin, aralarında iki adım kala.

"İyi günler," dedi Teoman, tanımaya çalışarak baktı Metin'e.

Konuşmalarının kesildiğine bozulan kadın, "Ben sonra gelirim," diye mırıldanıp kalabalığa karıştı.

"Beni tanımıyorsunuz, öyle değil mi? Yüzümün neye benzediğini bile bilmiyorsunuz. Tanımadığınız birinin canını yakmak daha kolay oluyordur eminim. Hırsınızı ondan çıkarmak..."

"Siz neden bahsediyorsunuz?"

"Dudaklar ve Mühür... Hani şu küçümsediğiniz roman. Ona iki senemi vermiştim ben. Yazdıklarınıza itiraz etmiyorum. Yo, yo, hayır, hatalarım var. Ama hep kendime sordum. Bu adamın benimle derdi nedir? Kitabımı okunmaya değer değilmiş, içinde hiçbir güzellik yokmuş gibi yansıtmasının anlamı nedir? Çok basitmiş cevabı, ooo, evet, aklıma gelmeyecek kadar basit."

"Sarhoşsunuz," dedi Teoman. Yüzünde bir öfke birikiyordu. "Lütfen daha sonra konuşalım."

"Asıl şimdi ayıldım!" dedi Metin. Sesi yüksek çıkmıştı, etraftan dönüp bakanlar oldu. Onları uzaktan seyretmekte olan Kemal, bir tatsızlık yaşanmasından korkup yanlarına doğru yürümeye başladı.

"Hayır sarhoş değilim, pek sayın Teoman Uysal! Ne yapmaya çalıştığınızı görebiliyorum. Kitabıma yapılan tanıtımla ilgili imalar, hakkında yazan köşeyazarlarını iğnelemeler... Ufak tefek pürüzlere bu kadar takılmanız... Kıskandınız, öyle değil mi? Sizi reddeden yayınevleri benim kitabımı bastılar. Sizi umursamayanlar bana övgüler yağdırdı! Siz de bunu kendinize dert ettiniz, kıskançlık içinizi kemirdi! Bu benim suçum mu? Yıllarımı harcadığım kitabın suçu mu? Yaptığınız şey zavallılık, başka bir şey değil!"

"Bu ne cüret!" diye bağırdı Teoman. Gözleri çakmak çakmak olmuştu, yumruklarını öyle sıktı ki tüm vücudu titredi. Metin bir kelime daha ederse susturmak için üzerine atlayacak gibiydi. Neyse ki o anda Kemal yetişti, genç adamın koluna girdi ve onu epey bir kuvvet harcayarak Teoman'dan uzaklaştırdı.

"Lütfen Metin. Burası yeri değil. Lütfen."

"Yine görüşeceğiz!" dedi Metin, çatlak çıkmasına engel olamadığı bir sesle.

Genç adam, Kemal'in onu bahçenin çıkışına doğru sürüklemesine karşı koymadı. Evet biraz sarhoştu, ama öfkesinin bununla ilgisi yoktu. Ne hissediyorsa tam olarak onu söylemişti. Tüm bu zaman boyunca, küçümseme dolu gözlerini Teoman'ın onu nefretle takip eden gözlerinden ayırmadı.

Onlar gittikten birkaç dakika sonra, Teoman da yanına dönen kadını görmezden gelip hışımla mekânı terk etti. Üç adamdan boşalan yeri, kalabalığın yaşananlar hakkında yaptığı hararetli dedikodular doldurdu.

❖ ❖ ❖

Metin, o günün hayalinden güçlükle sıyrılıp karşı duvara yaslanmış masaya doğru yürüdü. Ortasından açılmış kitaptaki etkileyici resimlere düşünceli bir ifadeyle baktı. Bir elini uzattı, işaret parmağını Siyah Kalem'in büyüleyici dünyasının sakinlerinin, muazzam bir hayalgücünün eseri olan insan ve iblis figürlerinin, ağaç ve hayvanların üzerinde gezdirdi. Bu kez ne olursa olsun geri çekilmeyecekti, ne kadar iyi yazabildiğini o kıskanç herifin kulp takamayacağı şekilde herkese gösterecekti. Üstelik bunu sadece kendisi için yapmayacaktı. Siyah Kalem, Teoman Uysal'dan çok daha fazlasını hak ediyordu.

-9-

"Gömleğini çıkar," dedi Teoman, yatakta yan dönerek. Dirseğini yastığın yanına dayadı, şakağını yumruğuna yasladı, karşısındaki güzelliği arzuyla süzdü.

Genç kız sözünü ikiletmedi. Çay getirmesi ya da yatağı toplaması kadar olağan bir istekmiş gibi sakin, gömleğinin düğmelerini çözmeye başladı. Başı öne eğikti, arada bir yatağa baktığında, yüzünde cilveli bir gülümseme görülüyordu. Gömleği ayaklarının dibine bıraktı, üşümüş numarası yaparak bir eliyle çıplak kolunu sıvazladı. Teoman, bu sahneyi seyrederken bacaklarının arasındaki etin sıcak bir demire dönüştüğünü hissetti. Siyah sütyen diri göğüslerin sadece alt yarısını örtüyordu, çok güzel bir manzaraydı. Kızın altında sık sık giydiği gri pantolonu vardı, kemer takmamıştı.

"Buraya gel," dedi, elini ona doğru uzatarak. Sesi sevecen, ama aynı zamanda otoriterdi. Kız üzerinde dolaşan bakıştan hoşlanıyormuşçasına ağır hareketlerle yatağa yaklaştı. Bir adım kala durdu, elleri sütyenin kopçasına gitti, ama Teoman başını iki yana sallayınca açmaktan vazgeçti.

Genç adam yatağın kenarına oturdu. Uzansa dokunabileceği beyaz teni birkaç saniye sessizce, keyif alarak seyretti. Sonra ellerini kızın baldırlarına koydu. Ağır ağır yukarı doğru kaydırdı, avuçlarını yumuşak kalçalarla doldurdu. Bel kemiğinde biraz oyalandı, pantolonu aşıp tenin sıcaklığını hissedince içini koku-

73

suyla doldurmak isteyerek derin bir nefes aldı. Parmaklarını göbek deliğinin kenarlarında gezdirdi, kızı belinden tutup kendine yaklaştırdı. Sütyenin kopçasını açtı, önünde tüm güzellikleriyle beliren iri göğüs uçlarından birini nazikçe ağzına aldı.

Az sonra tadına bakacağı dudakların ismini fısıldadığını işitti, şehvet kadar teslimiyet kokan bir sesti bu. Ağzını geri çekti, pembe göğüs ucunun etrafında kalan ıslaklığı parmağıyla pürüzsüz tene yaydı.

Kapı çalındı.

Teoman aldırmayacaktı, ama kapı bir kez daha, bu sefer mutlaka bir cevap bekleniyor gibi sertçe çalındı.

Genç adam gözlerini açtı, elini bacaklarının arasından çekti, odadaki can sıkıcı yalnızlığına geri döndü. "Girebilirsiniz!" diye bağırdı kapıya doğru, aslında içinden gelen, bu şahane zamanlaması için davetsiz misafirine bir küfür savurmaktı.

Kapı açılırken, girecek olan kişinin fantazisinin kahramanı güzel hizmetli kız olmasını umuyordu, en azından ona bir kez daha alıcı gözle bakabilir, vücudunda hayalini zenginleştirebilecek yeni ayrıntılar keşfedebilirdi. O gömleğin, pantolonun altında ne sırlar saklandığını çok merak ediyordu. Ama bu düşük bir ihtimaldi, Zeynep şimdiye kadar odasına sadece bir defa, başhizmetli Ayşe Hanım hastayken gelmişti, bu yüzden içeri girenin kahya olduğunu görünce pek hayal kırıklığına uğramadı.

"Kusura bakmayın, rahatsız ettim," dedi kahya, genç adamı yatakta, battaniyesinin altında bulunca.

Hem de nasıl...

"Birazdan pazara çıkacağım beyim, istediğiniz bir şey var mı diye soracaktım. Fayton bekliyor da. Şu yazarken atıştırmayı sevdiğiniz bisküvilerden alayım dilerseniz. Ya da başka bir şey?"

Teoman biraz düşündü, sonra başını iki yana salladı.

"Yok Rıza Bey, sağ olun. Geçenkiler hâlâ bitmedi. Hem zaten yakınlarda sahil tarafına ineceğim. Ne zamandır ayrılmadım köşkten."

"İneceğiniz zaman söyleyin, fayton çağırayım."

"Olur, söylerim."

"Peki o zaman," dedi kahya dostça. "Size iyi dinlenmeler." Çıkarken kapıyı arkasından çekti, usulca kapadı.

İyi dinlenmeler...

Teoman, bu son cümleyi kafasında birkaç kez dolaştırdı, içinde rahatsız edici bir duygu büyüdü. Dinleniyor muydu? Peki ama neden, yorgun değildi ki? Metin Soydemir öyküsünün kaçıncı sayfasına gelmişti acaba, iyi bir fikir yakalamış mıydı, çarpıcı bir karakter yaratabilmiş miydi, kendisi bunca zamandır daha üç beş satırlık denemelerin ötesine geçememişti, bir türlü öyküye odaklanamıyordu.

Doğruldu, yatağın kenarına, az önce hayalinde Zeynep'in göğüs ucunu emdiği yere oturdu. Sıkıntılı bir ifadeyle karşıya, çalışma masasına ve dizüstü bilgisayarına, üstüste konmuş kitaplara baktı. Henüz Siyah Kalem'in yaşadığı ve resmettiği devir hakkında okuması gerekenleri bile bitirmediği aklına gelince sıkıntısı büyüdü. Bacaklarının arasındaki demiri artık hissetmiyordu.

Hemen yan duvarda, çerçevesi altın renginde büyükçe bir ayna asılıydı, köşeleri kalp şeklindeydi. Orada gördüğü miskin, gözlerinden nereden bulaştım bu işe diye düşündüğü anlaşılan, kafası karışık adamdan hoşlanmadı. O neden burada olduğunu biliyordu.

Kalkıp masaya yürüdü. Masanın üzerinde açık duran kitapta tam sayfa bir resim vardı. Resimde iki ihtiyar yörük yan yanaydı, biri neredeyse boyu kadar bir asaya dayanmıştı, asanın toprağa değen ucu bir mızrak başını andırıyordu. İkisi de ayak bileklerine kadar inen birer cübbe giymişti, kat kat olmuş cübbelerin yakaları sonbahar ya da kış mevsimine işaret edecek şekilde yukarı kalkıktı. Ne mekânı belirleyecek bir yapı görünüyordu ne de yerdeki birkaç taş dışında zemini hissettirecek bir detay. Yörüklerin yanına bir at çizilmişti, burnunu taşların arasına koymuş, ön bacaklarını kırmış, arka bacaklarının gerginliğine bakılırsa yürümeye direnen bir at, burnuna bağlı ip ihtiyarlardan birinin elindeydi, ama adam onu hareket etmesi için zorlamıyordu. Galiba o da atı gittikleri menzile gönüllü götürmüyordu, belki orada kendilerini iyi şeyler beklemiyordu. Bu resimde ne çok öykü gizliydi, yörükler ayrı bir ilham kaynağıydı, at ayrı, o an sahnede olmayan kimler vardı acaba bu hikayenin içinde, atı satın alacak bir adam, karşılığında alınacak bir gelin? Bir sevda mı gizliydi anlatılanlarda, bir nefret ya da haset mi, belki hiçbiri belki hepsi birden. Siyah Kalem acaba bu resmettiği ihtiyarlara mı benziyordu, onlar gibi mi giyiniyordu, o da bir asa ile mi dolaşıyordu?

Soruların cevaplarını bulamazdı. Ama kendi yanıtlarını yaratabilirdi. Bunu yapmak şu an her şeyden daha heyecan verici görünüyordu.

Zeynep de göğüsleri de bekleyebilirdi.

-10-

"Meyveleri Kasım Amca'dan al," dedi Ayşe Hanım, kahyanın eline alışveriş listesini tutuştururken. "Kasım Amca'nınkiler iyi oluyor, şehirden yeni biriyle anlaşmış, meyveleri ondan getirtiyormuş artık. Kütür kütürmüş elmalar, Hatice kızdan duydum."

"Pahalı oluyor onunkiler," diye itiraz etti Rıza. "Recep'te her şey var, ordan alırım hepsini. Masraf çıkarma şimdi başıma."

Ayşe yüzünü buruşturdu. "Aman o üçkâğıtçıdan alma!" dedi kızgın bir sesle. "Geçenkilerin yarısını attım, elmalar ezik, portakallar çürük. Yenmeyecek şeye niye para verelim Rıza Efendi. Alırken de iki bak yahu, ne koyuyorlar torbaya, kazıklatma kendini. Günah valla, çöpe gidiyor sonra çoğu."

Rıza omzunu silkti, kargacık burgacık kelimeler yazılı kâğıt parçasına şöyle bir baktı: "Tatlı da eklemişsin listeye?"

"Misafirlere ziyafet çekelim bu akşam. Baklava alsak, şöyle fıstıklısından, Gül Pastanesi'nde gördüm, pek güzel yapmışlar. Bunlar önemli adamlar Rıza Efendi. Beyim geldiğinde hesap sorar, iyi baktınız mı benim misafirlerime der."

"Hadi hadi, senin canın baklava çekti anlaşılan. Bilmem mi ben malımı. Tamam alırım biraz, ben derim beyime, misafirler için derim."

"Yahu gören de senden çıkacak sanır. Yiğit Bey'im baklava parasını mı soracak?"

"Bey'in parası olunca cebime akrep girer Ayşe Hanım, bilmez misin sen beni?"

Ayşe, parmakları köfteyi andıran koca ellerini beline koydu, yanaklarını şişirerek güldü.

"İlahi Rıza Efendi. Biz soyuyoruz sanki adamı! Hadi çabuk git çabuk gel, oyalanma aşağıda. Bak okeye oturursan karışmam, akşama yemeklik kalmadı."

Rıza yok canım der gibi kırgın baktı kadına. Sonra o da güldü, kasketini düzeltip merdivenleri inmeye başladı.

Açık hava Rıza'ya her zaman iyi gelirdi, sevmezdi dört duvar arasında tıkılıp kalmayı, ruhu sıkılır, dışarı kaçmak isterdi bir an evvel. Belki gençliğinde, hapiste geçirdiği senelerin etkisi, belki de karakterinin gereği, bunu bilmiyordu, ama tüm bir günü evde geçirme düşüncesi dayanılmaz geliyordu. Alışverişe hizmetli kızı göndermezdi bu yüzden, bizzat yapmayı tercih ederdi, pazarda yeni yüzler görmeyi, esnaf dostlarla iki laf etmeyi severdi. Altı yıldır bu adada, ilk günden beri de Yiğit Bey'in köşkünde geçmişti hayatı, bunca zamandan sonra köşkün de adanın da bir parçası gibi hissetmeye başlamıştı kendisini. Her daim güleç Ayşe Hanım ailesi olmuştu, birlikte geçen acı tatlı senelerden sonra, onu bir kardeş yerine koymuştu.

Küçük ailesinin diğer fertlerini, rengarenk bir çiçek tarhının önünde, birbirlerine gülerek bir şeyler anlatırken gördü. Daha doğrusu her zamanki gibi Zeynep konuşuyor, Ahmet de elinde hiç bırakmadığı bahçe makası, mutlu bir ifadeyle onu dinliyordu. Ahmet küçük yaşlardan beri Yiğit Bey'in yanındaydı, velinimeti köşkü aldıktan sonra onu buraya yerleştirmiş, Rıza'dan göz kulak olmasını istemişti. Bir çocuğun zekasına bile sahip değildi, ama kocaman bir kalbi vardı, ayağı yaralı küçük bir köpek için saatlerce ağladığını bilirdi. Ona bahçıvanlığı öğretmeleri kolay olmamıştı, öğrendikten sonra da herkesi hayrete düşüren güzellikte tarhlar yapmaya başlamıştı, eli sihirliydi sanki, dokunduğu toprak bereketleniyor, diktiği çiçekler en kötü havada canlı kalıyordu. Zeynep'i ise henüz çözememişti, yedi aydan beri köşkteydi, Yiğit Bey'in bir aile dostunun kızı diye biliyordu. Zavallının ailesi bir kazada ölünce, beyi onu himayesine almıştı. Tatlı ve akıllı bir çocuktu, saygılıydı, özellikle gülüşü insanın içini ısıtırdı. Ama gizemli bir yönü de vardı, pek konuşmazdı, kendisiyle neredeyse hiç, en fazla açılabildiği kişi Ahmet'ti, o da anlattıklarını anlamadığı için olsa gerek. Hep mesafeli hep kontrollüydü, köşkte kendisine ait küçük ve kimseyle paylaşmaya niyetli olmadığı bir dünya kurmuştu. İşini aksatmadığı sürece Rıza bu yüzden onu kınayacak değildi, paşa gönlü bilirdi. Kazadan sonra kızın ruh sağlığının bozulduğunu söylemişti Yiğit Bey, ona incelikli davranmaya özen gösteriyordu.

Kimbilir neler çekti yavrucak, ailesini çok özlüyordur.

Belki özel bir şey anlatıyordur diye, kızın sesini duyacak kadar yaklaşmadan bağırdı o yöne: "Pazara iniyorum çocuklar, bir isteğiniz var mı?"

Zeynep arkasına döndü, adama gülümseyerek baktı. "Yok Rıza Amca," dedi. "Sağ olasın. İstersen ben gideyim, işim yok şimdi, hemen gider gelirim." Bunu söylerken alacağı cevabı biliyordu, gene de hiç aksatmazdı sormayı.

"Ben hallederim," dedi Rıza. "Azıcık hareket edeyim, bunaldım burda... İnsana yürüyüş lazım kızım. Ahmet'e de sorsana bir şey ister mi?"

Zeynep delikanlının güzel yüzünü bir abla sevecenliğiyle okşadı.

"Rıza Amca sana bir şey alsın mı?"

Ahmet biraz düşündükten sonra, genzinden keyifli bir hırıltı çıkardı. Başını şevkle salladı. Elini yumruk yapıp başparmağını gözlerinin hizasına kadar havaya kaldırdı.

"Şu sopalı şekerlerden alsana amca," diye seslendi Zeynep. "Ahmet çok seviyor onları. Ben de yerim, hem Ayşe Teyze de sever, çilekli varsa çilekli al."

"Tamam olur," dedi Rıza. "Burda işin bitince kütüphaneye uğra kızım, ne zamandır tozunu almadınız. Ayşe Hanım'ın beli ağrıyor, onu yormayalım bir süre. Misafirler kütüphaneyi kullanabilir, ayıp olmasın."

"Olur amca," dedi Zeynep, işini ihmal etmiş gibi biraz mahcup. "Hemen yaparım."

Rıza kapıda bekleyen faytona binmeden önce, genç kız Ahmet'in yanağına bir öpücük kondurup köşke yollanmıştı bile.

İyi bir çocuk bu, diye düşündü Rıza, kızın merdivenleri çıkışını seyrederken. İyi bir çocuk bu, nazar değmesin...

Kütüphane, köşkün en üst katındaydı, bir nevi çatı katı sayılırdı. Odalar arasında en güzel manzaraya sahip olmasına karşın, pencereleri minik olduğu için bunun tadını çıkarmak pek mümkün değildi. Neyse ki pencerelerden biri küçük bir merdivenle balkona bağlanıyordu, dileyen iyi havalarda kitabını alıp orada keyif çatabilirdi. Tavanda bazıları çeşitli ülkelerin tarihi mekânları, Yunanlıların hipodromları, Fransızların sarayları olan iki avuç büyüklüğünde resimler ve çeşitli boyutlarda motifler vardı. Bu motiflerin arasında mitolojik karakterler kendilerine atfedilen efsanelerden sahneler canlandırıyorlardı, en gösterişlisinde mağrur Perseus elinde yılan başlı Medusa'nın kafasını tutuyor, canavarın kesik boynundan kan damlıyordu. Resimlerin sadece yarısı Yiğit konağı satın almadan evvel de buradaydı, tavanı bu haliyle fazla sade bulan koleksiyoncu İstanbul'dan usta bir ressam getirterek yanlarına Herkül'ü ve diğerlerini ekletmişti. Oda oldukça büyüktü, aralıklı dizilmiş raflarıyla ferah bir mekândı. Zeynep kapıya ulaştığında aralık olduğunu gördü, içeriden sesler geliyordu, raflardan alınan ve masaya konan kitapların sesine benziyordu. Misafirlerden birinin çalışıyor olabileceğini düşündü, rahatsız etmekten çekinip kapıya dokunmadı. Hafifçe başını uzatıp içeri baktı, tam seslenecekti ki, gördüğü enteresan sahneyle sözü ağzında kaldı.

Köşke sonradan yerleşen misafirdi bu, birkaç hafta önce genç ve hoş bir kadınla birlikte gelen. Diğeri kadar yakışıklı ya da gösterişli değildi, gene de kendine has bir cazibesi vardı adamın, birkaç kez karşılaştıklarında, gözlerine rahatsız etmeyen ama ısrarlı bir tarzda bakmış, o anlarda ruhunu okuduğu gibi bir hisse kapılıp kendisini çıplak hissetmiş, utanmıştı. Yüzündeki güvenilir ifade olmasa ondan uzak durmaya özen gösterirdi, ama bir şekilde tehlikeli olmadığını sezmişti, zarar veremeyecek kadar güçsüz değil, hayır, daha çok bunu bilinçli olarak yapmayacak biri. Gene de bu bir sezgiden ibaret olduğu için çok da yanaşmamıştı ona, ne olur ne olmaz.

Adam kütüphane raflarından birinin önündeydi. Ellerini usulca, belli bir kitabı arıyor gibi rafın üstünde gezdiriyordu. Gözleri kapalıydı, sanki aradığı kitabı yazarından ya da isminden değil, içgüdülerinin yardımıyla bulmaya çalışıyordu. Bir an gözlerini tamamen yummamış olabileceğini düşündü, belki sadece kısmıştı, ama misafir kalın bir kitabı alıp masaya koyduğunda, ona tam karşıdan bakma fırsatı buldu ve gördüğünden emin oldu. Göz kapakları sımsıkı kapalıydı adamın.

Misafir şimdi ellerini açtığı kitabın sayfalarında gezdirmeye başlamıştı, çok geçmeden elini masada kaydırarak bir kalem buldu, onu parmaklarıyla yokladı, ucunun hangi tarafta olduğunu keşfetti. Aynı yöntemle edindiği boş bir kağıdı kitabın üzerine koydu, üstüne bir şeyler yazmaya başladı. Ellerinin hareketinden, bu şekilde yazmaya alışık olmadığı anlaşılıyordu, muhtemelen kelimeleri yan yana getiremiyordu, gene de gözlerini kapalı tutmaya ısrarla devam ediyordu. Zeynep, acaba bir hastalığı mı var, diye düşündü, daha önce bunu fark etmemişti, Yiğit Bey ya da kahya da böyle bir şey söylememişti. Yoksa ışıktan mı rahatsız oluyordu, aslında içerisi loş sayılırdı, hem o zaman perdeleri niye açık bırakmıştı? Hemen ardından, onu gizlice seyrettiği aklına geldi, utandı, adam bunu fark ederse belki kızardı, nedense onun kendisine kızması fikri hiç hoşuna gitmedi, hayır, bunun olmasını istemiyordu. Tam geri çekilecekti ki, adamın eli masanın üstünde yeniden gezinmeye başladı, bu kez ne aradığı belirsizdi, ama yakınlarda yarısı dolu bir bardak vardı ve böyle giderse onu devirmesi kaçınılmazdı. Hızla hareket eden parmaklar bardağa doğru yaklaştıkça kızın içinde bir panik büyümeye başladı. Sonunda kontrolsüzce, el tam bardağa çarpacakken, dayanamayıp bağırdı ve kıpkırmızı kesildi.

"Bardak var orda!"

Adamın eli olduğu yerde dondu. İri güzel gözleri açıldı ve önce masadaki bardağa, sonra kapının aralığında ne yapacağını bilemeden duran kıza baktı.

"Off... Az kalsın gidiyordu, öyle değil mi? Teşekkür ederim Zeynep. Görememek cidden zor şey..."

"İyi misiniz?" diye sordu Zeynep alçak sesle. "Gözleriniz iyi mi?"

"Merak etme, iyiyim," diye gülümsedi Metin. "Sen ne zamandır oradasın?"

"Yeni... Yeni geldim. Toz alacaktım. Sizi içeride görünce..." Bir suç işlemiş gibi başını eğdi. "Özür dilerim, ne yapacağımı bilemedim."

"Özür dilenecek bir şey yok. Varsa da benim dilemem gerek. Seni şaşırtmış olmalıyım, sadece bir deneme yapıyordum. Gözleri göremeyen biriyle ilgili bir şeyler yazıyorum, kendimi onun yerine koymayı deniyorum. Onun yaşadığı sıkıntıları yaşamaya çalışıyorum. Başka bir sorun yok, merak etme." Eliyle kızı yanına çağırdı. "Girsene içeri, orada kalma."

Zeynep masaya doğru birkaç adım yaklaştı. Hafifçe başını uzatıp baktı, kitabın üstündeki kâğıtta, oldukça bozuk ve bazıları üst üste binmiş harlerle, *parmaklarım gözlerim* yazıyordu.

"Yiğit Bey'in ısmarladığı öykü, öyle değil mi? Bunun için buradasınız, biliyorum."

"Pek öyle sayılmaz," diye gülümsedi Metin. "Göremeyen adam başka bir kurgunun kahramanı. Ama burada Yiğit Bey'in öyküsü için kaldığım doğru."

Arkasına döndü, parmaklarını kitapların sırtlarında gezdirdi, bu kez gözleri açıktı.

"Odama bırakılan kitapları bitirdim. Belki yeni ilhamlar bulurum diye gelmiştim buraya. Ama pek bir şey yok, yani şu proje için, yoksa çok güzel romanlar var, zengin bir koleksiyon..."

"Biliyorum," dedi Zeynep. "Çoğunu okudum. Herman Hesse, Sartre, İhsan Oktay Anar, adada zaman İstanbul'a göre çok yavaş ilerliyor. Okumak için vakit bol."

"Anar mı okuyorsun?" dedi Metin, bir kaşını hafifçe kaldırıp. Biraz şaşırmış, biraz da inanmamış görünüyordu.

"Evet... Suskunlar'a bayılmıştım. Müzik üzerine yazılmış her şeyi severim. Neden?"

Kısa bir sessizlik oldu. Zeynep cevabı kendi bulmuşçasına imalı gülümsedi.

"Bir hizmetli kız için zor bir kitap, öyle değil mi?"

"Öyle demek istememiştim," dedi Metin, içten bir mahcuplukla. Sonra yalan söylemektense özür dilemek kolayına geldi.

"Affedersin, kabalık ettim. Ama İhsan Oktay Anar'ı değme yazarlar zor bulur bazen."

"Her zaman bir hizmetli değildim," diye gülümsedi Zeynep. "Ailem kitapları severdi." Alınmışa benzemiyordu, bu Metin'i rahatlattı. "Peki siz yarattığınız her karakteri taklit mi ediyorsu-

83

nuz? Onu doğru yazabilmek için yani. Yoksa bu göremeyen kahraman bir istisna mı?"

"Her zaman mümkün olmaz. Bazen sadece hayal gücümü kullanmak zorundayım. Ölmek üzere olduğumu sadece hayal edebilirim mesela ya da bir çocuk olduğumu, dünyayı taze bir merakla keşfettiğimi... Ama eğer mümkünse, bir süre karakterle özdeşleşmek çok işe yarıyor."

Metin masanın kenarına oturdu. Kendisini ilgiyle dinleyen kızın gözlerine baktı, kız gözlerini kaçırmadı.

"Aramızda kalsın. Bir seferinde tek ayağı sakat biri hakkında yazıyordum. Sol ayağımı bir iple omzuma bağlamıştım, yere değmeyecek şekilde, bir de koltuk değneği almıştım kendime, evde ya da ıssız yerlerde bu şekilde hareket etmenin nasıl bir şey olduğunu denemiştim. Yokuşları inip çıkmak inanılmaz zordu! Az kalsın düşüp gerçekten sakatlayacaktım kendimi, düğümü fazla sıkı attığım için bıçakla kesmem gerekmişti. Bacağımdaki uyuşma iki gün geçmedi. Ama sonuçta o öykü yazdıklarımın içinde en iyilerden biri oldu."

Zeynep dinlediği anıdan etkilenmişti. Masanın kenarına yaslandı, uzansa Metin'e dokunabilecek mesafedeydi.

"Peki bütün bu emeğe değiyor mu?"

"Nasıl yani?"

"Yani kitaplarınız... iyi satıyor mu? Kusura bakmayın, İstanbul'da olanları pek takip edemiyoruz burada. İyi kazanabiliyor musunuz bari?"

Metin gülümsedi.

"Merak ettiğin oysa, ben çok satan, popüler yazarlardan biri değilim. Henüz basılan kitaplarım bir roman bir de öykü derlemesinden ibaret, yolun başında sayılırım. Açıkçası bu işin pek parasal karşılığı yok. Yani var da, harcanan emeğe değecek kadar değil. Daha çok duygusal kazancı var, güzel bir şey yaratmanın keyfi, birkaç okurun hayatına değdiğini, onlar için önemli olduğunu bilmek, öyle şeyler. Sana yetiyor mu dersen, evet, bu bana yetiyor."

"Biliyor musunuz..." dedi Zeynep, yanakları biraz pembeleşerek. "Bir şey söyleyeceğim, ama kızmayın."

"Kızmam."

"Adaya ısmarlama öykü yazmak için geldiğinizi duyunca bunu garipsemiştim. Sadece para için yazan biri olduğunuzu düşünmüştüm. Yazmayı yalnızca iş olarak gören biri. Galiba hakkınızda yanılmışım, özür dilerim."

Metin gülümsedi. "Para olmadan yaşanmıyor Zeynep... Ama hayır, sadece para için yazmam ben. Yiğit Bey'in projesini sevmesem burada kalmazdım. Bu öyküyü yazmak gerçekten hoşuma gidecek." Kızın suratına dimdik baktı. Aklına bir fikir gelmişti. "Okumayı sevdiğini söylemiştin. Burada ada hakkında birçok kitap var, onlara göz attın mı hiç?"

Zeynep'in gözleri raflarda gezindi, sonra yeniden genç adamın yüzünde sabitlendi.

"Hemen hepsini okuduğumu söyleyebilirim. Adanın zengin bir tarihçesi var."

Metin bir karar vermiş gibi başını salladı.

"İkimiz de birbirimiz hakkında yanlış fikirlere sahipmişiz anlaşılan. Epey bir süre burada olduğuma göre daha iyi tanışmamızda fayda var. Yarın bir ada turu yapmak istiyorum, şu faytonlardan biriyle, bana rehberlik edecek birine ihtiyacım olacak. Göreceğim şeylerin isimlerini, öykülerini merak ederim. Madem ada hakkında bu kadar bilgin var, bana eşlik edersen çok mutlu olurum."

Zeynep şaşırdı, böyle bir teklif beklemiyordu. Bir an ne diyeceğini bilemedi, derinlerinde bir ses, bunun doğru olmayacağını, misafirlerle arkadaşlık etmesinin uygun kaçmayacağını söylüyordu, herhalde kahya da hoşlanmazdı bu işten. Ama kendisine bakışını sevdiği bu adama hayır demek de içinden gelmedi, yarına bir bahane bulurdu nasıl olsa. İşim çıktı der, kurtulurdu.

"İşim olabilir Metin Bey. Söz vermeyeyim. Müsait olursam eşlik etmeye çalışırım."

"Metin lütfen, sadece Metin," dedi genç adam, hoş bir gülümseme eşliğinde. "Bey lafına gerek yok, sizli bizli konuşmaya da, en azından böyle başbaşayken. Senin için sakıncası yoksa, ben de sana bundan sonra böyle hitap edeceğim. Ben bir yazarım, iş adamı değil, resmiyet beni boğuyor. Şimdi gideyim, sen de işine bak. Yarın devam ederiz sohbete."

"Ama olur mu..."

"Olur, olur. Kaç yaşındasın sen Zeynep?"

"Yirmi dört."

"Eh, kocaman kız olmuşsun işte. Kendimi yaşlı hissettirme bana. Hem gerçekten de o kadar yaşlı değilim. Sizli bizli konuşmamız komik olacak."

Zeynep "Peki," dedi. Masadan uzaklaşıp kapıya yürüyen adamın arkasından hiçbir şey düşünmeden baktı. Adam çıkmadan önce dönüp ona gülümseyince, o da bu kısa sohbetten aldığı keyfi saklamadan gülümsedi. Odada yalnız kaldığı anda ise, birkaç dakikadır kendinde değilmiş gibi silkindi, yüzü kıpkırmızı kesildi.

Seni aptal... Neler yapıyorsun sen...

-11-

Zeynep, birbirinden garip rüyalar gördüğü o gecenin sabahında, rüyalardan hiçbirini hatırlayamadan ama uzun bir yolculuk yapmış gibi yorgun uyandığında, yatakta yarı doğrulup boş duvarı uzun uzun seyretmiş, yine çok sıradan bir gün yaşayacağını düşünmüştü. Banyoda saçlarını üstünkörü taramış, hafif bir makyaj yapmış, köşkten çıkmayacağı zamanlar üstünden eksik etmediği sade, beyaz gömleğini ve gri pantolonunu giyip aynaya bakmıştı: Görüntüsü gayet işe uygundu. Artık kahvaltıyı hazırlamasına yardım etmek için Ayşe Hanım'ın yanına gitmesi lazımdı.

Koridorda yürürken pencerelerden görünen manzara güzel bir gün müjdeliyordu. Sakin, huzurlu bir aydınlık bahçedeki çiçeklerin renklerini olduklarından daha parlak gösteriyordu. Hafiften başı ağrıyordu, ama bunun geçici olduğunu biliyordu, çoğu sabah yaşadığı bir sıkıntıydı bu. Bir bardak kahveden, Ayşe Hanım'la birkaç cümle ettikten ya da Ahmet'in seyretmekten asla sıkılmayacağı gülümsemesini gördükten sonra geçerdi.

Dün akşam Metin Bey'le yaptığı konuşma geldi aklına, hay allah, nasıl da liseli bir kız gibi hoşlanmıştı gördüğü ilgiden. Başka biri görse adama pas verdiğini bile düşünebilirdi, baygın baygın gülmeler, göz göze bakışmalar, yine de son anda durumu iyi idare etmişti. Bugün çok işi olduğunu söyler, kurtulurdu bu başbaşa fayton gezisinden, adamı üzmek istemiyordu ama en iyisi bu olacaktı.

Mutfağa giden koridora ulaştığında, diğer uçtan hızlı hızlı gelen Rıza Bey'i gördü, kahya yere bakarak yürüyordu, sanki çözmesi gereken bir problem vardı da aklı uzaklarda bir yerdeydi.

Koridorun ortasında buluştuklarında, Rıza onu fark etti ve şaşırdı, hemen sonra gülümsedi.

"Uyandığına sevindim kızım, ben de birazdan kapını tıklatacaktım. Hadi çabuk hazırlan, fayton yirmi dakika sonra kapıda."

"Fayton mu?" dedi Zeynep, içten bir şaşkınlıkla.

"E fayton tabii! Metin Bey'e adayı yürüyerek gezdirmeyeceksin herhalde! Dün gece benden ona rehberlik etmen için izin aldı. Adayı daha iyi tanımak istiyormuş, tarihçesini bildiğini söylemişsin. Gerçekten biliyorsun, öyle değil mi, bak rezil etme bizi misafire."

"Siz eşlik etseniz Rıza Amca..." dedi Zeynep, "Ayşe Hanım'a yardım edecektim ben."

"Ben ne anlarım tarihten kızım. Adama ne anlatayım? Hadi git giyin, Ayşe Hanım'ın ihtiyacı yok sana. Konuştum ben." Kahyanın suratına şüpheci bir ifade yerleşti. "Adama yalan atmadın değil mi, anlatabilirsin gerçekten?"

"Anlatırım tabii." Kız bir an gücenecek oldu, sonra omzunu silkti. "Kütüphanedekilerin hepsini okudum. Bir sürü gezi kitabı var orada."

"Eh, daha ne. Adayı kırk kez turladın, görülecek güzel yerleri de biliyorsundur. Çok gecikmeyin yalnız. Akşam yemeğine dönmüş olun."

Rıza Bey düşünmesi gereken daha önemli şeyler varmışçasına hızla yürüyerek uzaklaştıktan sonra, Zeynep kapana kısılmış gibi koridorda keyifsizce durdu. Sonra yavaş yavaş ruh hali değişti, hissettiği duygulara şaşırarak, içine düştüğü bu durumun hoşuna gittiğini fark etti. Yüzüne biraz oyuncu, biraz utangaç bir gülümseme yayıldı, kıyafetlerini değiştirmek için odasına doğru yürümeye başladı.

❖ ❖ ❖

Metin, kurulduğu faytondan bahçeye bakarken, "Geç kaldı," diye düşündü. "çoktan gelmiş olması gerekirdi... Ne uzun sürdü hazırlanması."

Geleceğinden nasıl bu kadar eminsin?

Ya bir bahane bulduysa? diye geçirdi içinden. Belki de Rıza Bey'i bunun iyi bir fikir olmadığına ikna etmişti. Ama o zaman kahyanın gelip ona durumu anlatması gerekmez miydi, hayır, böyle olmuş olamazdı, onu burada dalga geçer gibi yok yere bekletmezlerdi. Öyle olursa hemen Yiğit Bey'i arayıp o kendini bilmez kahyayı bir güzel...

Neler diyorum ben. Ne günahı var adamın.

Gözleri bir çiçek kümesinin başında, gereksiz dalları budayan güzel yüzlü bahçıvana kaydı. Ne huzurlu çalışıyordu, kafasında hiçbir dert tasa olmadığı belliydi. Sanki sevdiği birinin saçlarını okşuyordu, bu haline imrendi.

Niye bu kadar çok istiyorsun gelmesini? Sevimli bir çocuk o, daha fazlası değil...

Bu sorunun yanıtının kendisinde olmadığını fark etti, ne beklediğini bilmiyordu, sadece karşı koyamadığı, güçlü bir arzuydu içindeki, bugünü ne olursa olsun Zeynep'le birlikte geçirmek istiyordu.

Köşkün kapısının açıldığını fark edince, bakışları merakla o yöne çevrildi. Çıkacak kişinin kötü haberi vermek üzere gelen kahya olmasından korktu. Gördüğü manzara birdenbire içini mutlulukla doldurdu.

Merdivenleri inmekte olan Zeynep'ti, daha güzeli, üzerinde o her zamanki can sıkıcı gri pantolonu ve uzun kollu gömleği yoktu, genç kızlığına yakışan beyaz bir etek ve çekici boynunu açıkta bırakan kısa kollu bir gömlek giymişti. Kulaklarında ışıl ışıl parlayan, büyük küpeler vardı.

Keyifli bir gün olacak, diye geçirdi içinden. Kız faytona binene kadar gözlerini ondan ayıramadı.

Zeynep, Metin'in karşısındaki koltuğa oturduktan sonra, "Beklettim mi?" diye sordu gülümseyerek.

"Hayır, tam zamanında geldin. Burada olduğun için mutluyum... Umarım senin yerine izin almam sorun yaratmamıştır."

"Hayır, yaratmadı," dedi Zeynep. "Ama biraz şaşırdım. İşinizi şansa bırakmıyorsunuz."

"İşini şansa bırakmıyorsun," diye düzeltti Metin. "Sizli bizli konuşmak yok diye anlaşmıştık. Bugün adayı seninle birlikte gezmeyi gerçekten çok istedim. Tarihçesini sıkıcı kitaplardan okumak beni boğacaktı, senin ağzından dinlemek istiyorum. Bir yazar için utanç verici bir itiraf, öyle değil mi? Hadi yola çıkalım artık."

"Çok açıksözlüsün."

"Herkese karşı değil."

"Bak baştan anlaşalım. Yemeğe yetişmemiz gerekiyor."

"Planı sen yap, ben uyarım."

"Gidelim o zaman," dedi Zeynep, yanakları hafiften pembeleşti.

Metin'in seslenmesiyle faytoncu arabayı harekete geçirdi. İki kısrak, acelesiz adımlarla faytonu peşleri sıra sürüklediler. Araba bahçenin önünden ayrılırken, Ahmet bir yandan bahçe makasıyla dalları budamaya devam ediyor, diğer yandan dalgın gözlerle onları seyrediyordu. Zeynep bugün ne güzel görünüyordu... Uzun zamandır ilk kez ona günaydın demeden yanından geçip gitmişti... Bu yabancı adamla birlikte nereye gidiyordu... Kafası karışmıştı.

Yeniden önüne baktığında, bahçe makasını üzgün bir edayla yere indirdi ve kaskatı kesildi. Ne zamandır ilk kez, gereksiz dallarla birlikte bir avuç güzelim çiçeği de budamıştı. Başsız kalan saplar ona suçlarcasına, sanki öfkeyle bakıyorlardı. Kafası iyice karıştı.

Onları öldürdüm...

Bir şeylere isyan eder gibi genzinden engel olamadığı güçlü bir hırıltı yükseldi.

Aklında sorularla faytonu seyreden ikinci bir adam daha vardı.

Teoman, elindeki fincanı dudaklarına götürdü, çayından bir yudum aldı. Sonra düşünceli ve hoşnutsuz bir ifadeyle pencerenin önünden çekildi.

-12-

Gece gibi kara at, kuru toprağı nallarının altında inleterek tepeden aşağı dörtnala iniyordu. Yelesine kadar toza toprağa bulanmış, yer yer çamurlanmıştı, nicedir soluklanmadığı için körük misali inip kalkan göğsünde kılıç ve ok yaraları vardı. Yaralardan birinin çok yeni olduğu arada kan sızmasından belliydi. Uzun boylu, iri yapılı binicinin yüzü kaygıyla çarpılmıştı, kocaman gözleri aklından kovalamaya çalıştığı bir ihtimalin korkusuyla kıvılcımlar saçıyordu. Sırtına çaprazlama asılı sadak okla doluydu, eli ara ara belindeki kılıca gidiyor, kabzasını güçlü parmaklarıyla sımsıkı kavrıyordu. Yakında bu kılıca çok ihtiyacı olacaktı.

Göktanrı aşkına! Ya geç kaldıysam!

Yola çıkalı üç gün üç gece olmuştu, mesanesini boşaltmak için iki kereden fazla durmamış, başını bir taşa koymamış, hepi topu bir gece, o da yavaşlattığı atın üstünde, birkaç dakika kestirmekle yetinmişti. Midesine iki somun ekmekten başka bir şey girmemiş, köyden çıkarken yanına aldığı su daha ikinci gün bitmişti. Yorgunluk zihnini bulandırsa da, genç adam tepeden inerken bir gerçeği apaçık görebiliyordu. Yetiştiyse bile ancak yetişmiş olacaktı. Daha beterini ise düşünmek istemiyordu.

Ulgen bize yardım et! Biz senin çocuklarınız!

Dağın yamacında kurulmuş yörük çadırlarında gözle görülür bir hareketlenme vardı. Göç zamanı yaklaşmış, develer çadırlara yanaştırılmıştı, yiğitler üstlerine denkler, kap kacaklar, silahlar, yolluklar yüklemekle meşguldü. Devasa kazanların yanında rulo yapılmış binbir renkte kilimler yatıyordu, büyük kısmı bir sonraki uğrak yerinde, civar köylerden alınacak erzak ve altınla değiş tokuş edilecekti. Bir köşede çatılmış uzun mızrakların yanında, yaşlı bir şaman etrafındaki koşturmacayla ilgisiz bir halde tefekküre dalmıştı. Genç bir kız kucağındaki kıyafetleri çadırına taşıyordu. Kervan yola çıkmadan önce güvenli bir yolculuk için göktanrıya kurban edilecek iki at sürüden ayrı bir yerde bağlanmış, uslu uslu kaderlerinin gerçekleşmesini bekliyorlardı.

Tepeden gelen atlıyı ilk gören bir çocuk oldu. Bir deveye yüklemek için taşıdığı boş tencereyi ayaklarının dibine koydu, elini güneşe siper ederek doludizgin yaklaşan biniciye baktı. Adamın öyle acelesi vardı ki, sanki bir yere yetişmeliydi, geç kalması büyük bir felakete yol açacaktı. Çocuğun içine bir karanlık çöktü, tencereyi olduğu yerde bıraktı, koşarak yakındaki çadırlardan birine girdi. Dışarı çıktığında yanında gösterişli bir kıyafete bürünmüş, sakalı göğsüne kadar inen bir adam vardı.

"Ne atlısı kızanım?" diye sordu yörük başı, aklı hâlâ göç hazırlıklarında, onu rahatsız eden velede kızıp kızmamakta kararsız. Çocuğun gösterdiği tepeye bakınca kalın kaşları çatıldı. Binicinin suratı seçilir olmuştu, bildiği tanıdığı biri değildi, bir yörük gibi de giyinmemişti. Kaygı, bulaşıcı bir hastalık misali onun da damarlarına sızdı.

"Sen içeri git kızanım," dedi düşünceli bir sesle. Çocuğu çadıra doğru hafifçe ittirdi. Çocuk hemen yerdeki tencereyi aldı ve koşa koşa içeri girdi. Oradan uzaklaşmak onun da isteğiymiş gibiydi.

❖ ❖ ❖

Oradan uzaklaşmak onun da isteğiymiş gibiydi... Bu ne yahu?

Teoman, yazdığı son cümleden hoşnut kalmadı, bilgisayarın silme tuşuna ısrarla bastı, tüm harfleri tek tek yok etti.

Yokuştan inen bir atlı... Eee, sonra? Derdi neymiş bu atlının? Tamam, merak uyandırır ama bunu mantıklı bir şeye bağlamak lazım... Belki bir kehanet, belki yaklaşan bir düşman... Evet, atlı düşman bir obadan olabilir. Sevdiği kızın uğruna göçebelere yolda kendilerini bekleyen bir tuzaktan bahsedecektir.

Bunu masadaki deftere not etti. Kendisini yorgun hissediyordu.

Gözü klavyenin yanında açık duran kitaba kaydı. Uzun bir asadan güç alarak tek ayak üstünde duran ürkütücü iblis ona meydan okurcasına bakıyordu, kendine ait bir ruha ve kimliğe sahip görünen yılan başlı kuyruğu havada kıvrılmış, zehirli olması çok muhtemel dilini tehditkâr bir tavırla dışarı çıkarmıştı. Peki beni ne yapacaksın, bu öyküye nasıl dahil edeceksin diyen bir hali vardı, muzip bakışlarıyla onunla alay ediyor, hatta onu küçümsüyordu.

"Senin de sıran gelecek," dedi resme, canlıymış ve sesini duyabilirmiş gibi.

Kitabı eline alıp sayfaları bir bir çevirmeye başladı. Günlerdir Mehmet Siyah Kalem'le, yaşadığı dönemle, resmettiği yörüklerin günlük hayatı, inanışları, adetleriyle ilgili okuduklarından sonra, pek çok şey aklında yerli yerine oturmaya başlamıştı. Şamanların kötü ruhları defetmek için yaptıkları danslarla ilgili çizimlerin niye bu kadar tanıdık geldiğini, salladıkları mendillerin aşinalığını, bu dansların zaman içinde dinsel boyutlarından koparak nasıl günümüzün halk oyunlarına dönüştüğünü okuduğunda anlamıştı. Metin And'ın "Oyun ve Bügü" kitabı bu konuda önünde yeni ufuklar açmıştı. Metin And, Anadolu kültürleri üzerine yaptığı araştırmasında şaman geleneklerinin halk danslarımızı nasıl etkilediğine bir başka örnek olarak "bar" sözcüğünü vermekteydi. Bugün Doğu Anadolu'da davul oyunlarının genel adı olan bu sözcük, geçmişte şamanın davulunun sapına verilen addı. And'a göre sadece halk oyunları değil, tiyatro ve kukla oyunu bile temellerini Orta Asya inanışlarından almıştı.

Kötü ruh çizimlerinin dini törenler sırasında maske takmış şamanları temsil ettiği iddiasının niye içine sinmediğini, iblislerin günlük hayatta odun keserken, yemek yaparken de resmedildiğini gördüğünde çözmüştü. Bu iddiayı ortaya atanlar, iblislerin canlıymış gibi çizilmiş yılan başlı kuyruklarını nasıl da gözden kaçırmışlardı? Ne yani, şamanlar maske takınca kuyrukları da mı çıkıyordu?

Siyah Kalem'in dünyası yaratıcı bir çalışma için olağanüstü zenginlikte bir alandı. İçten içe korktuğu tek şey, bu dünyayı öykülemek için doğru adamın kendisi olup olmadığı düşüncesiydi. Bu kadar yetenekli miydi gerçekten?

"Yapabilirim," dedi içinden, "Yapabileceğimi biliyorum..."

Öyküye odaklanması gerekiyordu, düşüncelerini bir noktada toplaması, günlerdir derlediği bilgilerden esaslı bir kurgu yaratması, ama aksi gibi tam bu esnada kafasının bir köşesinde dönüp duran bir görüntü onu fazlasıyla meşgul etmeye başladı. Gözlerinin önünde Zeynep'in bahçeyi boydan boya geçerkenki güzelliği belirdi, eteğinin dalgalanması, pürüzsüz beyaz teni, faytona sıçrarken diri göğüslerinin titremesi.

Metin'in ona yardım etmek için aşağı eğilmesi ve kızın elini tutması...

Görüntü değişti, Metin'in kendisine nefretle bakan yüzü burnunun dibindeydi şimdi. Kokteylde karşılaştıkları günkü kadar öfke doluydu gözleri.

Şu an Zeynep'le başbaşa neler yapıyorlardı acaba...

Günlerdir mecbur olmadıkça bu odadan dışarı çıkmamıştı, o ukala herifin gerisinde kalmamak için tüm vaktini okumaya ve yazmaya adamıştı, bunu yaparken Metin'in kafasında yarışmadan başka bir şey olmadığından emindi. Kendisini bu düşünceyle hırslandırmıştı, ne zaman ara verecek olsa, hasmının öyküsüne eklediği yeni bir cümlenin görüntüsü belirmişti gözlerinin önünde, yeniden bilgisayarın başına dönmüştü. Canı fena halde sıkıldığı ve kanını kıpırdatacak bir heyecana ekmek kadar, su kadar ihtiyaç duyduğu halde, kendisini çalışmaya zorlamıştı.

Tüm bunlar olup biterken, o piç kurusu köşkteki tek eğlenceli şeyin peşine düşmüştü çoktan, güzelim kızı avucunun içine almıştı bile.

Pencerenin önüne gitti, perdeyi tamamen açtı, adanın tüm güzellikleri, yeşili, kırmızısı, mavisi, turuncusu odanın içine doldu. Yakınlardan birkaç martı geçti. Bahçe sakindi, huzurluydu, uzaktaki yol ve bekleyen iki fayton ona dışarıda keşfedilecek pek çok harika şey olduğunu söylüyordu.

Yüzüne bir gülümseme yayıldı.

Teoman Uysal, artık bu odadan çıkıyordu.

-13-

"Büyükada'nın eski adı Prinkipo'ymuş. Bu kelime çok hoşuma gidiyor, çok sempatik geliyor bana, bir masal kahramanı gibi. Prinkipo da Rumca büyük anlamına geliyormuş. Belki biliyorsun, Avrupalılar bizim adalara Prens Adaları derler, ilk duyduğumda güzel bulmuştum, ama bu isme ilham veren prenslerin yaşadıkları pek hoş değilmiş... Burası onlar için sürgün yeriymiş, İstanbul Bizans'ın başkenti olduktan sonra imparatorlar yerlerine göz dikebilecek yakınlarını adalarda ölüme terk etmişler, birçoğu buraya gözleri oyularak gelmiş. Ünlü İmparator Diogenes de Selçuklu Sultanı Alpaslan'a yenilmesinin ardından burada ölümü beklemiş."

"Büyükada bütün Prens Adaları gibi, Fatih Sultan Mehmet tarafından, İstanbul'un alınışından hemen önce fethedilmiş. Sürgün yeri olma özelliği yakın tarihte devam etmiş, Troçki, Stalin tarafından ülkesinden kovulduktan sonra 1930'larda adada gözetim altında yaşamış. Kısa bir süre kalmış galiba, üç dört yıl, sonra ona ne olmuş bilmiyorum."

"Yolu burdan geçen ünlüler arasında özellikle ilgini çekecek biri var! Reşat Nuri Güntekin de adalı, Maden Mahallesi'nde güzel bir evde yaşarmış, şu an müze olarak gezilebiliyor. Sevenleri yazın evi ziyaret ederler, bol bol fotoğraf çekerler. O güzel kitaplarının birçoğunu burada yazdığı söylenir."

"Reşat Nuri'yi severim," dedi Metin, gözlerini kızın hoş gülümsemesinden ayırmadan. "Belki sonra bana o evi gösterirsin."

"Olur tabii," dedi Zeynep. Bacak bacak üstüne atarken biraz açılmış eteğini eliyle düzeltti. Birkaç saniye bir şey düşünüyormuş gibi sessiz kaldı, atların nal seslerini dinledi. Sonra yanlarından geçtikleri çam ağaçlarına bakarak anlatmaya devam etti.

"Büyükada'da biri güneyde, diğeri kuzeyde iki tepe var, gemiyle gelirken fark etmişsindir. Güneydeki tepe, iki yüz metreyi aşan yüksekliğiyle Yücetepe. Kuzeydekine ise İsa Tepesi diyorlar, diğerinden biraz daha alçak.

"1930'da Rum Ortodoks mezarlığı yakınında bir define bulunmuş, Büyük İskender'in babasına ait olduğu söyleniyor. Tamamen altın sikkelerden oluşuyormuş, adanın tarihine ilişkin en eski bulguymuş, öyle okudum. Define şu an İstanbul Arkeoloji Müzesi'ndeymiş, diğer pek çok tarihi eser gibi sanat tüccarlarının eline geçmemiş olması güzel."

"Bütün bunları nasıl hatırlıyorsun?" diye sordu Metin, içten bir hayranlıkla. "Seni duyan o kitapları daha dün okuduğunu sanır."

"Dün okumuş olsaydım, çok daha fazla ayrıntı verebilirdim," diye cevapladı Zeynep. "Hafızam kuvvetlidir. Özellikle ilgimi çeken konularda. Bu adayı seviyorum, onun hakkında öğrendiğim her şey hoşuma gidiyor."

"Peki turistlerin en çok gittiği yer neresi?"

"Dilburnu olmalı, fayton turu bitmeden oradan geçeceğiz. Büyükada'nın batısında, çamlarla kaplı bir piknik alanı. Genelde kalabalık olur. Mangal yapar, voleybol oynarlar, çamlar arasına salıncak kurarlar. Ben bir keresinde orada bir çam ağacının altında uyuyakalmıştım, inanılmaz dinlendiriciydi. Adeta denizin içinde, manzarası çok güzel. Güneyinde bir koy var, orada adanın en iyi kumsalı bulunuyor. Bilmiyorum, yüzmek ister misin? Hava biraz serin ama..."

"Hayır Zeynep," dedi Metin. "Şu an bu faytonda her şey mükemmel, başka bir şey istemiyorum."

Genç kız, adamın mükemmel vurgusundan biraz utandı, ama yanaklarını daha çok pembeleştiren, bu sözün hoşuna gittiğini fark etmesi oldu. Bir erkek tarafından beğenilmeyi özlemişti.

"Ama ben seni biraz yürütmek niyetindeyim. Göstermek istediğim bir yer var, oraya çıkmadan adayı gezdim diyemezsin. Faytonla gidilmiyor, tepeye tırmanmamız gerekecek. Hele biraz dolaşalım da..."

"Bugün patron sensin!" dedi Metin. Mutlu bir ifadeyle güldü. "Yolu göster yeter."

Faytonun çatısının dört yanından sarkan saçaklar görmeyi zorlaştırıyordu, Metin bu yüzden manzarayı seyredebilmek için oturduğu yerde biraz kaykıldı. O an gözleri ön koltukların iki yanına yerleştirilmiş dikiz aynalarına kaydı, bunlar sürücünün arkasında kalıyordu, onun için değil, yolcular için konulmuşlardı. Bu aynalar sayesinde geride bıraktıkları manzarayı ve yanında oturan Zeynep'in gördüklerine göre değişen yüz ifadesini seyretmek keyifliydi. Faytona bindiğinde rahatsız olduğu ağır at kokusu yolculuk sırasında rüzgârın etkisiyle dağılmış, katlanılabilir bir düzeye inmişti. Yokuş aşağı giderken hızlandıklarında, ada esintisi insanın ruhunu tazeliyor, hatta sanki temizliyordu. Faytonun hafiften sallanışı da, kulağına bir müzik gibi gelen nal sesleri de ona zevk veriyordu. Kalabalığın seyreldiği yüksek yerlerde, bu müziğe çeşitli kuş sesleri ekleniyor ve keyfi artıyordu.

Dilburnu'na yaklaştıklarında, etraftaki bisikletlilerin çoğalması dikkatini çekti. Bunlar genelde okul çağında gençlerdi. Yol boyunca ağaçların altında, özellikle de piknik alanlarında aşık çiftlere sıkça rastlanıyordu, adanın ailelerinden ve etraf ne der korkusundan uzak, içlerinden geldiği gibi sevişebildikleri nadir yerlerden olduğu birbirlerine özlemle sarılmalarından belliydi. Civarda gördüğü güzel kızlar ona ilginç geldi, sayıları İstanbul ortalamasının çok üzerindeydi, bu gözlemini Zeynep'le paylaştığında kız gülümsedi.

"Onları adaya getirecek kadar romantik delikanlıları tercih ediyorlar demek ki."

"Belki," dedi Metin. "Belki de delikanlılaı adaya getirme zahmetine ancak sevgilisi güzelse katlanıyor."

"Ya da belki sen sadece çevredeki güzelleri görüyorsun."

"Olabilir," dedi Metin, bu oyun hoşuna gitmişti. "Adanın büyüsü tüm kızları güzel gösteriyor da olabilir!"

"Arada bana ettiğin iltifatların nedeni bu demek."

"Hayır canım," dedi Metin içtenlikle. "Sen bu kızlardan daha güzelsin."

Zeynep güldü, karşılık vermeden gözlerini kaçırdı.

"Şu koca binalar ne?" diye sordu genç adam.

"Onlar mı? Onlar at ahırları. Akşamları faytoncular arabalarını ve atlarını oraya bırakır."

"Askeriye binalarına benziyor... Ne kadar düzenli."

"Bilmem. Çok askeriye görmedim."

Metin'in gözleri binalardan birinin kapısına çivilenmiş, üstünde "seyis evi" yazan tabelaya takıldı. Devasa binalar bir tepenin yamacına yapılmıştı, deniz ve uzaktaki yelkenliler bulundukları yerden çok etkileyici görünüyordu. Buraya başka bir vakit yürüyerek gelip manzarayı uzun uzun seyredebilmek hoş olurdu.

Bir süre daha dolaştıktan sonra, "Burada duralım," diye faytoncuya seslendi Zeynep. Aklı üç gün sonra istemeye gideceği kızda olan adam, onu ancak ikinci seslenişinde duyabildi. Ne istediğini anlayıp arabayı durdurması için birkaç saniye gerekti. "Biz burada ineceğiz. Misafirimizi Aya Yorgi'ye çıkaracağım. Bir saat sonra bizi aynı yerden alırsınız."

"Peki hanımım," dedi sürücü hürmetle. Ne zaman bir faytona ihtiyaç duysalar ondan başkasını çağırmayan Yiğit Bey'e ve çalışanlarına minnet duyuyordu, kendisini konağın bir parçası olarak görüyordu nicedir. "Bir saat sonra tam burda olurum. Sizi almadan gitmem bir yere."

Metin, Aya Yorgi lafını duyunca heyecanlandı. Büyükada'ya daha önce birkaç kez gelmişti, ama arkadaşlarıyla sahildeki balıkçılarda bira içip laflamanın ötesinde buradaki keyifleri keşfetme şansı olmamıştı. Aya Yorgi Kilisesi'nin adanın en yüksek tepesinde olduğunu biliyordu, birçok insanın belirli zamanlarda bir hac duygusuyla burayı ziyaret ettiğini, oldukça ünlü bir yer olduğunu da. Ama içini asıl kıpırdatan, dostlarından duyduğu şahane manzarasıydı, benzersiz demişlerdi. Ölmeden önce mutlaka görmek istediği az sayıda şeyden biri olan o manzaraya "son bakışla" bakabilme düşüncesi içini kıpır kıpır etmişti.

"Buradaki ilk yapı, milattan sonra altıncı yüzyılda inşa edilmiş," diye anlatmaya başladı Zeynep, tepeye tırmanırlarken. "Yol boyunca birçok kilise ve manastır kalıntısı var. Bazıları tamamen harabeye dönmüş. Aya Yorgi'ye çıkmak için yürümekten başka seçeneğimiz yok. Ah, aslında var, eşeklerle de çıkıyor bazıları, köylülerden kiralanıyor, ama ben bir kez denemiştim, yürümekten daha yorucu oluyor. Hiç rahat değil o hayvanlar."

"Böyle gayet iyi," diye güldü Metin. "Biraz yürümek bana iyi gelecek, günlerdir konaktan ayrılmadım zaten. Geldiğimden beri yaptığım en uzun yürüyüş bahçeyi iki kez turlamak."

"Diğer misafirimize göre gene iyisin," dedi Zeynep. "Teoman Bey'in yemekler dışında odasından çıktığını görmüyorum. Kök salacak böyle giderse."

Metin, Teoman'ın adı anılınca kendisini kötü hissetti, şu an düşünmeyi hiç istemediği biriydi, ne hali varsa görsün diye geçirdi içinden.

"Tepe'de bir kır restoranı da var," diye devam etti Zeynep. "Acıktın mı? Bir şeyler yiyebiliriz. Sever misin bilmiyorum, harika şaraplar satıyorlar, ev yapımı. Akşam yemeği için bir şişe alacağım ben, bizimkilere sürpriz yapacağım, Ayşe Hanım içmez ama Rıza Bey bayılır."

"Hele bir varalım da," diye yanıtladı Metin. "Bakarız orda."

Önünde yürüyen genç kızın çevik hareketlerini seyretmek çok hoşuna gidiyordu, biçimli bedeninden gözlerini alamıyordu. Eteği bacaklarına sarıldığında ortaya çıkan güzel kalçaları, ter damlacıklarıyla nemlenmiş ince boynu, omuzlarının üstünde dans eden saçları, içinde arzudan çok daha özel, eşsiz bir manzara seyrederken olduğu kadar derin duygular uyandırıyordu. Ona rahat rahat bakabilmek için biraz arkasında kalmaya dikkat ediyordu. Gene de fazla geride kaldığını fark edince hızlandı, kıza yetişti. Zeynep bir an için başını çevirdiğinde gözleri buluştu, ikisi de bir söz söylemedi. Önlerine dönüp tırmanmaya devam ettiler.

Yokuş boyunca her iki yandaki ağaçlara dilek tutmak için sayısız çaput ve boş makara bağlanmıştı. Kimbilir kimler, ne tür hayaller için bırakmıştı bunları, bir erkeğin aşkını kazanmak, yıllardır özlem duyulan bir çocuk, belki geçmek bilmeyen bir hastalıktan kurtulmak; rengarenk ve yıpranmış çaputların her biri bir hasreti, yarım kalmış bir mutluluğu simgeliyordu ve bu Metin'i hüzünlendirdi.

Taş döşeli yokuş oldukça dikti, bir süre sonra yorulmaya başladığını fark etti.

Hamlamışım...

Kaç dakikadır yürüyorlardı, belki yirmi en fazla otuz, nefesinin bu kadar çabuk kesilmesi iyiye işaret değildi. Galiba bilgisayar başında geçen saatleri azaltmanın vakti gelmişti. Tam dönüp keyifsiz bir sesle biraz dinlenmesi gerektiğini Zeynep'e itiraf edecekti ki, genç kızın neşeli sesi onu durdurdu.

"Gelmek üzereyiz. Bak manastır ileride!"

Ağaçların üstünden tepesi görünen yaşlı ve görkemli yapı, Metin'e yeniden güç verdi, bacaklarındaki kanın harekete geçtiğini hissetti. Dilinin ucuna gelen cümleyi yutup masalsı bir havası olan yapıya doğru yürümeye devam etti. Ağaçların arasında bir başlarına yükselen kilise ve manastır, yalnızlığı mağrurca kabullenmiş görünüyorlardı.

"Her yıl Nisan ve Eylül'de burası binlerce turistin akınına uğrar," dedi Zeynep. "Her milletten gelirler, çok uzaklardan bile. Faytonlar hepsine yetmez, pazarcılar at arabalarını bile bu işe koşarlar. Onlara su, köfte ekmek, adaklık çamaşır satmak isteyen adalılar yokuşa sırayla dizilir. Geçen sene Avusturalya'dan gelen bir çiftle tanışmıştım, hemen her yıl uğruyorlarmış. Hıristiyanların gözünde bir tür hac mekânı burası. O zamanlar çok sevmem, kalabalık olur, şimdi tamamen bize ait," Sonra neşeli bir ifadeyle ekledi. "Buraya yürüyerek çıkanların dileği kabul olur derler, şayet bir dileğin varsa çabuk tut, hâlâ yolda sayılırız."

Metin şu an bir mucize olacak olsa, üzerindeki etkisi gittikçe artan kızın ona hemen şimdi sımsıkı sarılmasını, bütün bedenini bedeninde hissetmeyi dilerdi, ama bunun için hiçbir ihtimal göremediğinden, dilek tutmamayı yeğledi.

"İşte," dedi Zeynep, soluk soluğa. Sırtını manastıra döndü, bir elini beline koydu, diğeriyle ileriyi işaret etti.

"Yücetepe'nin yüceliği işte bu."

Metin genç kızın yanında durup aşağıdaki manzaraya baktığında, bu anın bütün yorgunluğuna değdiğini düşündü. Denizin kusursuz maviliği, bulutlarla süslü gökyüzünün enginliği, adanın yeşil büyüsü, ileride güzelim Sedef Adası ve bu kadar uzaktan tüm kusurları törpülenmiş görünen İstanbul sahilleri bir bütün olarak tek kelimeyle şahaneydi.

"Burada biraz mola verelim," dedi Zeynep'e, bakışlarını manzaradan ayırmadan. Sesi otoriterdi. Kız bu isteği sessizce kabullendi, yeşil çimenlerin üstüne yanyana oturdular.

Metin karşısındaki güzelliği dakikalarca tek bir kelime etmeden seyretti. Her ayrıntısını, bir daha görme şansı olmayacakmışçasına aklına not etti. Sonra gözlerini kapadı ve bu sahneyi hayalinde eksiksiz canlandırabilmesine sevindi. Gözleri kapalıyken onu çevreleyen mucizeye sesler de katıldı; çam ağaçlarının arasında dolanan rüzgâr, uzaktan gelen kuş ve böcek sesleri, çimen hışırtıları, ortam gerçekten büyüleyiciydi.

Gözlerini açtığında biraz nemlendiklerini fark etti, nedeni belirsiz, kendiliğinden. Bunu Zeynep'e fark ettirmemek için, gözlerindeki ıslaklık kaybolana kadar başını ondan yana çevirmedi.

Az sonra karşısındaki kıza adanın doğal güzelliklerinden biriymiş gibi hayranlıkla bakıyordu.

"Teşekkür ederim," dedi içtenlikle. "Beni buraya getirdiğin için. Ve kendi halime bırakma kibarlığını gösterdiğin için."

"Mutlu görünüyordun," dedi Zeynep. "Bu hoşuma gitti..."

"Bazen gerçek hayatımızın böyle anların toplamından ibaret olduğunu düşünüyorum. Geçmişimizden silinirlerse bir eksiklik hissedeceğimiz özel anların toplamından. Ölmeden önce geriye dönüp baktığımızda, yaşadım diyebileceğimiz zaman bunlardan örülü olacak. Son haftalarda yapmış olduğum pek çok şeyi yapmamış olsaydım bir kayıp sayılmazdı. Ama şu an burada, bu manzaranın önünde ve seninle otururken gerçekten yaşadığımı hissediyorum."

Zeynep karşılık vermedi, başını önüne eğdi, bacaklarının arasındaki çimenleri parmağıyla okşadı.

"Karşı kıyıda, İstanbul'da özlemini çektiğin birileri var mı?"

"Hayır," dedi Zeynep, bakışlarını şehre dikerek. Bir an için aklından orada kaybettiği ailesi geçti. Bütün sokaklarında, caddelerinde onlardan bir iz vardı.

"Şehir benim için sadece kötü bir anı. Özlediğim hiçbir şey yok orada..."

"Buna üzüldüm," dedi Metin. "İstanbul benim her şeyim. Ben çok alıştım ona, her ayrıntısına. Birkaç aydan fazla uzak kalamam herhalde, ruhum kararır."

Zeynep sessiz kaldı. Eskiden o da severdi İstanbul'u.

"Peki bu adada? Adanın sakinleri arasında sana gönül vermiş biri de yok mu? Kapıya bırakılan aşk mektupları? İsimsiz gönderilen çiçekler? Sen çok güzel bir kızsın Zeynep. Eminim her çarşıya indiğinde sana vurulan birkaç delikanlı oluyordur."

"Teşekkür ederim. Ama zannetmiyorum. Olsa da bilemem ki. Ada sakinleriyle pek muhabbetim yoktur. Konaktan fazla çıkmam ben. Peki ya sen? Sen kimseyi bırakmadın mı arkanda? Buraya beraber geldiğin o hoş kadın, eminim seni özlüyordur şu an. Konağa uğrayacak mı yakınlarda?"

"Beyza mı?" diye güldü Metin. "Evet, arada özlüyordur. Benim biricik sırdaşım, dert ortağım... Ama düşündüğün gibi değil, yıllardır tanışıyoruz, iyi bir arkadaş sadece. En iyilerinden. Ve tabii, iş ortağıyız, o benim sevmediğim para işlerinden uzak durmamı sağlıyor. Günün birinde kitaplarımın yurtdışında yayımlanmasını hayal ediyorum, bunun için böyle bir aracıya ihtiyacım var. Ama her şeyin ötesinde, birine tutunmak istediğimde yanımda olacağını biliyorum."

"İnsanın böyle bir dostunun olması güzel," dedi Zeynep.

"Evet, bence de."

Kısa bir sessizlik oldu.

"Uzun zamandır hayatımda biri yok," diye devam etti Metin. "Bir zamanlar bu konuda epey hızlıydım, açgözlü bir çocuktum, ama sıkıldım bu koşturmacadan. Artık yalnızca özel birini bulmaya çalışıyorum. Yanında mutlu olacağım özel birini... Gene de hayatıma giren kadınlarla yaşadıklarım bana çok şey öğretti. Kadınlar hakkında, hayat hakkında, en önemlisi, kendim hakkında."

"Örneğin?" diye sordu Zeynep, sahici bir ilgiyle. Genç adamın bakışları ve gözlerinin buluşması onu heyecanlandırdı. "Ne öğrettiler?"

"Örneğin," dedi Metin, gözlerini kızdan ayırmadan. "Özel birini bulduğum zaman bunu çabuk fark etmeyi öğrendim."

Metin'in bakışları yavaş yavaş, iradesi dışında son bakışa dönüştü, kızın yüzündeki bütün özellikleri aklına kazımaya başladı, kaşlarının inceliği, çenesinin yuvarlaklığı, alnına düşen iki tel saç, bakışlarındaki tatlı ürkeklik, bir an tümüyle onunla dolduğunu hissetti, onunla dolmanın ne kadar güzel olduğunu, bir süre için bütün hayatı boyunca aradığı her şeyin bir bütününü görür gibi oldu ve yaşadığı bu anın, baktığı şeyin gerçekliğinden emin olmak istercesine, eli kendiliğinden uzandı, kızın yanağına kondu, orada biraz gezindikten sonra, boynunun kenarında yol aldı, çenesini aşıp dudaklarına dokundu. Parmaklarının altında, o güzel dudakların titrediğini hissetti.

Metin ona içini okurmuş gibi bakarken kendisini gözlerini kaçıramayacak kadar güçsüz hisseden kız, bu dokunuşla birden silkindi, suratına bir panik ifadesi yayıldı, bir rüyadan uyanmışçasına şaşkın, onun uzanamayacağı bir yere kaçtı. Neredeyse ayağa kalkacaktı, ama bunu yapmadı, yalnızca yüzünü başka yere çevirdi.

"Çok... çok özür dilerim," dedi Metin, kızın suratında gördüğü korkudan dolayı kendine büyük bir öfke duyarak.

"Ben sadece... Kusura bakma Zeynep. Kötü bir niyetim yoktu."

Aptal herif... Aptal! Aptal! Aptal!

"Artık dönebilir miyiz?" diye sordu Zeynep soğuk bir sesle. Sesinde hiçbir duygu yoktu. En kötüsü de buydu, ne sempati ne de kınama, sadece bir boşluk...

"Benim restorana da uğramam lazım. Rıza Bey'e şarap alacağım."

"Elbette," dedi Metin. Önünde uzanan benzersiz manzaraya son bir kez baktı, derin bir iç çekti.

"Faytoncuya da yazık, beklemesin..."

-14-

Sonraki birkaç gün, Metin için o zamana dek konakta geçirdiği en sıkıntılı günlerdi. Odasından pek az çıkıyor, yemekte ya da merdivenlerde Zeynep'le karşılaştığında yüzüne bakmaktan çekiniyor, kazara göz göze geldiklerinde kızın bakışlarında o korkuyu anımsatan duygular yakalayıp kahroluyordu.

Benim hakkımda ne düşünüyor acaba... Onu tepeye nasıl bir maksatla çıkardığımı sanıyor? Ama tepeye çıkmayı ben istemedim ki? Bu onun fikriydi. Öyle mi beyefendi? Elini dudaklarında gezdirmen de onun fikri miydi! Niye böyle bir şey yaptım...

Olan biteni hafızasında canlandırdığında, o dokunuşun planlı olmadığını hatırlıyordu, ama bu durum suçluluk duymasına engel olmuyordu. Kendisini kızın yerine koyduğunda yaşananlar gözüne iğrenç görünüyordu. Her şeyi en baştan planlamış gibi...

Gencecik bir kızım. Bir köşkte hizmetli olarak çalışıyorum. Bir misafir emrivaki yaparak beni köşkün dışına çıkartıyor. Ona adayı gezdirecekmişim! Tarihini kitaplardan okumak istemiyormuş! Başbaşa kaldığımızda ilk yaptığı beni okşamaya çalışmak oluyor. Beni ne kadar ucuz görmüş... Ne basit adammış...

Leyla yüzünden miydi? Tüm sebep bu muydu? Zeynep'in yanında uzun zamandır ilk kez onu düşünmeden, içinde hiç hüzün olmadan birkaç saat geçirebilmiş olması mı kendisini böyle zayıf düşürmüştü? Belki öyleydi, ama kıza bunu nasıl açıklayabilirdi ki? Bir başka kadını düşünmemi engellediğin için sana dokunmak istedim mi diyecekti ona? Daha ileri gitmeyecektim, inan... Bu nasıl bir açıklamaydı? Ama bir şeyler de söylemesi gerekiyordu. Zeynep'in ondan uzak durmaya çalıştığını fark etmek, kendisi hakkında kötü duygular beslediğini düşünmek boğulacak gibi hissetmesine neden oluyordu.

Hayır, Leyla yüzünden değildi. Sadece bu yüzden olamazdı. Zeynep için gerçekten çok özel şeyler hissetmişti ve hâlâ da hissediyordu, kendisini suçlamaktan yorulup durgunlaştığında, içine sakin bakabildiğinde bunu görmekte zorlanmıyordu. Ama ona bunu nasıl anlatabilirdi, neyimi özel buldunuz diyecekti, daha kaç gün oldu tanışalı, ne kadar sohbet ettik sizinle, beni ne kadar tanıyorsunuz, hem aramızda kaç yaş fark var... Kendisine Metin'in gözlerinden bakmadan, konuşmasını Metin'in kulaklarıyla dinlemeden, gerçekten ona ne kadar özel göründüğünü nasıl bilecekti?

Bu düşüncelerden uzaklaşmak için kendisini öyküsüne ve Siyah Kalem'e vermeye çalıştı. Gizemli ressam hakkında yazılan her ne varsa yeni baştan, aklını tamamen onunla doldurmak istercesine tutkuyla okudu. Okudukları arasında hoşuna gidenleri ayrı kâğıtlara not etti, altlarına yorumlarını, bunları öyküsünde nasıl kullanabileceğine dair fikirlerini yazdı. Talat Parman'ın Siyah Kalem'in iblisleri hakkında görüşleri özellikle ilgisini çekmişti.

Talat Parman, Siyah Kalem'in yapıtlarını psikanalizin kavramlarıyla değerlendirdiği yazısında, bu resimlerdeki iblislerin "insanın gölgesiymiş, eşiymiş gibi" çizilmiş olduklarına dikkat çekmişti. Freud'un 1919'da ortaya attığı "tekinsizlik" kavramı üzerinde durarak iblislerin insan ruhsallığındaki yerini vurgulamaya çalışmıştı. Buna göre ruhsal gelişimin ilk evrelerinde hayatta kalmanın güvencesi olarak yarattığımız eş kavramı, bu ilk dönem aşıldıktan sonra yeni ruhsal ihtiyaçlar doğrultusunda değişime uğruyordu. Önceleri benliğin koruyucu meleği olma işlevini gören eş giderek ona düşman hale geliyor, kişinin reddettiği ölümlülüğünün, dayanıksızlığının temsilcisi, "ölümün endişe verici, tekinsiz habercisi" oluyordu. Şamanizm'de ise bu düşünce iyi ve kötü ruhların birbirinin tamamlayıcısı olarak kabul edilmesi şeklinde hayat buluyordu. Siyah Kalem'in bilinçli ya da bilinçsiz olarak bu eşlerimizi, "kötü olmakla birlikte onlarsız yapamayacağımız eşlerimizi" resmetmiş olması büyük bir ihtimaldi.

Okuyacak başka metin, bakacak başka resim kalmadıktan sonra, bilgisayarının başına geçip aklında uçuşan fikirlerden bir öykü kurgusu çıkarmaya çalıştı. Bir gün ve iki gece boyunca hiç dışarı çıkmadı, Ayşe Hanım'dan yemekleri odasına getirmesini rica etti, mecbur kalmadıkça parmaklarını klavyeden çekmedi. İkinci gecenin sonunda yazdıklarını okuyunca, büyük bir hayal kırıklığı yaşadı. Ortaya çıkan metin bir sürü kuru bilginin üst üste yığılmış halinden ibaretti, ne bir duygu bütünlüğü ne de akıcılık vardı, karmançorman, başkası yazsa gülüp geçeceği acınası bir denemeydi.

Yazıcıdan aldığı çıktıları hırsla buruşturup çöp kutusuna attı, yatağın ucuna oturup başını ellerinin arasına aldı. İçindeki fırtınayı dindirmeden hiçbir şey yapamayacağı belli olmuştu.

Onunla konuşmalıyım...

Yatağa sırt üstü düştü ve kıyafetleri üzerinde uykuya daldı.

Metin sabah kahvaltıya indiğinde, Teoman'ı da masada görmek onu şaşırtmıştı. O güne kadar genelde odasında yemeyi tercih eden hasmıyla karşılaşmak pek hoşuna gitmemişti, adamın masadakilerle güler yüzle şakalaşması, Ayşe Hanım'a kırk yıllık dostlarmış gibi laf atması da öyle, ama o an bunun üstünde duracak hali yoktu. Zeynep etrafta görünmüyordu, içinden

Rıza Bey'e sormak geldi, ama sonra caydı, nedenini açıklamakta zorlanacaktı. Yemeğini çabucak bitirip bahçeye yollandı, kızı Ahmet'in yanında bulmayı umuyordu, yani genelde olduğu yerde. Temiz havayı içine çekince kendisini daha güçlü ve mutlu hissetti. Kız gerçekten oradaydı, tüm albenisiyle bahçıvanın yanında dikilmiş, ona bir şeyler anlatıyordu.

"Merhaba Zeynep," dedi yanına yaklaşınca. "Güzel bir gün, öyle değil mi?"

Kız dönüp ona baktı, yüzüne bir korku gölgesi düştü, ama herhalde Ahmet'in varlığından olsa gerek, bu kez bu karaltı çabucak yok oldu.

"İyi günler. Nasılsınız?"

Kızın ağzından sizli bizli bir ifade duymak Metin'in içini acıttı. Ama olanlardan sonra söyleyecek bir söz bulamadı.

"Teşekkür ederim. Biraz konuşabilir miyiz? Anlatmak istediğim şeyler var."

Kız bir an Ahmet'e baktı, onun yanında konuşmaları yalnız konuşmalarından farksızdı aslında, gene de bir mahremiyet ihtiyacı duydu. "Olur," dedi sakin çıkmasına özen gösterdiği bir sesle, "Gelin size elma ağacımızı göstereyim. Yeni meyve verdi, çok güzel görünüyor."

Metin ses çıkarmadan kızı takip etti. Bahçenin konağa en uzak köşesinde, tek başına yükselen bir elma ağacının yanına gittiler.

"Gördünüz mü? Yakında kendi elmalarımızı yiyebileceğiz. Ahmet'in yeni bir marifeti bu, ilk meyve ağacımız. Ne yetenekli çocuk, sanki bir büyücü. Burda tutmaz, uğraşmayın demişlerdi."

"Gerçekten harika," dedi Metin, tepesinde sallanan dallara bakarak. Elmalar aklına ilk günahla ilgili hikayeleri getirdi, içinde kıza karşı bir heyecan büyüdü, ama bu coşkun duyguyu hemen bastırdı. Bakışlarını genç kızın yüzüne çevirdi.

"Zeynep. O gün için senden özür dilemiştim. Ama söylemem gereken bir şey daha var. Beni anlayabilmen için..."

Kız iri yeşil gözlerini genç adamın gözlerine dikti, bekledi.

"Uzun zamandır içimde bir sıkıntı vardı. Beni yoran, yaşama sevincimi azaltan bir sıkıntı. Bir daha hiç mutlu olamayacakmışım gibi... Bunu üzerimden nasıl atacağımı bilemiyordum. O gün seninle tepeye çıkarken, hayatın ne kadar keyifli olduğunu, olabileceğini yeniden hissettim, yanında gerçekten mutluydum Zeynep. Bir an için yaşadığım sahnenin gerçekliğinden kuşkuya düştüm, bilinçli bir şey değildi, sen çok güzeldin, tepe çok güzeldi, deniz ve karşı kıyılar, her şey çok güzeldi, bu mucizeye dokunmak istedim, varlığını, gerçekliğini hissetmek, sen o an bu mucizenin bir parçasıydın, güneşe, denize ya da karşı kıyılara dokunmaktan farksızdı sana dokunmak. Aklımda başka bir şey yoktu. Sana saygısızlık etmeyi asla düşünmemiştim."

Kız karşılık vermedi, başını eğip önüne baktı.

"O günden beri yanımda rahat değilsin. Bu yüzden seninle konuşmak istedim. Daha iki ay buradayım, benim yüzümden canının sıkılmasını, tedirgin olmanı istemiyorum. Buna hiç gerek yok. İnan bana lütfen, olur mu? Sen böyle yapınca kendimi gerçekten kötü hissediyorum."

Kız yeniden adamın suratına baktı, bakışlarında Metin'in neye yoracağını bilemediği garip bir ifade vardı, garipliği değişken olmasındandı, hoşgörülü mü, öfkeli mi, sevecen mi, mesafeli mi, belli değildi. En azından o dayanılmaz korku silinmişti, bu Metin'i rahatlattı.

"Bu şekilde hissettirmek istemezdim," dedi Zeynep. "Siz iyi bir adamsınız Metin Bey. Tek ricam, bundan böyle size bir misafir gibi davranmama izin vermeniz. Bence bunun ötesinde arkadaşlık etmemiz uygun olmayacak."

Metin sessizce başını salladı. İçinde bir hüzün büyüse de aralarındaki gerginliğin bitmesi hiç yoktan iyiydi. Kız yanından geçip uzaklaşırken onu ve saçlarının sırtında dalgalanmasını gene hayranlıkla seyretti. Bu adaya bir öykü yazmak için gelmişti, başka bir şey için değil, bundan sonra yapacağı da sadece buydu.

-15-

Metin'in içindeki şeytanlarla boğuştuğu günlerde, Teoman zamanının çoğunu odasının dışında geçirmeye başlamıştı. Ne vakit karşılaşsalar kahya ile sohbet ediyor, Ayşe Hanım'ı attığı laflarla ve espirileriyle güldürüyor, Ahmet'in çiçeklerle yarattığı mucizeleri uzun uzun seyrediyordu. Bunca zamandır kendini her türlü eğlenceden mahrum bırakmanın acısını çıkartmak niyetindeydi. Gene de onu asıl cezbeden kişiyle ayaküstü laflamak dışında bir iletişim kuramadığı için halinden memnun değildi. Zeynep son günlerde iyice içine kapanmıştı, tüm sohbet girişimleri etkisiz kalıyordu. Kızın üzgün olduğunun farkındaydı, bunun nedenini bilememek canını sıkıyordu. İyi tarafından baktığında ise onu elde etme şansının arttığını görüyordu, mutsuz kadınların kapısı yeni heyecanlara daha kolay açılırdı.

Uzun uğraşılardan sonra bir akşam üstü Zeynep'i yalnız yakalamayı başardığında konağın geniş salonundaydılar. Kız pencereden dışarıyı, direklerdeki lambalarla aydınlatılan bahçeyi bir türlü üzerinden atamadığı durgunluğuyla seyrediyordu. Genç adamın arkasından yaklaştığını, onu uzun uzun hayranlıkla süzdüğünü fark etmedi. Varlığından ancak sesini duyunca haberdar oldu.

"Bu odada benim kadar sıkılan biri mi var?"

Teoman, kızın başını çevirmeden önce elleriyle yüzünü ovaladığını fark etti. Kendisine kaçamak bir bakış gönderdiğinde, gözlerinin kızarmış olduğunu gördü.

Niye ağlamış acaba... Bir derdi var ama ne... Şimdi sorma, hayır, doğru zaman değil.

Merakını bastırıp yanına yürüdü, onunla birlikte dışarıya, bahçenin dinginliğine baktı.

"İyi akşamlar," dedi Zeynep alçak sesle. "Nasılsınız?"

"İyiyim teşekkür ederim. Odada tek başıma çok bunaldım, biraz hareket etmek istedim. Burada öyle sıkılıyorum ki yazdığım öykü de sıkıcı olacak diye korkuyorum. Bütün adanın üstüne ölü toprağı serpilmiş sanki."

"Burada zaman yavaş geçer," dedi Zeynep. "Hatta ben bazen hiç geçmiyor gibi hissediyorum."

"Bu duyguda yalnız olmadığıma sevindim."

Bir süre sessiz kaldılar. Teoman, başını çevirip kızı yukarıdan, fark ettirmemeye çalışarak gözledi, onu her zamanki gibi çok çekici buldu, beyaz gömleğin altındaki cenneti hayal etti.

"Konaktan çıktığını pek görmüyorum. Hava iyiyken bile içerdesin. Gitmeyi sevdiğin bir yerler yok mu?"

"Birkaç aydan sonra her yeri ezberledim. Konağa yerleşmeden önce de adaya sık sık gelirdim, bir heyecanı yok benim için."

"Peki eğlenmek için ne yapıyorsun?" diye sordu Teoman sahici bir merakla.

"Bilmem," dedi Zeynep. "Kitap okuyorum. Müzik dinliyorum. Çok boş kalmıyorum zaten."

"Müzik dinlemeyi ben de severim. Ne tarz peki?"

"Her tarz... O anki duyguma göre. Ama galiba en çok dans müzikleri."

Teoman duvara yaslandı, kıza bu kez gizlemeden baktı.

"Sahile iner misin bazen? Orada arkadaşların vardır mutlaka. Eminim arada buluşup dans ediyorsunuzdur."

"Yok, inmem. Çok dağıtıyorlar öyle yerlerde. Fazla içiyorlar. Pahalı zaten oralar, bana göre değil."

"Dans müziğinden hoşlandığını söylemiştin?"

"Evet," dedi Zeynep. Sesi durgunlaştı. "Sadece dinlemek için. Dans etmek için değil. Yani sevmediğimden değil de... Burda pek mümkün olmuyor."

Teoman birden ayağına gelen fırsatı fark etti ve hızla bir plan yaptı. "Biliyor musun," dedi bir sorunun cevabını bulmuş gibi. "bana en çok neyi özlediğimi hatırlattın. İstanbul'da dans etmeden geçen bir haftam olmazdı benim."

"Öyle mi?" diye güldü Zeynep. İçten bir gülüştü bu, başını çevirip genç adama baktı, adam ne kadar da uzundu, böyle yakından epey gösterişli görünüyordu, onun da kendisini süzmekte olduğunu fark edince biraz utandı ama gözlerini kaçırmadı. Adam o kadar yakışıklıydı ki, kadınların kendisine bakmasına alışık olmalıydı.

"Bir yazarı dans ederken düşünemedim. Kusura bakmayın. Gözümün önünde canlandıramadım bunu."

"Ah, evet, yazar dediğin ağırbaşlı olmalı, öyle değil mi? Bu bizim camianın etrafta caka satmak için kullandığı bir efsane sadece. Kimin başının altından çıktı bilmiyorum, ama bir bakıma haklısın, öyle kabul görmüş ki, sonunda çoğu yazar sıkıcı olmaları gerektiğine inanıp öyle insanlara dönüşmüşler. Kokteylerde put gibi durup büyük laflar eden tiplerden değilim ben. Bir köşede eğlenceme bakarım. Hayat kendini bu kadar ciddiye almak için fazla kısa."

"Ben herhalde bir senedir dans etmedim," diye itiraf etti Zeynep. Ailemin ölümünden beri, diye ekleyecekti, bunu söylemek içinden gelmedi.

"Bir sene mi! Ama bu korkunç!" Teoman gözlerini büyük bir hayret duyuyormuş gibi kocaman açtı. Zeynep adamın abartılı tepkisine güldü. Az önce içine yayılan hüznün dağıldığını hissetti.

"Evet, maalesef."

"Ben düzenli dans edebilmek için iki yıl boyunca bir kursa gittim." Aslında o kursa güzel gözlü bir kadın uğruna başlamıştı. "Orada özgürleştiğimi hissediyordum. İspanyol bir hocamız vardı, en iyilerden, yarışmalara katılırdı. Kursu bıraktığım zaman ders verebilecek kadar ustaydım bu konuda. Özellikle latin danslarında."

"Televizyonda bir dans yarışması seyretmiştim. Yabancı bir kanalda, çift yapılan danslardan. Herkes çok şıktı, müzik çok güzeldi. Hiç bitmesin istemiştim. Eminim eğlenmişsinizdir."

"Çift olarak dans etmenin en büyüleyici yanı bedenlerin şaşırtıcı uyumu. İki farklı insan tek bir akıldan yönetiliyor, tek bir vücut haline geliyorlar. Kendi bedeninden çıkıyorsun, yükseldiğini hissediyorsun. Tanrıya yaklaştığını... Dans insanoğlunun en harika keşiflerinden biri. Üstelik dediğin gibi çok eğlenceli."

Zeynep içini çekti. "Adada pek imkan yok böyle şeyler için. Şehirde olsam ben de öyle bir kursa giderdim sanırım. Açıkçası çok bilmiyorum o tür dansları."

Teoman lafı istediği yere getirmişti. Son hamleyi doğru yapmak için arzularını sesinden uzak tutabilmeyi diledi.

"İstersen sana birkaç figür öğretebilirim."

"Yok canım," dedi kız, yanakları pembeleşti. "Olur mu hiç..."

"Neden olmasın," dedi Teoman. "Bu gece yazmak istemiyorum, çok yorgunum. Geceyarısından sonra buluşur, birlikte biraz çalışırız."

Kız güldü. Ciddiye almamış gibiydi.

"Pek becerebileceğimi zannetmiyorum."

"Herkes başta öyle hisseder. Zor görünür ama değildir. Bana güven, bu konuda iddialıyım."

İtiraz etmesine fırsat vermemek için artık konuşmayı bitirmeliydi.

"Saat ikide alt kattaki salonda olacağım. İçinde harika dans müzikleri olan bir cd'im var. Sesi fazla açmayız, böylece kimseyi rahatsız etmeyiz. Merak etme, en basit figürlerden başlayacağız."

"Siz ciddisiniz..." diye şaşkınca baktı Zeynep. Teoman karşılık vermeden kapıya yürüdü, çıkmadan önce durup döndü, yüzüne en çekici gülümsemesini, gözlerine en yaramaz bakışını yerleştirip başını salladı.

"Elbette ciddiyim. Bir genç kızın dans etmeyi bilmesi gerekir. Ben de bu konudaki özlemimi gideririm. Eğlenceli olacak Zeynep. Saat tam ikide!"

-16-

Arkada uçsuz bucaksız bir orman, sanki ağaçlardan bir deniz. Gökyüzü parlak ve aydınlık, birkaç başıboş bulut manzaraya beyazın dinginliğini katmış. Önde bir kule, tepesi görünmüyor, insan sonsuzluğa uzandığını sanır. Kulenin dibinde üç kişi duruyor, ihtiyar bir kadın ve ondan daha yaşlı görünen bir adam yakışıklı bir delikanlının kollarına girmişler, mağrurca gülümsüyorlar. Ortalarındaki genç adam da gülümsüyor, ama daha çok bir sevgi ifadesi bu, gözleri ışıktan biraz kısılmış.

Hayır gitmeyeceğim. Zaten o da gelmez. Sadece bir şakaydı, deli mi bu, olacak şey mi...

Üç dört katlı binaların çevrelediği geniş bir avlu. Avlunun ortasında taştan banklar var, bankların birinde siyah demirden bir adam heykeli. Az önceki delikanlı heykelin hemen yanında durmuş, bu sefer tek başına. Suratında neşeli bir ifade var, kollarını pazularını şişirir numarası yaparak havaya kaldırmış. Saçları sert esen rüzgârdan dağılmış, birkaç tutamı geniş alnına düşmüş.

Gecenin bir yarısında dans mı edeceğiz? Bunu yapacak mı gerçekten? Yok artık daha neler.

Rengarenk giyinmiş gençlerin oturduğu masalar. Bazılarına çocuk demek de mümkün. Kimi tek başına kitabını okuyor, kimi arkadaşlarıyla sohbete dalmış. Önünde yarısı yenmiş bir hamburger duran hoş bir delikanlı, karşı masadaki kısa saçlı, sarışın güzele hiç çekinmeden dimdik bakıyor. Kız üzerindeki gözlerin farkında gibi, ama rahatsız olmuşa benzemiyor. Uzun boylu, iri yapılı bir genç sandalyesinden kalkıyor, suratında kocaman bir gülümseme var. Masaya bıraktığı boş bardak havada donup kalmış.

Zeynep, işaret parmağının ucunu elindeki fotoğrafın üzerinde gezdirdi. Abisi Koç Üniversitesi'nde burslu okuma hakkı kazandığında ne çok sevinmişlerdi, üniversiteyi ilk kez gezdikleri günü tüm ayrıntılarıyla anımsıyordu, anne ve babasının heyecanını, abisiyle kolkola bahçede dolaşmalarını, üniversitenin içinde kurulduğu uçsuz bucaksız ormanın önünde çektikleri fotoğrafları, genç adamın öğrencilerden bir kızla bakıştığını fark edip yol boyunca bununla ilgili şakalaşmalarını...

Fotoğrafı masanın gözüne koydu. Kazadan sonra aylarca dünya ile ilişkisini kesmişti. İyileşme sürecinde doktorlar ailesinin fotoğraflarına bakmasını yasaklamışlardı, onları bir süre için düşünmemelisin demişlerdi, kliniğe yatırılırken elinden almışlardı hepsini, ne çok öfkelenmişti o doktorlara, bütün kalbiyle ölmelerini dilemişti, şimdi düşününce şayet bunu yapmamış olsalardı asla o ruh halinden sıyrılamayacağını görebiliyordu. Bazen kaçmak gerekiyordu. Yeniden savaşabilecek gücü toplayana, yaralarını sağaltana kadar beklemek.

Merak edeceğine gidip baksana? Ne kaybedersin? Alt tarafı giyinip alt kata ineceksin, on beş dakika. Madem uyuyamadın, meraktan kıvranmak daha mı iyi?

Gözleri tavana odaklandı, tepesindeki pürüzsüz beyazlıkta hayatının tanımını gördü, lekesiz ve bomboş. Çok uzun zamandır içinde bir heyecanın özlemini duyuyordu, şu an olduğu gibi uykularını kaçıracak, ileride olacaklara dair merak uyandıracak, onu sarsacak, korkutacak, yaşadığını hissettirecek, hatta belki aptalca, delice, başkası yapsa dalga geçeceği bir şeylere kalkışmanın eksikliği ruhunda ağır bir yüktü. İçine hapsolduğu rutinlikten, sadece cevabını bildiği sorularla karşılaşmaktan yorulmuştu, yaşayabildiği en büyük korku alışveriş listesini yanlış hazırlamaktan öteye gitmiyordu. Farklı bir sabaha uyanabilmek ne güzel olurdu.

Giyinip odasından çıkması için gerçekten de on beş dakika yetti. Merdivenlerin başına geldiğinde dikkat kesildi, herhangi bir müzik sesi duyamadı. Adamın onunla dalga geçtiğinden biraz daha emin oldu, içinden kimseye görünmeden odaya dönmek geldi, ama ayakları kendiliğinden basamakları inmeye başladı. Şöyle bir başını uzatıp salona bakacaktı, aklındaki bundan ibaretti. Sabah adama bunun lafını etmeyecekti, onu ciddiye aldığını düşünüp kendisine gülerdi muhtemelen.

Salonun kapısına geldiğinde, konak hâlâ bir mezar sessizliğindeydi. Kapıyı usulca araladı, içeride ışık olduğunu görüp hayrete düştü. İçeri girdiğinde genç adamı bir koltukta bacak bacak üstüne atmış gördü ve yüzündeki şaşkınlık ifadesi büyüdü. Adam bir kokteyle hazırlanmış gibi şıktı. Koltukların bazıları odanın kenarlarına taşınmıştı, ortada geniş bir alan oluşmuştu.

"Burdasınız..."

"Burda olacağımı söylemiştim," dedi Teoman, son derece doğal bir sesle.

Kız kapının önünde kararsızlık içinde duruyordu.

"Ben... Sadece bunu yapıp yapmayacağınızı merak etmiştim."

"Biraz dans etmek istiyorum. Bu o kadar şaşırtıcı mı?"

"Gecenin ikisinde mi?"

"Öğlen ikide isteseydim, diğerlerinin yanında benimle dans eder miydin?"

Zeynep sessiz kaldı. Ben şimdi de bunu yapmayacağım demek için dudakları aralandı, sonra gerçekten ne hissettiğini bilmediğini fark etti. Böyle gizli kapaklı davranmak ona doğru gelmiyordu, ama bu kadar zamandan sonra yeniden dans etme düşüncesi çok cazipti. Kabul etmeliydi, adam da çok çekiciydi.

"Bu bana garip geliyor, böyle gizli gizli..." dedi, tedirgin bir sesle.

"Hadi rahatla biraz," dedi Teoman. "Evlenme teklif etmedim sana. Kursta adını bile bilmediğim kızlarla dans ettim ben." Aslında adını bilmediği kızlarla çok daha fazlasını yaptığı olmuştu. "Şehirde olsan dans kursuna gidebileceğini söylemiştin. Şu an orada olduğunu farz et. Ayağıma basarsan kızmam, korkma."

Zeynep hafifçe gülümsedi.

"Bu sadece eğlence," dedi Teoman, kızın kararsızlığını fark edince. "Eğlenmek kötü bir şey değildir. Hepimizin buna ihtiyacı var. Şayet pek tanımadığın biriyle dans etmek seni huzursuz edecekse, bana istediğini sorabilirsin, söz hepsine cevap vereceğim."

Salonu kıpır kıpır, insanın içini heyecanlandıran, tatlı bir ezgi doldurdu. Genç adam koltuktan kalktı, acelesiz adımlarla kızın yanına yürüdü. Ona bir adım kala durdu, başıyla selam verdi, gülümseyerek elini uzattı. Genç kız bir an tereddüt etti, sonra cesaretini toplayıp o eli tuttu. Adam diğer elini nazikçe kızın beline koydu, onu fazla zorlamadan kendine doğru yaklaştırdı.

"Rıza Bey bunu duyarsa başım ağrır Teoman Bey."

"Bana güven," dedi Teoman. "Duyulmayacak." Kızı kendisine doğru biraz daha çekti. "Duyulursa ben ısrar ettim derim. Bir kızın azıcık dans dersi almasında ne kötülük var."

Zeynep sessiz kaldı. Kendini iyi hissetmeye öyle ihtiyacı vardı ki karşı çıkmak içinden gelmiyordu.

"Şimdi hiçbir şey düşünme ve melodiye odaklan," dedi Teoman sevecen bir sesle. "Seni benden çok o yönlendirsin.

Benimle değil, onunla dans ettiğini düşün. Ayakların kendiliğinden harekete geçer."

Sonra sustu ve gözlerini Zeynep'in gözlerine kenetleyerek kendini müziğe bıraktı.

Genç adam, kızın beklediğinden daha iyi dans etmesine şaşırmıştı ve bundan keyif almıştı. Müzik hızlandığında onu özgür bırakıyor, dilediği gibi hareket etmesine izin veriyordu, birbirlerine yaklaştıklarında figürlerine ayak uydurması için nazikçe yönlendiriyordu. Kız söylediklerinin aksine hiçbir şey sormadı, ilk birkaç dakikadan sonra, daha önce defalarca bu kadar yakın olmuşlarcasına rahattı. Kollarındaki kızın duru güzelliğini ve çocuksu tavırlarını çekici bulmuştu, her haliyle son zamanlarda hayatına giren kadınlardan çok farklıydı, baştan çıkarıcı değildi, baştan çıkarılması gerekiyordu, kendisini yeni bir keşfin sınırında hissediyor, bu düşünce onu heyecanlandırıyordu. Genelde yatağa atılan taraf o olurdu, sonunda bırakıp gittiğinde vicdan azabı çekmemek için öylelerine yanaşırdı, uzun zamandır ilk defa bir kadının peşine düşme hevesi duyuyordu ve bu duyguyu özlediğini fark etmişti.

Dans dansı izledi, genç adam latin sevgilisinden öğrendiği bütün figürleri kıza bir bir gösterdi. Zeynep acemice bir hareket yaptığında önce utanıyor, sonra Teoman bir espri patlatıyor ve ikisi de gülmeye başlıyordu. Bir saat kadar sonra, Zeynep olduğu yerde durdu ve hâlâ dans etmeye çalışan adamı da durmaya zorladı.

"Ne oldu canım? Yoruldun mu?"

"Sabah erken kalkmam lazım. Kahvaltıya yardım edeceğim. Birkaç saat uyumalıyım yoksa çok kötü olurum."

"Tamam canım," dedi Teoman. Her şey umduğundan da güzel gitmişti, tadında bırakmak lazımdı. Elini kızın belinden çekti, çenesini iki parmağıyla tutup başını kaldırdı, gözlerinin içine baktı.

"Hadi git yat. Bu gece için teşekkür ederim. Bana çok iyi geldi. Umarım sen de eğlenmişsindir."

"Güzeldi," dedi Zeynep içtenlikle.

Kızın bakışlarındaki ilgi ve sıcaklık Teoman'ın hoşuna gitmişti. Yaprak yeşili gözlerde belirgin bir minnettarlık da fark etmek onu şaşırttı ama bunun nedenini sorgulamak içinden gelmedi. "Bu gecelik seni azat ediyorum," dedi şakayla karışık. "Belki günün birinde tekrarlama şansımız olur. Merak etme, bu bizim küçük sırrımız olacak. Sırlarla aram iyidir."

"Evet, aramızda kalırsa iyi olur."

"İyi geceler Zeynep."

"İyi geceler Teoman," dedi kız, yarı utangaç yarı oyuncu bir gülümsemeyle. Dönüp kapıya doğru yürüdü, arkasına bakmadan odadan çıktı.

Kızın biçimli vücudundan ve yürürken dalgalanan saçlarından gözlerini alamayan genç adam, o çıktıktan sonra derin bir iç çekti. "İyi geceler güvercin," diye mırıldandı kendi kendine. Avucunda hâlâ kızın belinin yumuşaklığını hissediyordu. Bacaklarının arasındaki hareketlenme onu güldürdü, iyi ki bu dans ederken başına gelmemişti.

Demek artık Teoman olduk...

İşte bu güzeldi.

-17-

Uzun dikdörtgen masada büyük bir gerginlik vardı. Takım elbiseli beş adam ve bir kadın derin bir sessizliğe gömülmüş, pencereden Boğaziçi Köprüsü'nü, yoğun trafiği ve köprünün altından geçmekte olan devasa gemiyi seyreden yaşlı adamın ağzından çıkacak sözü bekliyordu.

Ayaktaki adam da diğerleri gibi şık bir takım giymişti. Seyrelmiş saçları bembeyazdı ve kalın çerçeveli bir gözlük takıyordu. Vücudu yaşına göre oldukça dinçti, ama yüzüne öyle bir ifade yerleşmişti ki, sanki az önce ölümcül bir hastalığa yakalandığını öğrenmişti.

İhtiyar sonunda arkasına döndü, masada oturan adamlardan en uzaktakine neredeyse nefretle baktı.

"Benden ne istediğinizin farkında mısınız Yiğit Bey? Farkında mısınız? Bunu kabul edersem her şeyimi kaybedeceğim. Bütün ömrümü bu restoran zincirini yaratmak için harcadım. O benim çocuğum, öldükten sonra geride bırakacağım yegane şey."

Yiğit duygusuz bir sesle, "Sizi anlıyorum Kemal Bey," dedi. "Ama bana olan borcunuz gözardı edemeyeceğim kadar kabardı. Ödemeleriniz faizini bile karşılamıyor. Bunu sizinle uzun uzadıya tartışacak değilim. Teklifimi kabul edip restoranlarınızı iki ay içinde bize devrederseniz borçlarınızı sileceğiz. Aksi takdirde dava açacağız ve sonunda yine aynı şey olacak. Ek olarak bütün dava giderlerini ve uzayan süreç yüzünden birikecek faizleri de ödemeniz gerekecek. Bence bu konuyu bugün burada bir sonuca bağlayalım. Bu iş daha fazla tatsızlaşmasın."

Bu iş bugün bitmeli... Çok yorgunum...

"Bir çözüm arıyorum. Bunu size söyledim. Bütün bankalarla yeniden görüşüyorum..."

"Hiçbir banka içinde bulunduğunuz durumda size kredi vermez. Bunu benim kadar siz de biliyorsunuz. Bitti artık Kemal Bey. İşler artık eski tarz yürümüyor, eş dost ilişkileri fayda etmez."

"Size önümüzdeki hafta cevap vereceğim," dedi yaşlı adam. Yenilgiyi kabullenmiş gibiydi, sesi zor duyuluyordu.

"Bu cumaya kadar vaktiniz var. Ondan sonra avukatlarımla görüşürsünüz. Ben bu konuya daha fazla vakit harcayamayacağım."

Ne demeye uzatıyorsun orospu çocuğu... Bitti. Bitti işte.

Kemal derin bir iç çekti. Yiğit'in yüzüne acı dolu gözlerle baktı. "Babanız sizinle gurur duyardı," dedi iğneleyici bir sesle. "Tam onun oğlusunuz."

"Bunu iltifat kabul ediyorum."

İhtiyar adam yeniden pencereye döndü, birkaç saniye sessiz kaldı. Sonra kendi kendine mırıldandığı duyuldu.

"Otuz iki sene... Sonunda her şeyi kaybetmek için ne uzun bir mücadele..."

Başka bir şey söylemeden kapıya yürüdü, üç adamı da aynı anda masadan kalkıp onu takip ettiler. Yiğit dışında odada kalanlar, şirketinin Hukuk Müşaviri Recep Ulugan ve Finans Müdürü Işıl Tuğluklu'ydu.

"Kabul edecek," dedi Recep, gözlerini kapıdan ayırmadan. Sonra Yiğit'e döndü. "Cuma'yı beklemez, bence haberi yarın gelir."

Yiğit başıyla onayladı. Az önce başlayan ve gittikçe büyüyen ağrıyı defetmek isteyerek şakaklarını ovuşturdu. Kulaklarından içeri birkaç arı girdi, kafasının içinde birbirlerinin etrafında dönerek vızıldamaya koyuldular.

"Beni tanıyor. Ciddi olduğumu biliyor. Kaçabileceği hiçbir yer yok. Devir işlemleri için hazırlıklara bugünden başlayın."

"Peki efendim. İmzalanacak evrakları bizzat getireceğim."

"Maliyeti mümkün olduğunca onlara yıkın. Zaten bir dolu borçları var bize."

"Tamam efendim."

"Dünkü dava ne oldu? Şu işten çıkardığımız işçilerle ilgili olan."

"Pek iyi gitmiyor maalesef," diye itiraf etti müşavir. "Mümkün olan her yolu denedik ama adamların eli güçlü. Yöneticileri Hasan Bey çıkışlarını vermeden önce yazılı uyarı yapmayı atlamış. Belki anlaşma yoluna gitsek diyorum... Holding kadrosuna alıp başka şirketlerde çalıştırmayı önerebiliriz."

"Hayır," dedi Yiğit kesin bir ifadeyle. "Bu beni güçsüz gösterir."

"Ödeyeceğimiz tazminat ciddi bir rakam olabilir efendim."

"Siktir et."

Masada kısa bir sessizlik oldu.

"Eğer tazminat ödemek zorunda kalırsak, Hasan da eşyalarını toplayıp gider," dedi Yiğit, bastırmaya çalıştığı bir öfkeyle. Bu cümle ağzından çıktığı an, geçen yıl onu bir şirketinin başına geçirdiğinde genç adamın ne kadar mutlu olduğunu, kendisine teşekkür ederken gözlerine yerleşen minnettarlığı hatırladı. Yakınlarda bir kızı olmuştu Hasan'ın, bu dönemde işsiz kalması kötü olacaktı, ama elden ne gelirdi ki. Zayıf davranırsa bu tür ihmallerin önünü alamazdı.

Kendisini böyle bir karara zorladığı için Hasan'dan nefret etti.

Kafasındaki arılar çiftleştiler, bir anda onlarca oldular. Vızıltı dayanılmaz bir hal almaya başladı.

Sabahtan beri bu katıldığı dördüncü toplantıydı. Arada sayfalar dolusu bir rapor bir de bütçe tablosu incelemek zorunda kalmış, yurtdışından bir ortağının ukalaca yakınmalarını dinlemişti. Belirsizliklerle dolu bir projeye milyon dolar yatırıp yatırmamak üzerine kafa patlatmış, çok önem verdiği bir iş için en uygun müdürünü belirlemeye çalışmıştı. *Ahmet? Fazla hırslı... Neşe olsa? Daha çok toy. Tecrübesi yeter mi?* Gözlerinin önünde sayılar, grafikler, sorular, içtenliksiz suratlar dönüp duruyordu. Kendisini bitkin hissediyordu, kalkanları yıpranmıştı. Bu halini onu alaşağı etmek için fırsat kollayan leş kargalarına fark ettirmemeye çalışmak daha da yorucuydu.

Huzursuzca alnını sıvazladı.

Arılar bir kez daha çiftleştiler. Yüzlerce oldular.

Yiğit nazik bir ses tonuyla "Bizi Işıl Hanım'la yalnız bırakır mısın?" dedi müşavire. "Konuşmamız gereken bir konu var."

"Tabii," dedi Recep. Masadan hızla kalktı, önünde açık duran dizüstü bilgisayarını kucakladı ve aynı hızla odayı terk etti.

O çıktıktan birkaç saniye sonra, Yiğit yanında oturan kızıl saçlı, güzel kadına dönüp gözlerine bir süre dikkatle baktı.

"Adama acıdın, öyle değil mi?"

Işıl irkildi. "Hayır, bunu da nereden çıkardınız?" Bir suç işlerken yakalanmış gibi yanakları birden kızardı.

"Beş yıldır yanımda çalışıyorsun Işıl. Yüzünden her şeyi okuyabiliyorum artık. Adama acıdın, bunda utanılacak bir şey yok. Ben senden duygularını yok etmeni istemiyorum. Sadece karar verirken onları dinleme yeter."

"Peki efendim. Buna dikkat edeceğim. Ben yalnızca... Kemal Bey'in bu duruma düşmesine gerçekten şaşırdım. Restoranları iyi iş yapıyordu, borcunu ödeyebileceğini sanıyordum. Bu konuda sizi yanlış yönlendirdirdiğim için özür dilerim. O parayı en baştan vermemeliydik."

"Eğer o parayı vermemiş olsaydık, şu an şehrin en kârlı iki semtinde büyük birer alışveriş merkezi yapacak yerimiz olmazdı Işıl."

"Çok özür dilerim. Anlayamadım..."

"Restoranlar umurumda değil. Yemek işine girmiyoruz. En kısa zamanda hepsini yıkıp yerlerine daha verimli işletmeler kuracağız. Hepsi çok iyi semtlerde, biraz sermaye ile altın madenine dönüşebilirler. Ayrıca beni yanlış yönlendirmedin, bu konuda için rahat olsun. Kemal borcunu ödeyemedi, çünkü ben izin vermedim. Restoranlarının olduğu semtlerde yeni restoranlar açılmasını sağladım. O semtler bu kadar rekabet kaldırmazdı, yeni açılanlar da zarar etti, Kemal'inkiler de. Şimdi biz Kemal'inkileri yıkınca, yeni zincir kâra geçecek, birkaç yıl sonra zararını kapatır. O civarın tek zinciri olurlar. Kuracağımız alışveriş merkezleri de onlara yeni müşteriler getirecek. Onlar da kazanacak biz de. Uzun zamandır bu işin üstünde çalışıyorum, Kemal iyi bile dayandı sayılır. Ben daha önce pes etmesini bekliyordum."

Odada bir sessizlik oldu. Işıl, dalgın bir ifadeyle önüne baktı, masadaki kâğıtlarla biraz oynadı. Ne diyeceğini bilemedi, bir şey söylemesi gerektiğini fark edince, samimiyet katmaya çalıştığı ama pek başaramadığı bir sesle "Çok iyi bir plan, efendim," dedi.

"Bir pislik olduğumu düşünüyorsun."

"Hayır efendim, asla! Bunu da nereden çıkardınız?" dedi kadın, biraz panikleyerek. Sonra bu kez gerçekten içten bir sesle, "Hep dediğiniz gibi Yiğit Bey, bu sadece bir iş..." diye ekledi. "Siz de bu işte çok iyisiniz. Bu yüzden siz bu şirketin sahibisiniz, bense yalnızca müdürlerden biri."

"Sen yalnızca müdürlerimden biri değilsin Işıl," dedi Yiğit. Yeniden kadının gözlerine baktı. "Ben senin daha fazlasını yapabileceğine inanıyorum. Yetkilerini genişletmek istiyorum, bunu daha önce de konuşmuştuk. Birkaç sene sonra bu holdingte çok daha fazla gücün olacak. Önemli kararlar almaya başlayacaksın. Az önce anlattıklarımı da bu yüzden öğrendin. Sana güvenebilmem için işlerin nasıl yürüdüğünü anlaman gerekiyor. Bilmen gereken bir şey daha var. Kemal'e acımadan önce bunu da dinle. O orospu çocuğunu on beş yıldır tanıyorum. Zincirini genişletmek için şu an benim ona yaptığıma benzer şeyleri bir sürü insana yaptı. O şık restoranlarında çalışanların birçoğu sigortasız, yıllık izinlerini bile doğru dürüst kullanamıyorlar. Babama vergi kaçırmanın yolları konusunda çok nasihat vermiştir kendileri. Evet ben bir pisliğim. Ama sadece kendim gibilere bulaşırım."

"Özür dilerim," dedi Işıl. Bu kez sesi daha bir samimiydi. "Zayıflık gösterdim. Bir daha olmayacak."

"Boş ver şimdi bunu. Hadi yan odaya geçelim. Konuşmanın devamını orada yaparız."

Holding binasının dokuzuncu katında, üst yönetim toplantı odasına komşu, küçük bir oda bulunuyordu. Çok az kişinin girme şansı bulduğu bu oda, Yiğit için bir nevi mabet, ruhunu dinlendirme ve tazeleme yeriydi.

Işıl bu odaya her girişinde kendisini farklı bir dünyaya adım atmış gibi hissederdi. Odanın tüm duvarları baştan başa ünlü ressamların eserlerinin taklidi olan birer reprodüksiyonla kaplıydı. Patronunun isteğiyle Fransa'dan getirtilen meşhur bir duvar ressamı, bu başyapıtları duvarlara devasa boyutlarda nakşetmek için aylarını vermişti. Bir duvarda Monet'in *Bahçedeki Kadın'ı*, bembeyaz giysisiyle yeşilliklerin içinde gerçek bir insan boyutlarında boy gösteriyordu. Resimdeki kırmızı gül yatağında, ağaçlarda, kadının güneşten korunmak için açtığı minik şemsiyede tatlı bir dinginlik vardı. Bir diğer duvarda Rembrandt'ın *Taş Köprülü Manzara'sı*, insanın içini bir fırtına kasveti ve ürpertisiyle dolduruyor, o yöne bakıldığında sanki odada soğuk rüzgârlar esiyordu. Picasso'nun *Taranmamış Saçla Portre*'si tavandan odadakileri, onları bir resimde nasıl kullanabileceğini keşfetmeye çalışır gibi dikkatle gözlüyordu.

Işıl'ın bilmediği, aslında odanın sadece duvarlarının ya da tavanının değil, içindekilerin de ünlü resimlere çağrışım yaptığıydı, bütün mobilyalar ve dizilişleri, ünlü tablolardan ilham almıştı. Bir köşedeki tek gözlü, süslü sehpa, üzerindeki kapağı açık kutu ve eski kitaplar, kitapların üst üste konuş şekli, Monet'in 1861'de yaptığı *Stüdyo Köşesi* isimli tablodaki ayrıntıların birebir aynısıydı. Bir başka köşedeki sehpa, üstündeki cam sürahi ve diğer eşyalar ise Van Gogh'un *Yatak Odası* isimli tablosunda, elbette dahi ressamın kendine has üslubuyla resmedilmişti.

Yiğit deri koltuklardan birine kurulduktan sonra, güzel kadına başıyla karşısına oturmasını işaret etti. "Bütün bu saçmalıkları geride bırakıp asıl önemli şeylerden bahsedelim," dedi. "Almanya'daki Siyah Kalem etkinliği için her şey hazır mı? Çok görkemli bir gösteri istiyorum, biliyorsun, her şey mükemmel olmalı. Arkasından günlerce konuşulmalı. Gazetelerin tümüne girebilmek istiyorum."

"Öyle olacak," dedi Işıl, en ufak bir şüphe duymadan. "İstediğiniz her şey hazırlandı. Sergi salonunun güvenliği için Almanya'nın en iyi şirketiyle anlaştık. Canlı müzik için Fazıl Say'ı ikna etmeyi başardım. Sunuculuğu şu ara çok popüler olan bir Alman televizyon yıldızı yapacak. Açılış için birkaç sürpriz de düşünüyorum, ama kesinleşmeden söylemeyeceğim. Unutulmaz bir gün olacak efendim, bunun için size söz veriyorum."

Yiğit, o gün için hazırladığı asıl sürprizi düşündü ve hafifçe gülümsedi. Evet, unutulmaz bir gün olacaktı. Bundan kuşkusu yoktu.

Bir avuç arı birbirleriyle yarışarak kulaklarından çıkıp uzaklaştı. Vızıltı azaldı.

"Sana güveniyorum," dedi kadına içtenlikle. "Öyle olmasa bu işi sana vermezdim. Kreatörlerin aklı bir karış havada, benim vizyonumu göremiyorlar. Onların dilinden anlayabilecek bir sen varsın etrafımda. Bu işin benim için önemini biliyorsun. Zorluk çıkarttıkları her konuda beni haberdar et."

Işıl başıyla onayladı. Patronunun resme olan tutkusunu hep saygıyla, biraz da hayranlıkla karşılamıştı. Bu işe ve koleksiyonlarını genişletmeye harcadığı paranın büyüklüğünü ondan başka bilen yoktu. Siyah Kalem'le ilgili bir konu açıldığında adamın nasıl bir çocuk gibi heyecanlandığını, bu gizemli çizerden bahsederken gözlerinin nasıl ışıldadığını düşündü, doğrusu onu öyle zamanlarda, iş hayatındaki yırtıcı halinden çok daha fazla seviyordu.

Sevmek mi? İçinden böyle bir düşünce geçince birden utandı, Yiğit yüzündeki ifadeden aklını okuyacakmış gibi bir hisse kapıldı, bu fikri hemen kafasından uzaklaştırdı.

Halbuki ihtiyar patronu o an çok başka âlemlere dalmıştı. Karşı duvarı kaplayan Cezanne'nin resmindeki gazete okuyan adama bakarken, düşüncelerinde geçmişten başka bir şey yoktu. O geçmişe kaydıkça, arılar da bir bir kafasından çıkıyorlardı.

Şu gazete okuyan adam, amcasına amma da benziyordu...

-18-

"Bu çocuk yine ne haylazlık peşinde?" diye homurdandı Mustafa, telefonu yerine koyduktan sonra.

"Dershaneden iki saat önce çıkmış. Çoktan gelmiş olması gerekirdi."

"Amcasına uğramıştır," dedi Hatice, başını elindeki dergiden kaldırmadan. Sesinde rahatsız bir tını vardı. "Son zamanlarda ne zaman boş kalsa soluğu onun yanında alıyor."

"Sınava iki ay kaldı, beyefendi hâlâ haytalık peşinde! Yoo, hayır, onu parayla okutacağımı sanıyorsa çok yanılıyor. Biz eşekler gibi çalıştık, o da çalışacak Hatice Hanım! Şimdiden tembelliğe alışırsa yandık biz."

"Onun derdi tembellik değil," dedi Hatice bıkkın bir sesle. Dergiyi dizlerinin üstüne koydu. "Sen de biliyorsun. Kardeşin onun aklını karıştırıyor. Kafasına bin türlü ıvır zıvır sokuyor. Görüştürme şunları dedim sana. Hiç dinlemiyorsun ki beni."

Mustafa kaşlarını çattı.

"O benim kardeşim be kadın. Ne diyeyim, yeğeninden uzak dur mu diyeyim. Olur mu öyle şey!"

Karısının umutsuz bir tavırla iç çektiğini gören adam, o tarafa gidip koltuğun arkasına geçti, kadının başını şefkatle ellerinin arasına aldı. Şakaklarına usulca masaj yapmaya başladı. Tam karşılarındaki pencereyi dolduran İstanbul Boğazı'nın şahane görüntüsünde içindeki huzursuzluğa çare aradı.

"Merak etme sen. Ben konuşurum onunla. Yiğit akıllı bir çocuk, doğru olanı görür."

Kadın omuzlarını kaldırıp indirdi.

"Sen bilirsin Mustafa. Sen bilirsin..."

Aynı dakikalarda, on sekiz yaşında atletik bir delikanlı, koltuğunun altına sıkıştırdığı bir tomar resim kağıdıyla dik bir yokuştan aşağı hızlı hızlı yürüyordu. Soluk soluğaydı, burnunun ucunda bir ter damlası sallanıyordu. Gözleri ayakuçlarındaydı, yokuşun iki yanına sıralı derme çatma gecekondulara, kaldırıma oturmuş, onu ters ters süzen serserilere, rüzgârda sürüklenen çöplere, gezinen sokak köpeklerine, toza toprağa bulanmış çıplak ayaklı çocuklara başını kaldırıp bir kez olsun bakmıyordu. Sanki varlıklarını yadsımak kendisini tedirgin eden ve yabancı hissettiren bu düşmüşlüğün gerçekliğini zayıflatacaktı. Yokuşun sonundaki eski garaja gelince cebinden çıkardığı anahtarla kapıyı açtı, araladı, içeri girdikten sonra derin bir nefes alıp rahatladı.

"Amca? İçeride misin amca?"

Bir ses yoktu. Amcasının sık sık içkiyi fazla kaçırıp gündüz vakti sızdığını bildiğinden, ilk işi garajda yaşlı adamın "yaşam alanı" dediği yere bakmak oldu. Garajın bir köşesi, önüne gerilmiş eski ve kirli bir perdeyle bir nevi oda hüviyeti kazanmıştı. Perdeyi araladı, yerdeki şilte boştu, burnuna gelen ağır koku yüzünden suratını buruşturup oradan uzaklaştı.

Tanrım, bir insan burada nasıl uyuyabilir?

Garajın içine yürüdüğünde, adamı çalışma mekânında gördü, elinde paletiyle azıcık öne eğilmiş, fırçasını tuvale usulca değdirip kaçırıyordu. Çizdiği resme öyle dalmıştı ki seslendiğini duymamış olmalıydı. Odanın bir köşesine farklı renklerde sayısız boya kutusu yığılmıştı, bir diğer köşede bir türlü satılamamış onlarca resim kimi üst üste konmuş kimi duvara yaslanmış, kaderlerinde yazılanı bekliyordu. Kuşkusuz bazıları yakında biraz yemek ya da içkiyle değiş tokuş edilecek, ucuz bir restoranın ya da salaş bir barın duvarlarını süsleyeceklerdi. Amcasını ve tutkuyla çalışmasını bir süre uzaktan, sevgi ve hayranlıkla seyretti. Sonra kolunun altındaki ruloları hatırladı, adamın yanına yürüdü.

"Merhaba amca. Yine kaptırmışsın. Kolay gelsin."

Adam hemen karşılık vermedi, fırçasını tuvale birkaç kez daha değdirdi, biraz gerileyip eserine baktı, sonra yüzünde eh işte der gibi bir ifadeyle delikanlıya döndü.

"Getirdin mi?"

Yiğit başını salladı. Amcasının suratına yayılan heyecan onu mutlu etmişti. Onun ardından garajın ortasındaki geniş masaya yürüdü, tam dibine geldiğinde ayağı yerdeki bir şişeye çarptı ve onu devirdi. Yuvarlanarak uzaklaşan şişenin boş olduğunu tahmin ettiği için pek endişelenmedi, gözucuyla baktı, yanılmamıştı, bir zamanlar şişenin içinde olan rakı şimdi amcasının ve az sayıdaki dostlarının midelerinde olmalıydı.

Koltuğunun altındaki resim kâğıtlarını masaya özenle yaydı. Bu eskizler üzerinde iki haftadır çalışıyordu, derslerinden ve ödevlerinden zaman buldukça, çoğu kez uykularından fedakârlık yaparak. Amcasının onları beğenmesi, en azından kötü bulmaması kendisi için gerçekten önemliydi.

Adam eskizleri dikkatle inceledikten sonra, gözlerini onlardan ayırmadan mırıldandı.

"Kaç ay sürdü bunları yapmak?"

Yiğit elinde olmadan güldü.

"Ay mı? Amca sen beni iyice tembel belledin. İki haftalık çalışma bunlar."

"İki hafta mı?"

Yaşlı ressam, başını çevirip inanmaz gözlerle baktı. Yeğeninin içtenliğini hissedince, suratına onun yorumlayamadığı bir ifade yayıldı.

"Gel," dedi. "Gel evlat. Biraz oturalım."

Birlikte parlak kırmızı, Yiğit'in her zaman bu garajdaki en rahat yer saydığı, kocaman yastıkları olan bir kanepeye oturdular. Delikanlı, amcasını en son ne zaman bu kadar ciddi ve önemli bir konuda konuşacakmış gibi cümlelerini tartarken gördüğünü hatırlamıyordu, bu yüzden biraz şaşkın, biraz da heyecanlıydı, yaşlı adam suratına o garip ifadeyle bakmaya devam edip konuşmayı geciktirince, dayanamayıp ilk cümleyi kendi etti.

"Amca? Her şey yolunda mı?"

"Bunları baban gördü mü?" diye sordu adam, sevgi dolu bir sesle.

"Hayır," diye başını salladı Yiğit. "Babam resim yapmama sıcak bakmıyor biliyorsun. Derslerimi aksatacağım diye korkuyor. Sınava birkaç ay kaldı, ben hazırım aslında, ama o son güne kadar rahatlayamayacak sanırım. Deli ediyorlar beni, o da annem de, sürekli dırdır."

"Şu sınav..." dedi adam. Derin bir iç çekti. "Son konuşmamızı hiç düşündün mü? Hâlâ ekonomi okumakta kararlı mısın?"

"Başka seçeneğim yok ki. Sen de biliyorsun, babam er ya da geç şirketin başına geçmemi isteyecek. Buna uygun bir eğitim almam lazım. Hem güzel sanatlarda okumama asla izin vermez. Böyle bir şeyi ağzıma alsam bile köpürür."

"Bu senin hayatın Yiğit. Babanın ne düşüneceğini, ne tepki vereceğini sormuyorum. Sen bu konuda kararlı mısın, onu soruyorum. O şirketin başına geçmekte kararlı mısın?"

Yiğit, masanın üzerinde duran eskizlere gözucuyla baktı. Amcası son bir sene boyunca onu güzel sanatlarda okuması için ikna etmeye çalışıyordu. Resim sanatına duyduğu ilgiden bahsettiği günden beri, böyle bir yola girmesinin onu daha mutlu edeceğinde ısrar ediyordu. Ama bunu nasıl yapabilirdi? Babası o şirketi yoktan var etmişti, bu sayede kendisini ve annesini en iyi koşullarda yaşatmıştı, şimdi onu nasıl yüzüstü bırakabilirdi?

Nasıl böyle bir bencillik yapabilirim?

Delikanlı sessiz kalınca, yaşlı adam ona yaklaştı ve elini ellerinin arasına aldı.

"Bak Yiğit. Seni oğlum gibi severim, bilirsin. Sana bir kez daha düşünmen için yalvarıyorum. Sende çok sıradışı bir yetenek var. Öğrettiğim şeyleri inanılmaz çabuk kavrıyorsun, çizdiğin resimler tanıdığım birçok tecrübeli ressamın çizemeyeceği düzeyde. Resim yapmayı ne kadar çok sevdiğini biliyorum. Renklerden konuşurken gözlerinde dolaşan ışıltıyı görebiliyorum. Sen ressam olmalısın, başka bir şey değil. Burada sıradan bir yetenekten bahsetmiyorum ben. Eğer kendini buna adarsan, ileride eşi benzeri olmayan şeyler çizebileceğinden adım gibi eminim."

Yiğit, amcasının söylediklerine şaşırmıştı. Bu alanda yetenekli olduğunu biliyordu, daha fırçayı ilk kez eline almadan önce bile, içinde bir yerlerde, resim yapabileceğine dair bir his, bunu yapması gerektiğine dair bir dürtü vardı, ama eşi benzeri olmayan resimler yapmak... Bu o an oldukça abartılı gelmişti.

Amcasının genzinden yayılan rakı kokusu burnuna ulaştı. Onu resim yaparken seyrettiği zamanlarda, sanatına duyduğu hayranlığın yanısıra, hiçbir zaman ünlenememiş, daima ekonomik sıkıntılar içinde yaşamış bu adama biraz da acıyarak baktığını anımsadı.

"Benim artık gitmem lazım amca," dedi elini kurtararak. "Bizimkiler bekler. Zaten geciktim. Yapmam gereken ödevler de var."

Adam çaresizlik içinde derin bir iç çekti. Bakışları uzaklarda bir yere kaydı. Amcasının hayal kırıklığını hisseden Yiğit, hem onu teselli etmek hem de kendi içindeki gelgitleri durdurabilmek umuduyla mırıldandı.

"İkisini birlikte yürütebilirim. Şimdiki gibi yani. Kaç yıldır bir yandan okula devam ediyorum bir yandan resime. Şirketin başına geçtikten sonra da bunu yapabilirim. Hem işleri takip edecek bir sürü müdürüm olacak, kendime daha fazla vakit ayırabileceğim. O zaman her şey daha kolay olacak."

"Baban gibi mi yani?" diye acı acı güldü adam. Yiğit'in yanakları kızardı, babası kendisiyle ilgilenecek vakit bulamadığı için amcasına kim bilir kaç kez dert yanmıştı. Doğumgünlerini bile kaçırdığı oluyordu.

"Git," dedi adam, biraz mesafeli, gene de sevgi dolu bir sesle. Sonra karşılık beklemeden kalktı, az önce üzerinde çalıştığı tuvalin başına geçti. Paleti ve fırçayı alıp Yiğit çoktan mekânı terk etmiş gibi tabloya yeni çizgiler eklemeye başladı. Delikanlı, onu birkaç saniye sessizce seyretti, sonra kalkıp garajın çıkışına yürüdü. Böyle anlarda onunla konuşmamak gerektiğini biliyordu. Güçlü bir ses ensesine çarpınca durdu.

"İnanılmaz bir yeteneğin var Yiğit. Bunu heba etme. Çok üzülürsün."

Arkasına dönmeden ilerledi. "Yaşam alanı"nın yanından geçerken, başını şöyle bir çevirip yarı açık perdenin gerisindekilere baktı. Yerde yıpranmış bir şilte, bir kol boyu uzağında top halinde duran çoraplar, çirkin bir sehpa ve üzerinde dünden kalmışa benzeyen, yer yer ısırılmış yarım bir sandviç...

Gerçekten amcasının inandığı gibi bir yeteneğe sahip miydi, bilmiyordu. Ama bildiği bir şey vardı.

Şimdiye kadar amcasının hayatla ilgili tercihleri pek iyi sonuç vermemişti.

İkisini birlikte götürebilirim, bunu yapabilirim...

Yokuştan yukarı doğru, gözleri gene ayaklarına kenetlenmiş, kendisini etraftaki sefillikten soyutlamış yürürken, içinde kararıyla ilgili hiçbir tereddüt yoktu.

-19-

Genç kız lastik bandı çıkardığında siyah gür saçları çıplak omuzlarına döküldü. Üzerinde sadece dantelli bir külot vardı ve vücudu insanın başını döndürecek kadar güzeldi. Yüzünde hiçbir çekingenlik olmadan kanepeye yürüdü, genç adamın yanına teklifsizce oturdu. Yiğit, üniversitede yorucu bir dersten sonra başka neyin bu kadar dinlendirici olabileceği düşünüp gülümsedi. Uzanıp diri göğüslerden birini avucuna aldı, diğer elini kızın baldırına koydu. Birkaç dakika kızın yumuşaklığıyla ellerini doyurduktan sonra, onu nazikçe kanepenin üstüne yatırdı ve üzerine uzandı. Dantelli kilodu da aralarından çıkarınca, tek vücut olmalarına engel kalmamıştı. Elini kızın bedeninde aşağı doğru kaydırdı, ıslak bahçenin kapısını parmaklarıyla araladı.

"Seni seviyorum," dedi kız, ona sımsıkı sarılırken. İçine girdiğini hissettiği an dişleriyle kulağını yakaladı ve hafifçe ısırdı.

Yiğit nefes nefese yanına uzandığında, kız biraz çapkın biraz da oyuncu gözlerle bakıyordu. "Dinlendikten sonra yine yapalım mı?" dedi arzulu bir sesle, kolunu genç adamın omuzlarına sardı. Yiğit hoş kokan kolu öptü ve gülümsedi. "Çok isterim canım ama akşama. Geç saatte de olsa uğrarım sana. Şimdi eve dönmem lazım, babamla şirkete gideceğiz."

Kız önce bozulmuş gibi suratını ekşitti, sonra tatlı tatlı güldü.

"Baban yakında seni şirketin başına geçirecek. Kuşkum yok bundan. Bunu düşünmek beni heyecanlandırıyor. Onca insanı yönetmek seni korkutmuyor mu?"

"Babam yapabildiyse ben de yaparım," diye omuz silkti Yiğit.

"Bu hallerini seviyorum," dedi kız ve boynunu hafifçe ısırdı.

Yiğit kanepeden kalktığında aslında yeniden sevgilisinin üzerine uzanabilmek için yanıp tutuşuyordu. Ama babasına verdiği sözleri tutması gerektiğini de biliyordu. Son noktaya gelmişken onun güvenini sarsmamalıydı. Hiç kuşkusuz, kızın bu kadar fettan davranmasında ona aldığı pahalı hediyelerin de etkisi vardı ve şimdilik armağanların finansörü babasıydı. Para kaynağı kesilirse esmer güzeli yanında uzun kalmazdı, bundan şüphesi yoktu.

Kızların onun parasıyla ilgilendiğini bilmek kendisini kötü hissettirmiyordu. Yakışıklılığıyla kadınların başını döndürenlerin bundan utandığını hiç görmemişti, o niye zenginliğinden utanacaktı ki? Yakışıklı olmak da ona kalacak miras gibi bir çaba harcanmadan kazanılmış, doğuştan gelmiş bir ayrıcalıktı. Hem en azından, onun zenginliğini koruması için çalışması gerekiyordu, bundan sonra daha da fazla gerekecekti. Bir erkek için para, etkileyici bir surattan, dolgun kalçalardan çok daha hak edilmiş bir cazibe kaynağıydı.

Giyindikten sonra hâlâ kanepede çırılçıplak yatan sevgilisinin yanına gitti ve ona tepeden baktı. Kız bir elini başının altına almış, diğerini kusursuz bedeninde yavaşça gezdiriyordu, mükemmel bir tablo gibiydi, onun resmini yapmak, bu haliyle sonsuza kadar saklamak istedi.

"Veda öpücüğü yok mu?" diye gülümsedi kız, gözlerinde çapkınca bir bakışla.

"Demek veda öpücüğü istiyorsun," dedi Yiğit. Dizlerinin üzerine çöktü, kızın göbeğini birkaç defa tutkuyla öptü. Sonra dudaklarını çıplak bacakların arasındaki cennete yapıştırdı ve uzun bir süre oraya olanca gücüyle bastırdı. Kulağına erişen içten ve tatlı bir inleme onu gülümsetti. "Bu yeter mi?" dedi doğrulduğunda.

"Deli..." diye kıkırdadı kız. "Akşam geç kalma!"

Yiğit dışarı çıktığında kendisini rahatlamış hissediyordu, okulun sıkıntısını atmıştı, şimdi babasının ve şirketin sıkıntısını göğüsleyebilirdi.

Taksinin onu pahalı bir semtte olan evlerine ulaştırması uzun sürmedi. Aklı hâlâ yüksek bir apartmanın bodrum katında, muhtemelen kanepede uyumakta olan sevgilisindeydi. Onu kafasından atmak, işe odaklanmak için toplantıyı düşünmeye başladı.

Kapıdan içeri girdiğinde, çalışma odasından bağrışmalar yükseliyordu. Babası yüksek sesle konuşmazdı pek, bütün hayatı boyunca kontrolünü kaybettiğine bir ya da iki kez şahit olmuştu. O yöne doğru usulca yürüdü, kavgaya karışmaya hiç niyeti yoktu, ama konuşulanları dinlemek için yakıcı bir istek duymuştu.

Babasının sesiyle yarışan diğer sesi ayırt edince, yüzü kıpkırmızı kesildi, içerideki amcasıydı ve amcasıyla babası sadece bir konuda böylesine ateşli tartışırlardı.

Kendisi.

"Bana bak Yusuf!" diye kükredi Mustafa, onca konuşmasına rağmen hâlâ kardeşine laf anlatamadığı için öfkelenerek. "O benim oğlum. Tamam mı? Bunu anlayabiliyor musun? O benim oğlum ve geleceği için en doğrusu neyse onu yapıyorum. Senin gibi mi olsun? Bir garajda sürünsün mü? Sen sefil hayatından memnun olabilirsin ama oğlumu da yanında sürüklemene asla izin vermeyeceğim!"

"O benden çok daha yetenekli Mustafa," diye bağırdı Yusuf aynı öfkeyle. "O tanıdığım herkesten daha yetenekli. Tanrı ona az kişiye nasip olan bir hediye vermiş. Sen bunu göremiyor musun? Çizdiği resimlere bir kez olsun bakmadın mı, tanrım, bunu hâlâ fark edemedin mi? Beni siktir et, tamam mı, siktir et beni, o benim gibi olmaz. O bu dünyanın tepesine çıkabilir, bunu engellemen oğluna haksızlık!"

"Sen hep hayal âleminde yaşadın," dedi Mustafa, kardeşine acıyarak bakarken. Artık bağırmıyordu, bağırmaktan yorulmuştu. "Hep hayaller kurdun, olmayacak hayaller. Daha çocukken de böyleydin. Hiç büyümedin ki zaten! Annem senin yüzünden hayata küs öldü. Lanetini oğluma da bulaştırmana izin vermem. Buna asla izin vermeyeceğim."

Kısa bir sessizlik oldu. Sonra Yiğit kapıya doğru hızla yürüyen birinin sesini duydu. Panik halinde geriye kaçtı, hemen yanındaki büyük kitaplığın arkasına saklandı. Amcasını hiddetli ve çaresiz bir ifadeyle önünden geçerken gördü. Adam onu fark etmeden uzaklaştı, az sonra sokak kapısının hızla çarpılışı duyuldu.

Yiğit saklandığı yerde belki beş belki de on dakika kıpırtısız bekledi. Oradan sessizce ayrılıp sokak kapısına gitti, o civarda gezinip biraz oyalandı. Kapıyı açtı ve sertçe, çıkardığı gürültü içeriden duyulabilecek şekilde kapadı. Sonra eve yeni gelmiş, hiçbir şey duymamış numarası yaparak sakin tavırlarla çalışma odasına yürüdü. Babası orada tek başına, bir koltuğa gömülmüş, düşünceler içinde oturuyordu. Onu görünce yaşlı adamın suratına zorlama olduğu çok belli bir gülümseme yayıldı.

"Hoş geldin oğlum."

"Merhaba baba. Gecikmedim inşallah?"

"Yo hayır. Tam zamanında geldin."

"Yorgun gibisin," dedi Yiğit. "Bir sorun yok değil mi?"

"Yok bir şey. Yok bir şey oğlum."

Mustafa koltuktan kalktı, oğlunun yanına yürüdü, kolunu omzuna attı. Yiğit babasının her zamankinden daha yaşlı göründüğünü düşündü ve onun için üzüldü.

"Hadi gel," dedi ihtiyar yeniden güç kazanmaya başlayan bir sesle. "Şirkete gidelim. Müdürlerin hepsini çağırdım bugün. Onlarla tanışmanın vakti geldi."

-20-

Dans ve müzikle geçen o unutulmaz geceden sonra, Teoman Zeynep'le ne zaman karşılaşsa ona yaklaşmak için her türlü yolu deniyor ve kızın da bunu fark etmesi için elinden geleni yapıyordu. Bazen önemli bir ricası olacakmış gibi yanına çağırıyor, ardından gözlerine çapkınca bakarak bugün ne kadar güzel olduğunu söylemek istedim diyordu. Bazen yemekte bilerek çatalını düşürüyor, yenisini alırken diğerlerine fark ettirmeden usulca eline dokunuyordu. Onu güldürmek için türlü komiklikler yapıyor, sonra da durup tatlı gülümsemesini hayranlıkla seyrediyordu. Gözlemleri ve sezgileri ona Zeynep'in köşkteki rutinliği unutturacak, sıkıcı hayatına heyecan katacak birine ihtiyacı olduğunu söylüyordu ve kadınları elde etmek için arzuladıkları erkeğe dönüşmekte üstüne yoktu.

Zeynep genç adamın çabalarına doğrudan bir karşılık vermese bile bunlardan rahatsız oluyor gibi görünmüyordu. Aralarında yaşanan eğlenceli bir oyundu sanki, Teoman açıkça söylenmese de kuralları seziyor, zamanı gelmeden her şeyi berbat edecek bir hamleden özenle kaçınıyordu. Kız ondan hoşlanıyordu, bu belliydi. Koridorda sohbet ederken onu vücuduyla duvar arasına alıp nefesini duyacak kadar yakın durduğunda gözlerine hiç çekinmeden, duyduğu heyecanı gizlemeden baktığı oluyordu. Bu pürüzsüz, taze bedeni kollarına alması yalnızca zaman meselesiydi. Gerektiği kadar bekleyecek, avının kalbini kıvamına gelinceye kadar yoğuracaktı. Yine de fırsat bulduğunda kızın biçimli kalçalarını uzun uzun seyretmekten, elini onların arasına sokmanın ne kadar güzel olacağını hayal etmekten geri durmuyordu.

Tüm bu arzularına rağmen, Teoman zaman geçtikçe bir başka şeyin daha farkına varıyordu. Zeynep o güzel vücudun ötesinde bir mutluluk da vaad ediyordu kendisine. Ayak üstü yaptıkları sohbetlerde ya da onu diğerleriyle konuşurken dinlediğinde, kızın bazen uzaklara dalıp giden bakışlarının ardında yatan gizemli karakterini seziyor ve bu onu heyecanlandırıyordu. Böyle bir hazineyi Metin gibi ciddiye alınmayacak bir adam dışında hiç rakibin olmadığı bir ortamda keşfettiği için kendisini şanslı hissediyordu.

Bazen de onu tutkuyla seyrederken yüreğine engel olamadığı bir korku düşüyor, uzaklarda yağan bir yağmuru ve pencereden gidişini seyreden mutsuz bir kadının fısıldayışını duyar gibi oluyordu. Öyle anlarda içinden bir hüzün geçiyor ve o kadına seslenmek istercesine boşluğa mırıldanıyordu.

"Ben de kalabilmek istiyorum..."

Zeynep'in aralarında yaşananları ciddiye aldığından emindi. Bir keresinde onu gizlice telefonla konuşurken yakalamış, kız varlığını fark edince yaramaz bir çocuk gibi kıpkırmızı kesilmiş, görüşmeyi apar topar noktalayıp telefonu neredeyse karşısındakinin suratına kapamıştı. Herhalde adadaki hayranlarından biriydi arayan ve bu konuşmaya şahit olmasını istemediğine göre paylaştıkları şeyleri gerçekten önemsiyor, kaybetmekten korkuyordu.

Ayşe Hanım'ın kendisini iyi hissetmediği için kahvaltıdan sonra odasına çekildiği ve Rıza Efendi'nin erkenden sahile indiği bir gün, artık küçük aşk oyunlarından sıkılarak gizlice Zeynep'in odasına gitti. Büyük beklentileri yoktu, sadece biraz başbaşa kalabilmeyi, her şey yolunda giderse bir ihtimal dudaklarının tadına bakabilmeyi umuyordu. En son koridor sohbetlerinde onu öpmesine ramak kalmıştı, kız kollarından son anda kaçmış, uzaklaşırken bunu o da istiyormuş gibi yüzüne arzuyla bakmıştı. Odada hoş karşılanmazsa önceki deneyimlerinden birçok bahanesi vardı ve en kötü durumda bile işleri yeniden yoluna koyabileceğinden şüphe duymuyordu.

Kapıyı iki kez tıklattı. İçeriden ses gelmedi. Bahçeye inmiş olabileceği düşüncesiyle merdivenlere döndüğünde, kızı tam karşısında, kendisine gülümserken buldu. Yanakları çalışmaktan pembeleşmişti ve makyasız, doğal güzelliyle fazlasıyla baştan çıkarıcıydı.

"Burda ne arıyorsun?" dedi Zeynep, cevabını bildiği bir soru sormuş gibi muzipçe. Vücudunun kıvrımlarında arsızca dolaşan bakışlar onu heyecanlandırdı. Bu gösterişli adamın ilgisi kendisine kadınlığını hatırlatıyordu.

"Akşamki dans dersini soracaktım," dedi Teoman, sahte bir ciddiyetle. Sonra ifadesi yumuşadı. "Yani bu geceki diyecektim. Yapıyoruz, değil mi?"

Zeynep hafifçe gülümsedi.

"Artık mezun oldum sanıyordum."

Teoman ona usulca sokuldu, neredeyse birbirlerine değeceklerdi. Böyle tepeden bakınca kızın sıcaktan bunalıp fazladan bir düğmesini açtığı gömleğin içinde tatlı, beyaz göğüsleri bir nebze olsun görünüyordu, şu an elini o gömleğin içine daldırmak için neler vermezdi.

"Sen nasıl arzu edersen," dedi çapkın bir ifadeyle. "Ama hâlâ sana öğretebileceğim bir iki şey var."

"Ne tür şeyler mesela?"

"Güzel şeyler," diye fısıldadı. Kızın saçından bir tutamı parmaklarının arasına aldı ve biraz oynadıktan sonra bıraktı.

Zeynep "Bilmiyorum," dedi. Omuzlarını çocuksu bir hareketle kaldırıp indirdi. "Programıma bakmam lazım. Bu akşam için söz verdiğim çok adam var."

"Ben beklerim. Gece uzun, elbet sıra bana gelir."

Zeynep elini göğsüne koydu ve onu hafifçe itti.

"Bu gece olmaz. Ayşe Hanım hasta. Onunla ilgilenmem lazım."

"İçeride biraz konuşsak? Uzun zamandır başbaşa kalamadık. Özlüyorum seni."

"Şimdi işim var," dedi Zeynep heyecanlanarak. Merdivenlere doğru birkaç adım attı, sonra döndü ve mahzunlaşan adamın yakışıklı yüzüne saklamaya çalışmadığı bir hayranlıkla baktı. Kalp atışları hızlanmıştı. Onu teselli etmek istercesine, davetkâr şekilde gülümsedi.

"Belki yarın... Konuşuruz, tamam mı?"

Teoman başıyla onayladı. Bu bakışları doğru okuduğundan emindi, artık bir adım ileri gitmenin vakti gelmişti. Yarın gece onu yine kollarına alabilirse, muhtemelen tek yapacakları dans etmek olmayacaktı.

Zeynep tam merdivenlerden inecekti ki, alt kattan çıkmakta olan Metin'i gördü ve olduğu yerde dondu kaldı. Yaramazlık yaparken yakalanmış bir çocuk gibi kıpkırmızı kesildi. Genç adamın ruhunun derinliklerine nüfuz eden, orada kendisinin bile varlığından haberdar olmadığı bir yerlere dokunan bakışları aklına geldi, içine bir korku düştü. Metin'in yukarı çıktığında Teoman'ı odasının önünde görmesini istemiyordu, hayır, bu hiç iyi olmazdı, aralarında geçenleri bilmediği için bunu o an Teoman'a da açıklayamazdı, birden, pek de düşünmeden, döndü ve hızla genç adama doğru yürüdü. O daha ne oluyor diyemeden, kapıyı açtı ve adamı iterek odaya soktu. Kendisi de içeri girdi, kapıyı arkalarından kapadı.

Teoman kızın odasında, günlerdir hayalini kurduğu güzel beden kapıyla arasına sıkışmışken, kontrolünü hızla kaybettiğini hissetti. Zeynep'in bunu neden yaptığını anlamamıştı, ama bir kız onu zorla yatak odasına sokuyorsa sebebini sorgulamak önceliği olmazdı. Güçlü elleriyle kollarını kavradı ve eğilip dudaklarını kırmızı, dolgun dudaklara yapıştırdı. Pençelerinin arasında Zeynep'in ürkek bir kuş gibi titrediğini hissetti, karşı koyup koymamakta kararsız, koysa da sonuç alamayacağını bilmenin çaresizliğiyle, bu onu daha da fazla heyecanlandırdı. Birkaç saniye sonra kız da öpüşüne karşılık vermeye başladı ve dünya cennete dönüştü.

Uzun, ıslak bir öpüşmeydi bu, sıcak ve tutku dolu, her saniye daha da alevlenen, sonunda Zeynep kollarından beline, oradan da aşağıya kayan elleri hissedince ağzını geri kaçırdı ve kesin bir ifadeyle "Hayır," dedi. "Hayır Teoman."

Genç adamın elleri kızın kalçalarında dondu, onları biraz okşadıktan sonra uysalca beline döndü. Birkaç saniye birbirlerine sessizce baktılar. Teoman iri yeşil gözlerin gelecek için umut vadettiğini görünce ısrar etmemeye karar verdi. Hem bu kez kalmayı gerçekten başarabilecekse, acele etmesine gerek yoktu, her şey için bol bol vakitleri olacaktı.

"Peki," dedi, sevecen bir sesle. "Peki canım. Sorun değil." Eğilip kızın alnını birkaç kez şefkatle öptü.

Zeynep parmak uçlarında yükselip, anlayışı için teşekkür eder gibi çenesine ufak bir öpücük kondurdu. Metin'in kapısının kapanma sesini duyunca, önünden çekilip başıyla çıkmasını işaret etti. Genç adam odadan ayrılmadan önce döndü ve "Yarın," dedi gülümseyerek.

Aynı arzuyla başını salladı:

"Yarın."

Odada yalnız kaldığında, sırtını kapıya dayadı, elini alev alev yanan alnına götürdü, gözlerini kapadı.

Dudaklarında hâlâ az önceki öpüşmenin tadı vardı ve bu gerçekten harikaydı. En son bir adamı öpmesinin üstünden yıllar geçmişti, ne kadar çok özlediğini ancak Teoman'ın dilini ağzında hissettiği an fark etmişti. Bunu yapmayı günlerdir hayal ediyordu fakat bu kadar zevk alacağını tahmin etmemişti.

Suratındaki hüzünlü ifadenin nedenini ise kendisinden başka kimseye itiraf edemezdi. Gözleri odadaki telefona kaydı, birkaç gün önce neredeyse Teoman'a yakalanacağı anı hatırladı.

Ona söylemeliyim...

Söyleyemeyeceğini biliyordu. Ama bunu yapmayı düşünmek bile kendisini daha az suçlu hissettirdi.

-21-

Fayton meydandaki duraktan kalktıktan sonra, Çankaya ve Nizam caddelerinden lunaparka gelinceye kadar, büyük bahçeli köşklerin ve üç, dört katlı apartmanların arasında iler-ler. Sonra yol boyunca her iki yanda da esintili çam ormanları akar gider. Bazen bisikletli gençler eşlik eder faytona, bazen de aşık çiftler olur etrafta, çoğu el ele yürürler ya da durup onları çevreleyen güzel manzarayı mutlu ifadelerle seyrederler.

Adanın güney ucuna yönelen yolda, Fethi Okyar'ın evini, Viranbağ Kır Lokantası'nı geride bıraktıktan sonra artık sade-ce yeşillikler görürsünüz. Adanın yerleşime açık arka tarafına yaklaşılınca, belediyenin sokak köpekleri için yaptırdığı barı-nak göze çarpar, sol taraftan gelen yolun ağzında Rum Ortodoks Mezarlığı belirir. Uzakta ise adı turistlere pek hoş gelen Tavşan Adası vardır. Bir başka adı da Balıkçı Adası olan bu küçük kara parçası öyle çoraktır ki yıllar boyu kimse üstüne yuva kurmaya kalkışmamıştır.

Bu yol çok geçmeden faytonların adayı turlarken kullandık-ları yollar ile kesişir. Küçük bir yokuşu çıktıktan sonra sağdaki iki katlı pembe ev, Reşat Nuri Güntekin'in evidir. Ardından yine bahçeli evler sağlı sollu sıralanır: Çelik Gülersoy'un Evi, Con Paşa Köşkü, Arap İzzet Paşa Köşkü, Palace Otel ve elbette "Gözlü Ev" adıyla da anılan Sabuncakis Köşkü. Adanın ünlü yapıların-dan olan bu evin ön cephesinde, sütunlarla taşınan üçgen bir çatının en yüksek yerinde, gelip geçenlerin çetelesini tutuyormuş gibi görünen kocaman, mavi renkli bir göz bulunur.

Metin, hayatının önemli bir kısmı Büyükada'da geçen ünlü yazar Reşat Nuri Güntekin'in evini ziyaret etmeyi uzun zamandır planlıyordu. Aslında buraya Zeynep'le birlikte gelmeyi, bu özel anıyı onunla paylaşmayı hayal etmişti, birlikte yaptıkları ada gezisinde bunun için ondan söz de almıştı, ama son sohbetlerinden sonra böyle bir teklifte bulunmaya cesaret edememişti. Sahile indiği bir gün kıyıdaki çayhanelerde canı sıkılınca gecikmiş planını yalnız başına da olsa hayata geçirmeye karar vermiş ve bir faytona atlamıştı.

Başta Çalıkuşu olmak üzere Türk edebiyatının klasiklerine imza atan yazarlardan Reşat Nuri Güntekin 19.yüzyılda, İstanbul'da doğmuştu. Yazarlığın yanısıra birçok farklı iş yapmıştı; yurdun çeşitli yerlerinde, daha çok İstanbul liselerinde öğretmenlik, Millî Eğitim Bakanlığı müfettişliği, milletvekilliği, hatta Paris'te Kültür Ataşeliği bu işlerden bazılarıydı.

İlk eseri olan Ahşap Konak'tan sonra Şâir, Nedim, Büyük Mecmua gibi dergilerde tiyatro tenkitleri ile hikayeleri yayınlanmıştı. Asıl şöhretini ise bir gazetede tefrika edilen Çalıkuşu isimli romanına ve bu eserin kahramanı olan, Anadolu'nun ilk idealist kadın karakteri Feride'ye borçluydu. Yazı hayatı da iş hayatı kadar renkli geçmişti; hikayeler, gezi notları, oyunlar, makaleler yazmıştı. Taşra kasabalarında geçen olaylar anlatmış, sadece aşk temasını değil sosyal konuları da işlemiş, kimi zaman didaktik unsurlara ağırlık vermişti.

Metin, Reşat Nuri hakkında bildiklerini aklından geçirirken, eve doğru acelesiz adımlarla yürüyordu. Bir ara gözleri kapanır gibi oldu, içinden kör kahramanının kimliğine bürünmek geldi, ilk defa geldiği bir evde acaba kapıyı nasıl bulurdu, ne tür kaygılar yaşar, gözleri gören birinin fark edemeyeceği ne ayrıntılar yakalardı. Ama sonra etrafın bunu denemek için fazla kalabalık olduğunu, tanımadığı insanlara açıklama yapmak zorunda kalmayı istemediğini düşünüp vazgeçti.

Bu büyük ustanın yazdığı, çevirdiği, kitaplaştırılmış ya da dergi, gazete sayfalarında kalmış tüm eserlerinin toplamı yüzü buluyordu, yarattığı ya da uyarladığı oyunların sayısı roman ve hikaye kitaplarının sayısını da aşıyordu. Türkiye'de kitap okuyan hemen herkesin elinden bir eseri geçmiş, diğerleri de onlardan ilham almış film ya da dizilerden birini muhtemelen seyretmişti. Kendisi ise henüz yolun başındaydı ve son nefesine kadar çalışsa bu rakamların yarısına ulaşabileceğinden kuşkuluydu.

Gene de hayatı boyunca yalnızca bir iki kitap yazmış ve iz bırakmayı başarmış yazarların varlığı da bir gerçekti, bu onu rahatlatıyordu.

Peki ama neydi bu adamı yüzü aşkın eser yazmaya sevk eden? Para hırsı mı, yok canım, o dönemlerde yazarak para kazanmak bugün olduğundan bile daha zordu. Reşat Nuri'nin de bu açıdan şanslı bir hayatı olmadığını az çok biliyordu. Başka bir iş yapsa aynı emekle çok daha fazlasını kazanabilirdi adam, buna imkanı da vardı, yaşadığı döneme göre iyi bir eğitim almış, iyi mevkilerde çalışmıştı. Aradığı cevabın karşısındaki evin duvarları arasında olabileceğini düşünmek onu heyecanlandırdı.

Adadaki diğer konakların yanında oldukça mütevazı bir yapıydı Reşat Nuri'nin evi. Bembeyaz duvarlarında herhangi bir süsleme, oyma ya da kabartma yoktu, iki küçük balkonu olmasa kocaman, dikdörtgen bir kutuyu andıracaktı. Üç katlıydı ve hemen önüne dikilmiş cılız ağaçlar en üst kattaki balkonlara bile erişmiyordu. Birçok penceresi vardı ama pencerelerin büyük kısmı bir gizemi saklarmış gibi koyu kahverengi, ahşap kepenklerle örtülmüştü. Konağın eve bakan duvarına yazar hakkında bilgiler ihtiva eden altın renginde bir pano asılmıştı. Diğer yanı ise denize bakıyordu, oradaki camlardan görülen manzara şahane olmalıydı.

Metin kapıdan girdiğinde, evin içerisini de dışarısı kadar sade buldu. İç mekân orta sofa etrafında çevrelenmiş odalardan meydana gelmişti. Eşyalar oldukça bakımlı, ama bir zenginlik hissi vermeyecek kadar gösterişten uzaktı.

Duvardaki fotoğrafları ve eşyaları kutsal emanetlermiş gibi ilgiyle inceleyen insanlara bakarken, içinde karşı koyamadığı bir kıskançlık büyüdü, kötü bir duygu değildi bu, hayranlığa yakındı, Reşat Nuri'nin bu şöhreti hakkıyla kazandığını düşündükçe, çok geçmeden imrenmeye dönüştü. İleride bir gün onun yaşadığı bir ev de müze haline getirilir miydi acaba, bunu hayal etmek onu gülümsetti. Şimdi etrafında olan pırıl pırıl insanlara benzeyen kişilerin, bir zamanlar oturduğu sandalyeye, kullandığı yazı masasına bakarak kendisini merak etmeleri, bir yerlerde yolları kesiştiyse onu sevgiyle anmaları, bu ne büyük mutluluk olurdu.

Bir an kararsızlığa düştü. Gerçekten öyle olur muydu? Kendisi o sırada toprağın altında, tüm duygulardan arınmış yatarken, belki çoktan çürümüş, olan bitenden bihaberken, hakkında iyi ya da kötü konuşulmasının sahiden bir anlamı olacak mıydı?

Bunun üzerinde bir süre ciddiyetle düşündü. Mutluluk ancak yaşarken hissedilebilen bir duyguydu. Öldükten sonra arkasından ne söylenecekmiş, ne düşünülecekmiş, bu ancak böyle olacağını yaşarken bilecekse, tadını hâlâ soluk alırken çıkarabilecekse güzeldi.

Arkadaşları oyun oynarken, eğlence peşinde koşarken onun çocukluğu kitaplar arasında, çoğu zaman yalnız başına geçmişti, bir roman okurken kelime haznesine ekleyebileceği yeni bir sözcük, yeni bir ifade bulduğunda içinde tarifsiz coşkular büyürdü. Evindeki sözlükler, deyim kılavuzları büyük bir tutkuyla altı çizilmiş cümlelerle, sayfalarının yanına alınmış notlarla doluydu. Amma hırs...

Beyza ona bir keresinde Teoman'a niye bu kadar çok öfkelendiğini sormuştu. "Tamam," demişti anlamaya çalışarak, "Sana haksızlık yapmış, kıskanç herifin teki... Ama sonuçta bu sadece bir eleştiri yazısı Metin... Boş versen olmaz mı? Unut gitsin."

"Eğer yazdığım sadece bir roman olsaydı, o da sadece bir eleştiri yazısı olurdu," diye cevap vermişti, anlamasını beklemeyerek. Bunu ancak hayatını yazmaya adamış biri anlayabilirdi. Yazdıkları hiçbir zaman yalnızca bir roman, yalnızca bir öykü olmamıştı onun gözünde, olamazdı, insanlara ulaşma, onlara kendini anlatma ve sevgilerini kazanma yoluydu, galiba kırıp dökmeden becerebildiği tek yol.

Birkaç gün önce Manes Sperber'in kaleminden çıkmış satırları okurken yeni keşfettiği bu yazara karşı hissettiği yakınlığı hatırladı, o zaman da büyük bir imrenme duymuştu, bir yerlerde bir insanın da kendisi için bu şekilde hissetmesini tutkuyla istemiş, bunu hayal ettiği zaman içi mutlulukla dolmuştu. Neye benzediğini bilmiyordu bu Manes denilen adamın, belki tanısa nefret ederdi, yanında durmak bile istemezdi, ama ne gam! O kendisi için yazdığı cümlelerle vardı ve onlarla kalbine girmeyi başarmıştı, önemli olan da buydu. "Yazmak, sonsuzluğa uzanan dolambaçlı bir yoldan geriye dönüş yolunu bulabilme girişimidir" diye yazmıştı Manes, Metin bu cümlenin altını defalarca çizmişti, yüzde yüz katıldığı için değil, daha çok yazma eylemi üzerinde kendisi kadar düşünmüş biriyle karşılaşmanın heyecanıyla, sonra da yanına bir not düşmüştü: "ve yazmak sonsuz bir anlama, sonsuz bir anlaşılma ihtiyacıdır."

Aslında sonsuz bir sevme, sonsuz bir sevilme ihtiyacı diye de yazacaktı, ama sonradan bu kitabı eline alacak insanlardan utanmış, yazamamıştı.

Teoman kitabının çok daha fazla kişiye ulaşmasını engelleyerek hak ettiği sevgileri çalmıştı ondan. Sevgilisi elinden alınmış birinin öfkesiydi ona karşı duyduğu, hem yitirdiği sadece tek bir kişi de değildi, nice kadınlar, nice erkeklerdi.

Ziyaretçiler evin içinde dolaşır, havadan sudan sohbet eder, eşyalara şöyle bir bakıp uzaklaşırken; gözlerini Reşat Nuri'nin fotoğraflarından birine dikmiş, onu seyrederken bambaşka bir âleme geçmiş ihtiyar bir kadın Metin'in dikkatini çekti.

Uzun etekli, tek parça bir elbise giymişti kadın, orta boyluydu, saçlarını topuz yapmıştı. Geride bıraktığı yıllar suratını çok da çirkinleştirmeyen çizgilere dönüşmüştü. Duruşunda, gözlerindeki ışıltıda insanı kendine çeken bir cazibe vardı. Fotoğrafa hani neredeyse son bakışın sırrını çözmüş, öyle bakıyormuş gibiydi ve bu onu iyice meraklandırdı. Kadın Metin'in gözlerini üzerinde fark edince teklifsizce gülümsedi, genç adam önce şaşırdı, sonra bu jeste aynı şekilde karşılık verdi.

"Reşat'ı okudunuz mu hiç?" diye sordu kadın, dostça bir edayla. Sanki birbirlerini tanıyorlardı, bir konuşmanın ortasındaydılar. "Sever miydiniz kendisini?"

Metin başını evet anlamında salladı:

"Dönemine göre çok hoş kitaplar yazmış. Türk halkına okumayı sevdiren insanlardan bence... Romanlarında kanlı canlı, başına ne geleceğini merak edeceğim tipler buldum hep. İstanbul Türkçe'sini de güzel kullanmış, hem akıcı hem de ahenkli."

"Ondan bir ansiklopedi maddesi gibi bahsettiniz..." diye güldü kadın. "Siz de haklısınız ya..." Sonra fotoğrafa birkaç adım yaklaştı.

"Ne demek istediniz?" diye sordu Metin, yanlış bir şey söylemiş gibi suçluluk duyarak.

"O yalnızca bir yazar değildi, aynı zamanda bir insandı da."

"İnsan yönünü pek bilmiyorum. Yani öyküsünü... Siz biliyor musunuz? Kendisini yakından tanır mıydınız?"

Kadın anlamlı gülümsedi. Başını salladı. "Komşuyduk," dedi, "Adaya geldiği zamanlar sohbet ederdik bazen." Bu sözünün karşısındaki adamda uyandırdığı heyecandan hoşlanmıştı. "Ben yoruldum biraz. İzin verirseniz oturacağım."

"Elbette," dedi Metin. "Eşlik etmemde sakınca var mı? Demek komşusuydunuz! Çok şanslıymışsınız... Bana biraz ondan bahsetmeniz mümkün mü? Bu konak, onun hakkında yazılanlar, hepsi bir perdenin ardından bakmak gibi... Onu şahsen tanımış birinin ağzından dinlemeyi çok isterim."

İhtiyar kadın, her ikisi de oturduktan sonra kırış kırış ellerini kucağında birleştirdi, gözleri karşı duvardaki bir fotoğrafa daldı gitti. Aklı sanki uzaklarda bir yerdeydi. Fotoğrafta ünlü yazar güzel bir takım elbise içindeydi.

"Yazları gelirdi buraya," diye anlatmaya başladı teklifsizce. Rahatlığına bakılırsa Reşat Nuri hakkında konuşmayı seviyordu, Metin bunu sık sık yaptığına kalıbını basardı. Onu tanımış olmak kendisini özel hissettiriyor olmalıydı, eh, haksız da sayılmazdı. "Güzel kızı Ela'yla uzun yürüyüşler yaparlardı. Kimi zaman tek başına çıkardı bu yürüyüşlere, biz de öyle bir gün tanıştık zaten. Sonraları yalnız gördüğümde gezintilerine eşlik etmeye başladım. Severdim sohbetini."

"Nasıl bir adamdı?"

"İnce, esprili, kibar... Bu adada, o dönemde pek görmeye alışık olmadığımız bir beyefendiydi."

"Yazar dostları gelir miydi sık sık?"

Kadın başını iki yana salladı.

"Ben pek görmedim. Zaten kitaplardan konuşmazmış dostlarıyla. Daha çok memleket meselesi konuşurlarmış. Hiç bir zaman evde oturulsun da, rakı sofrası kurulsun da, başka yazarlar da gelsin hep beraber içsinler, böyle bir şey yoktu."

"Ailesini tanır mıydınız?"

"Kızıyla birkaç kez sohbet etme fırsatım olmuştu. Hoş bir çocuktu. Karısı kendisine göre gençti, öğrencilerinden biriyle evlenmiş Reşat. Ama güzel bir çifttiler."

Kadın bir süre sessiz kaldı. O günleri hatırlamaya çalışıyor gibiydi. Ya da belki aklına düşen hatıraların tadını çıkarmak istemişti.

"Paris'te oldukları dönemde, kızının okulda zor günler geçirdiğini anlatmıştı bir keresinde. Hem Almanlar'ın müttefiki hem Müslüman oldukları için o zamanlar çok ezilmiş çocukcağız."

Metin sohbetten gittikçe daha fazla keyif alıyordu. Sanki gelecekte bir sahneyi görüyordu, hiç tanımadığı iki adam oturmuş, şu an onun bu kadınla Reşat Nuri hakkında konuştuğu gibi, onlar da kendisi hakkında sohbet ediyorlardı. İki sohbet, biri konağın içinde, biri Metin'in hayalinde eşzamanlı yürüyordu, adamlardan sakallı olanı diğerine "Dudaklar ve Mühür'ü okuduğumda daha bir çocuktum, çok etkilemişti beni," diyordu ve merakla soruyordu, "O en çok hangi kitabını severdi?" Öteki Metin Soydemir'i tanımış olduğu için mutlu bir ifadeyle gülümsüyordu, "Ondan çok daha iyilerini yazdı yaşlandığında. Ama ilk gözağrısı her zaman değerlidir."

"Neler konuşurdunuz yürüyüşlerde?"

"Bazen gökteki bir yıldıza, gündüz görünen aya takılırdı. Fuzuli'nin derinliğinden, Allah kavramından, etik değerlerden bahsederdi ama bir ders havasında değil, kendi kendine konuşuyormuş gibiydi daha çok. Mesela isim vermeden ne bileyim, uğradığı hayal kırıklıklarından söz ediyordu. Bir arkadaşın sadakatsizliğinden, insanın buna hazır olması gerektiğine kadar... Fakat sevgi dolu bir insandı Reşat. Birine ne kadar kızsa, öfkeli öfkeli gelir, anlatır, sonra "Hay Allah" derdi. Böyle kin tutmayan, herşeyi geniş gören, son derece de nazik... Kimseye kötü bir söz söylediğini hatırlamam."

Metin duvardaki bir fotoğrafa ilgiyle baktı, Reşat Nuri dikkat çekici ölçüde kemerli burnu, güleç yüzü ve gözlerindeki sıcak bakışlarla tarif edilen kişiyle nasıl da uyumluydu.

"Peki ya yazarlığı? Nasıl yazardı acaba, hiç bu konuda konuştunuz mu?"

"Çok bilmiyorum. Ama akşamları yazarmış genelde. Gündüz çalışmazmış pek. Akşam mesela saat dokuzu, onu bulunca odasına çekilirmiş sabaha kadar bazen... Sabah da kızını erkenden kaldırır, kahvaltı yaptırırmış. Yemek de yapardı Reşat, hem de çok güzel. Alaturka yemekler. Patlıcanlı pilav mesela. Bir keresinde evinde yemek yeme fırsatı buldum, nasıl da heyecanlıydım o gün! Çocuklar gibi..." Kadın güldü. "Eh, zaten çocuktum da biraz."

"Peki ya kadınlar," diye sordu Metin'in hayalinde sakallı adam. "Hiç evlenmemiş Metin Soydemir. Nedenini biliyor musunuz? Çok mu çapkındı?"

"Yok, hayır, aslında hüzünlü bir hikaye bu. Kadınlara kendini fazla kaptırırdı, bu yüzden korkardı aşık olmaktan. Kalbimde kırılmadık az parça kaldı derdi bazen, kalanı bir şekilde korumam lazım.. Büyük aşklar yaşadı gene de, hatta yazdıklarından bile büyük. Bir doktor kız vardı, hiç unutmam bir defasında..."

Kadın bir sigara yaktı, paketi Metin'e uzattı.

"Almaz mıydınız?"

"Kullanmıyorum," dedi Metin, gülümsedi. "Gene de teşekkür ederim."

"Reşat çok içerdi..." diye mırıldandı kadın, yeniden eski günlere dönerek. "Günde dört paketi bulurdu. O zamanın sigaraları incecikti fakat ölümü de ondan oldu zaten. 56'da, Londra'da tedavi görürken hayatını kaybetti, kurtaramadılar. İçimden yanına gitmek, son anlarında dizinin dibinde olmak gelmişti, ama mümkün olmadı. Tabii ölümüyle kızını da çok kötü bir zamanda ortada bıraktı. Gelişme çağında idi kızcağız, ondan sonra çok bocalamış olmalı."

Dizinin dibinde olmak... diye içinden tekrarladı Metin. Bunu söylerken kadının yüzü nasıl da bulutlanmıştı. Sadece bir komşu için abartılı bir ifade değil miydi bu? Sonra kendini tutamayarak mırıldandı:

"Onu ne kadar da iyi tanıyorsunuz... Hayatınızda önemli bir yeri olmalı."

Kadın duvardaki resme bakıp özlemle iç çekti.

"O benim sevgilimdi."

Metin bunu duyduğuna şaşırdı. Kadın, genç adamın suratındaki ifadeyi doğru okudu, gülümsedi.

"Neden şaşırdınız? O zamanlar ben fazlasıyla genç bir kızdım ve kalbim kolayca alev alırdı. Evet, babam yaşındaydı ama... Gönül işte."

"Özür dilerim," dedi Metin. "Kaba olmak istemedim, bu beni ilgilendirmez elbette."

Kadın küçük bir çocuk gibi neşeyle güldü.

"Ah, evet, o benim sevgilimdi! Ben onun sevgilisiydim demedim ki? Onu hep uzaktan sevdim. Kendisine hiç hissettirmeden. Bir çocukluk aşkıydı sadece, kendi kendime oynadığım masum bir oyun. Çalıkuşu, Akşam Güneşi, hep benim için yazılmış kitaplardı sanki, öyle bir öykünün kahramanı olmak isterdim. Bunu ona hiç söylemedim, zaten söylesem de babacan bir tavırla güler geçerdi eminim. O iyi bir adamdı..."

İhtiyar kadın ağırbaşlı bir tavırla kalktı ve toparlandı. "Beni bekleyen torunlarım var," dedi sevecen bir sesle. "Artık gitmem lazım. Anılarımı paylaştığınız için teşekkür ederim. Kendinize iyi bakın."

Metin kadınla vedalaştıktan sonra, kapıya doğru yürüyü-
şünü seyrederken, adını bile sormadım diye geçirdi içinden.
Ama bu onda bir eksiklik duygusu yaratmadı, ne önemi vardı
ki... Yeniden etraftaki ziyaretçileri süzdü, birbirlerine duvarlar-
daki resimleri gösteren delikanlılar, hayranlıkla eşyalara doku-
nan ve bunu yaparken kimbilir okudukları hangi eseri hatırla-
yan kadınlar gördü. Tanımadığın insanlar tarafından sevildiğini
bilmek... Adını bilmediğin insanların hayatlarına değebilmek...
Güzel olan buydu. Reşat Nuri'ye imrenme sebebi deniz gören ko-
nağı, raflardaki onlarca kitabı, hakkında çıkan gazete haberleri
değildi, onu düşündükleri zaman insanların içlerine yayılan sı-
caklıktı.

Hayalinde kendisi hakkında konuşan iki adamın sesleri ya-
vaş yavaş alçaldı, uzaklaştı.

Öldüğü zaman evinin müze olmasıyla zerre kadar ilgilenmi-
yordu, ama bu duygu her külfete değerdi. Bunu hâlâ hayattayken
elde edebilmek için elinden geleni yapmaya hazırdı.

-22-

Şaman, ellerini ağır ağır iki yana açtı, kalçalarına küçük devinimler vermeye başladı, buna bir nevi titreme demek de mümkündü. Bazen ileri doğru bir adım atıyor, bazen geriye gidiyor, ama görünmez bir çemberin içinde kalması gerekiyormuş gibi, ne olursa olsun ilk başladığı yerden fazla uzaklaşmıyordu. Çok geçmeden, kalçalarındaki hareketlenme hiçbir sıra gözetmeden kollarıyla bacaklarına yayıldı, sonunda bütün vücudunu ele geçirdi. Kulakları davulun sesiyle, midesi çanaklar dolusu kımızla doluyken, zihni bulunduğu an ve mekândan çok uzakta, gözleri sımsıkı kapalıydı. Bedeninin her parçası birbirinden bağımsız olarak, her birinin kendine ait bir kalbi ve ruhu varmış gibi tutkuyla dansediyordu.

Davulun ritmi hızlandı, şamanın dansı buna ayak uydurdu. Artık elleri, kolları, bacakları vücudundan kopmak istiyormuş gibi hırsla dört bir yana savruluyor, dudaklarından ara ara hiçbir dile ait olmayan sözler dökülüyor, bu sözler bazen çığlıklara dönüşüyordu.

Baba, bir yandan davulu olanca maharetiyle çalarken, bir yandan da şamanın hareketlerini dikkatle gözlüyordu. İkisi de hâlâ aynı âlemde miydiler? Yoksa büyücü çoktan ruhlar diyarında gezinmeye başlamış mıydı? Orada oğlunun ruhunu bulabilecek, onu öldüren soysuzun ismini dudaklarından söküp alabilecek miydi? Şamana armağan ettiği iki atın heba olmasını istemiyordu, ama bundan daha önemlisi, oğlu yeraltı dünyasına hapsolmadan önce intikamını almalı, huzursuz ruhunu rahatlatmalıydı. Oğlunun büyücünün ayaklarının dibine yığılmış günlük eşyaları içindeki öfkeyi kabartıyordu.

Yeraltının tüm güçlerine sözü olsun, şayet o katilin canını kendi elleriyle alabilirse, en besili iki devesini gözünü kırpmadan Erlik'e ve şamanlarına kurban edecekti.

Baba farkında değildi, ama şamanın ruhu gerçekten de yavaş yavaş bedenini terk etmeye başlamıştı. Havada sessizce süzülürken ruh da bedeni gibi gözlerini sımsıkı kapamış, gideceği yönü içgüdüleriyle buluyordu. Yerin katmanlarını birer birer gerisinde bırakması insanoğlunun zamanıyla yalnızca birkaç saniye sürdü. Gelmesi gereken yerde olduğunu hissettiğinde, gözlerini açtı ve hemen karşısında, uzansa değebileceği bir mesafede, kendisinden iki kat uzun bir iblisin durduğunu gördü. Saçı sakalı birbirine karışmış, tepeden tırnağa kas yığını iblis, ucu canlı bir yılan başı olan kuyruğunu bir koluna dolamış, diğeriyle uzun bir asaya yaslanmış, gelmesini bekliyormuşçasına ona hiçbir şaşkınlık göstermeden bakıyordu.

Gözlerindeki bakış mı tanıdıktı yoksa bizzat gözleri mi? Bir iblise dönüşmeden önce tanıdığı birinin ruhu muydu, yoksa bir düşmanın mı? Şaman o an bunun üstünde durmadı. Erlik'in diyarında fazla kalamazdı, bir an evvel ölü oğulun ruhuna ulaşıp ondan katilin adını almalıydı. Kaybettiği her saniye ona ulaşma ümidi azalıyordu. İblisin kendisine engel olmayacağını anlayınca, yanından usulca geçip ilerledi.

Uzaklardan bir davul sesi geliyordu. Baba o geri dönünceye kadar davulu çalmaya devam edecekti, bunu biliyordu, en azından öyle olmasını umuyordu, çünkü dönüş yolunu ancak bu sesi takip ederek bulabilirdi. Etraftaki her şey olabildiğince yabancıydı ve buna şaşırmadı, buraya daha önce defalarca gelmişti, her gelişinde şu an olduğu gibi onu farklı ve beklenmedik bir manzara karşılamıştı. Erlik misafirlerine sürpriz yapmayı seviyordu.

Okuduğu kısa bir dua ile bedeni hızla şekil değiştirmeye başladı. Bütün vücudu kıllarla kaplanırken dizleriyle ellerinin üstüne düştü. Birkaç saniye sonra artık boğa iriliğinde bir kurda dönüşmüştü. Hassas burnu ilerideki dağların ardından öldürülen çocuğun kokusunu alabiliyordu. Dağda kendisini yavaşlatacak pek çok engelin beklediğini bilerek koşmaya başladı. Rüzgâr uzun kulaklarında ıslık çalıyor, kuru toprak pençelerinin altında parçalanıyordu. Bu özgürlük duygusunu seviyordu, gerçek dünyada da şekil değiştirebilmeyi çok isterdi.

Zihinde yankılanan bir sesle yalnız olmadığını fark etti.

Sen de mi buradasın eski dostum?

Bu sesin sahibi olan şamanı tanıyordu, inanası gelmedi, onun çoktan öldüğünü sanıyordu, demek bunca zamandır Erlik'in diyarındaydı. Peki ama onu bu tehlikelerle dolu yerde alıkoyan ne olmuştu? Başını kaldırıp baktı, kendisiyle aynı yöne süzülen geniş kanatlı bir kartal gördü.

Acaba ikisi de aynı şeyin peşinde miydiler?

❖ ❖ ❖

"Erlik'e tapan şamanlara ne diyordu bunlar?" diye mırıldandı Metin, parmakları klavyede donup kaldı. Bunu defalarca okumasına rağmen şimdi hatırlayamıyor olması canını sıktı, bilgisayarın yanında duran kitaplardan en alttakini çekip aldı. Aralarına bir parça kâğıt sıkıştırdığı sayfaları açtı, altını çizdiği yerleri yeni baştan okudu.

"Şamanist Türklerde yer altı dünyasının hakimi olan tanrıya Erlik denirdi. Erlik dünyanın en güzel tanrısı olan kardeşi Ulgen'le tam bir tezatlık içerir, böylece onun zıttı ve tamamlayıcısı olurdu. Aynı durum şamanlar için de geçerliydi; Ulgen ak-şamanların (ak-kam) tanrısı iken Erlik, kara-şamanların (kara-kam) tanrısıydı. Erlik'in kendisi de bizzat ilk kara-kamdı, Ulgen'le birlikte Gök-Tanrı'nın öz oğluydu."

"Ulgen gökyüzündeki ilahi katları yönetirken, Erlik oğulları ve kızlarıyla yeraltında hüküm sürerdi. Kara büyü ile uğraşan kara-kamlar derin meditasyonlar sonucu bu yeraltı dünyasına ruhsal gezintiler düzenleyebilir, oradaki kötü ruhlarla iletişime geçer ya da orada tutsak kalmış iyi ruhlara bir çıkış yolu ararlardı. Erlik'in kızları bazen şamanlara cilve eder, onları yoldan çıkarmak için ellerinden gelen her şeyi yaparlardı. Şayet bir kara-kam bu kızlara gönlünü kaptırıp onlara yaklaşır ya da dokunursa, ruhu sonsuza kadar yeraltında hapsolur, yeryüzüne asla geri dönemezdi."

"Erlik, hastalıklarla ve felaketlerle özdeşleştirilmişti, kara-kamlar bu belaları savuşturmak için ona dua ederlerdi. Eğer bir insan ölümcül hastalanırsa, Erlik'in onu kurban seçtiğine inanılırdı. Erlik ölümlülerin canını alma hakkına sahip değildi. Ancak ölmüş bedenlerin ruhlarını kendi dünyasına kabul edebilir ya da iblisler aracılığıyla kaçırabilirdi."

Metin, önüne bir not kağıdı alıp üzerine büyük harflerle "Kara-Kam" yazdı, altına iki kalın çizgi çekti. Bunu bir daha unutmayacaktı, öyküsünde sık sık kullanacağı bir ifade olacaktı bu.

Yanında üst üste duran resimlerden birini alıp baktı. Sivri dişli, iri kıyım bir iblis yere diz çökmüş, önüne yüzüstü yatırdığı bir başka canavarın ellerini siyah iplerle bağlıyordu, suratında nefret dolu bir ifade vardı. Yılan başlı kuyruğu dizlerinin arasından başını uzatmış, savunmasız esirin ayak tabanını iştahla ısırmıştı. Hemen yanında kırmızı bir kuşakla elleri bağlanmış bir başka iblis daha yatıyordu. Esir edilmiş iblislerle onları bağlayanın arasında tek belirgin fark eteklerinin rengiydi, yerde yatanlar kırmızı giymişken diğerinin eteği vücudu kadar karaydı. Bu resimden yola çıkarak o denli farklı öyküler yazabilirdi ki biri diğerine zerre benzemezdi, kimin iyi kimin kötü olduğu da belli değildi, bir zalimin iki masuma eziyet ettiği bir sahneyi mi görüyordu, yoksa olan biten bir kahramanın iki haramiyi alt etmesi miydi? Etek renkleri belki farklı kabilelerden olduklarına işaret ediyordu belki de hiçbir anlamı yoktu bu ayrıntının. Nasıl bakarsa öyle görecek, ne hissederse o şekilde anlatacaktı öykülerini, belki gerçekte yaşanmış olanlar hayallerinden bile güzeldi, belki de hayali gerçekten daha güzel olacaktı, bunu kimse bilemeyecekti.

Saatlerdir ışık saçan ekrana bakmaktan ve kitap karıştırmaktan çok yorulmuştu. Gözlerine kan oturduğuna emindi, ama içinden aynaya bakıp kendini o halde görmek gelmedi. Biraz dışarı çıkmalıydı, azıcık yürümek, bahçeye çıkıp temiz hava almak ona iyi gelecekti. Belki bu öyküden uzaklaşırsa, mesela bir süre İstanbul'da yazacağı romana ve kör kahramanına odaklanabilirse, geri döndüğünde cümlelerini başka birinin gözleriyle okuyabilir, iyi gidip gitmediğini anlayabilirdi. Sonra yeniden bilgisayarın başına geçip kaldığı yerden devam eder ya da sil baştan başlardı.

Odasından çıktığında, tam merdivenlere yürümeye niyetlenmişken, koridorun sonunda ve Teoman'ın kapısının hemen önünde, görmeyi hiç beklemediği bir sahneyle karşılaştı.

Teoman oradaydı. Bir kolunu duvara dayamış, diğer elini beline koymuş, keyifli bir ifadeyle bir şeyler anlatıyordu. Zeynep de oradaydı. Üzerinde her zamanki iş kıyafeti, yüzünü adama dönmüş, anlatılanları can kulağıyla dinliyordu. O kadar yakın duruyorlardı ki gözlerini bu sahneden ayıramadı, derin bir nefes alıp göğüslerini şişirseler birbirlerine değecek gibiydiler. Onları ilk defa birlikte görüyordu, ne zaman böyle yakınlaşmışlar, hangi arada sohbet etmeye başlamışlardı?

Teoman genç adamın kendilerini seyrettiğini fark etti, bir an için iki adamın gözleri buluştu. Metin gözlerini kaçırmak istedi ama bunu yapamadı, aradığı cevaplar sanki rakibinin bakışlarında saklıydı, onları orada bulabilirdi. Teoman bunun Metin'e ne hissettireceğini tahmin etmişçesine, tam o anda elini uzattı ve genç kızın yanağıyla saçlarını usulca okşadı. Kız bir tepki vermedi, ne geri kaçtı ne de yüzünü farklı bir yere çevirdi, naz yapıyor gibi başını öne eğdi, o kadar, daha birkaç saniye geçmeden yeniden adamın yüzüne bakıyordu. Olan biteni uzaktan seyrettiği halde, Metin Zeynep'in suratında Yücetepe'de ona dokunduğunda gördüğü rahatsız ifadenin bulunmadığına yemin edebilirdi. Teoman o sırada eğildi ve genç kızın dudaklarını usulca öptü.

Metin arkasına döndü, hiçbir şey düşünmeden basamakları ağır ağır indi. Başı öne eğikti, gözleri ayak uçlarından ayrılmıyordu. Alt kata ulaştığında, başını çevirdi ve pencereden dışarı, bahçenin sakinliğine dalgın bir ifadeyle baktı.

Pencerenin yanında Yiğit'in birkaç sene önce satın aldığı, "Kadın" isimli bir tablo duruyordu, Büyükada'da yaşamış İtalyan asıllı ressamlardan, Demango'nun öğrencisi Mari E.Farra'nın çizdiği kadın, çiçekler arasında beyaz elbisesiyle öyle şuhtu, başını yana çevirip öpülmek istercesine uzattığı boynu öyle çekici görünüyordu ki, elini uzattı, resme değmeden, hayalinde o boynu iki parmağının ucuyla okşadı.

"Çekingen bir genç kız ha... Ne safmışsın be adamım..."

Hayır, yanılmıştı, Zeynep ondan aradaki yaş farkından çekindiği ya da kahyanın gazabından korktuğu için uzak durmuş değildi. Daha basit bir sebebi vardı, çok daha basit, onu beğenmemişti, o kadar. Teoman kadar cazip bulmamıştı.

Camda kendi yansımasını gördü, sevimli denebilecek ama vasat bir surat, orta boylu, kimsenin dönüp ikinci kez bakmayacağı sıradan bir adam. Her yerde karşınıza çıkabilecek türden biri. İster istemez, hayalinde bu can sıkıcı görüntünün yanında Teoman'ın etkileyici yüzü ve güzel gözleri belirdi.

Kızı suçlayabilir miydi?

Gene isteği dışında, Teoman'ın penceredeki suratına alaycı bir gülümseme yayıldı. Gözgöze geldiklerinde, sırf o görsün diye kıza dokunmasını düşündü, içindeki hüzün dizginleyemediği bir öfkeye dönüştü. O orospu çocuğu kitabı hakkındaki eleştiriyi yazarken de aynı şekilde gülmüş müydü acaba? Aynı zevki yaşamış mıydı? O gün hissettikleri içinde daha dün yaşanmış gibi canlandı.

Ondan nefret ediyordu...

İsterse gözlerine her gece kan otursun, başına her sabah ağrılar girsin... Gerekirse yörüklerin bütün tarihini ezberleyecek, şamanizmi ayin yapabilecek kadar iyi öğrenecekti.

Bedeli ne olursa olsun, bu yarışmayı mutlaka kazanacaktı. Hatta o kadar iyi bir öykü yazacaktı ki, Teoman'ın öyküsüne kimse dönüp bakmayacaktı.

Hayır, kızı suçlayamazdı, ama bu düşünce içine yayılan acıyı azaltmıyordu.

Gözlerini ağır ağır kapadı.

"Karanlığın içindeyim. Her şeyi yutan, sindiren, anlamsız kılan karanlık... Dört bir yandan geliyor, kapıların altından sızıyor, şömineden içeri akıyor, açık camlardan dalıyor, duvardaki çatlaklardan giriyor, beni kuşatıyor, içinde kayboluyorum. Her yerden, her yerden... Nefes alamıyorum."

-23-

Merdivenlerdeyim, basamakları hiç acele etmeden, birer birer iniyorum. Trabzanı sıkıca kavradım, bu kendimi güvende hissettiriyor. Ayak seslerimi çok net duyuyorum, görebildiğim zamanlarda yürürken ayaklarımı unuturdum, şimdi bütün dikkatim onlarda, onlar benim gözlerim. Karanlık sesleri derinleştiriyor, içimde yankılanmalarına, büyüyüp serpilmelerine neden oluyor.

Merdivenin sonuna geldiğimi elimin trabzanın ucundaki büyük küreye takılmasından anlıyorum, basamaklar tükendi. Bundan sonrası daha zor olacak, çünkü artık gidebileceğim yön tek değil. İleri doğru birkaç adım atıyorum, özgürlüğün tadını çıkarıyorum, kısa bir süre sonra korkmaya başlıyorum, şimdi bir şeyleri devirmek hiç iyi olmaz. Ne tarafta olduklarını bildiğim pencerelere doğru yürüyorum, yerde orada olmaması gereken bir şey varsa, ne bileyim, temizlik için bırakılmış bir kova su, yerinden oynatılmış bir sandalye, takılmam kaçınılmaz, bunu düşünmek beni ürpertiyor. Garip bir şekilde bu heyecandan keyif aldığımı fark ediyorum, bu bilinmezlikten, gene de şansımı fazla zorlamak istemem.

Bir elimi pencerelerde kaydırarak yürümek hem kolay hem de güvenli. Bu şekilde az sonra kapıya ulaşacağımı ve kendimi sağ salim bahçeye atabileceğimi biliyorum. Öyle de oluyor, parmaklarımın altında kapıyı hissettikten sonra, elimi gezdirip tutamağı bulmak hiç zor olmuyor. Dışarı çıktığımda temiz havayı keyifle içime çekiyorum, türlü sesler kulaklarıma doluyor, çiçekleri görür gibi oluyorum.

Asıl macera şimdi başlıyor.

Dümdüz yürümeyi başarabilirsem, elli adım sonra bir ağacın yanında duruyor olacağım. Yoldan saparsam nereye giderim meçhul, muhtemelen başka bir ağaca toslarım ya da bir çiçek kümesinin içine dalarım. Ortada büyük bir tehlike olmaması heyecanımı azaltmıyor, bunu başarmak istiyorum, bu arzu kanımı yeterince kaynatıyor. Daha ilk birkaç adımda, hedefime ulaşmamın düşündüğümden zor olacağını anlıyorum, düz gidip gitmediğim konusunda hiçbir fikrim yok.

Bir ayağımı ileri atarken herhangi bir yöne savurmamaya, tam önüme koymaya özen gösteriyorum, bu beni rotamda tutabilecek yegane şey. Bir süre sonra yön duygum iyice kayboluyor, içgüdülerimle ilerlemeye başlıyorum. İçimdeki korku büyüyor, her an bir ağaca çarpabilecek gibi hissediyorum kendimi. Karanlığa alışkınım, seslerden örülü bir dünyada yaşamaktan genelde şikayetim olmaz benim. Her şeyin yerini ezbere bildiğim, benden izinsiz bir bardağın bile kıpırdamadığı evimde görebilen insanlar kadar rahat ve özgürüm. Yataktan buzdolabına mı gideceğim, koridorda yedi adım, sola iki adım, işte ordayım. Ama yabancı bir yerde olunca, gözlerime duyduğum özlem ister istemez artıyor.

Evet itiraf ediyorum, şu an görebilmek isterdim. Sadece bir kereliğine, bir mucize olsa, inan Tanrım bunu kimseye söylemezdim.

O an Metin'in yüreğine bir korku düştü. Ya aksine bir mucize olur da gözlerini bir daha hiç açamazsa? Gözlerini açmayı denemek birdenbire korkutucu bir eyleme dönüştü. Bunu deneme-

diği sürece böyle bir şeyin ihtimal dışı olacağına, durup durur-
ken gözkapaklarının birbirine yapışmayacağına inanabilirdi, o
zaman böyle bir felaket yaşama riski olmazdı, dilediği an göz-
lerini açabileceği düşüncesiyle huzur bulabilirdi. Hayat boyu bu
korkunun pençesinde kalacağından, bir gün gözlerini açabilme
umudunu yitirmemek için buna hiç kalkışmayıp son nefesine
kadar karanlığa hapsolacağından ürktü. Geçici bir kuruntuydu,
akıl dışı, birkaç saniye sonra bu panik halinden kurtuldu, için-
deki fırtına yatıştı. Ellinci adımı attığında gözlerini açacaktı ve
dünyanın tüm renklerini yine olanca güzellikleriyle karşısında
bulacaktı. O şanslılardandı. Ya da öyle sanıyordu.

Kırksekiz. Kırkdokuz. Elli. Buraya kadar hiçbir yere çarp-
madan gelebilmiş olmak harika bir duyguydu. Ona istediği her
şeyi yapabilirmiş gibi hissettirdi, karanlığa ve korkularına hük-
metmiş birinin önünde kim durabilirdi? Gözlerini ağır ağır, her
anın tadını çıkararak açtı, önce ışığı gördü, sonra rengarenk çi-
çekleri, en sonunda, en yakın ağaçtan yirmi adım uzakta dur-
duğunu hayal kırıklığıyla fark etmesinin ardından, elinde bah-
çe makasıyla onu şaşkın şaşkın seyreden Ahmet'i. Tanrı bu ço-
cuğun yüzünde kendi güzelliğini resmetmek istemiş olmalıydı.

*Amma da sapmışım yoldan... Dümdüz yürüyebildiğimi sa-
nıyordum...*

"Merhaba Ahmet," dedi, kamaşan gözlerini biraz kısarak.
"Nasılsın delikanlı? Çiçeklerin keyfi yerinde mi bu sabah?"

Ahmet duyduklarını anlamış mıydı, belli değildi, ama dost-
ça gülümsedi ve genzinden bir hırıltı çıkardı. Metin başını biraz
eğerek karşılık verdi, son birkaç haftadır aralarında geliştirdik-
leri bir selamlaşmaydı bu.

Delikanlının yanına sokuldu, üzerinde çalıştığı çiçek küme-
sine hayranlıkla baktı, her biri ayrı renkte çiçekler şahane bir
cümbüş oluşturmuşlardı.

"Sana imreniyorum dostum," dedi içten bir sesle. "Sen bütün gününü bu güzelliklerle geçiriyorsun, başka bir şey düşünmeden, bense sürekli cinlerle boğuşuyorum, Siyah Kalem'in cinleriyle ve bundan daha kötüsü, kendi cinlerimle..." Dönüp yan gözle konağı süzdü. "Şu dört duvar arasında öyle çok cin var ki..."

Ahmet başını çevirip garip bir ifadeyle adama baktı. Neden bahsettiğini pek anlamadığı yüzünden okunuyordu.

"Zeynep ortalarda yok, öyle değil mi? Onu sen de benim kadar seviyorsun, bunu biliyorum. Sen benden şanslısın, çünkü o da seni seviyor. Eskiden hep çevrende görürdüm onu, yaptıklarına bakar, seninle sohbet ederdi. İkinizi o halde seyretmek çok keyifliydi, birlikte ne hoş görünürdünüz... Bir şiirin en güzel iki dizesi gibi." Metin parmağını uzattı, kırmızı bir gülün yaprağına incitmeden, usulca dokundu, bu güzelliğin varlığını hissetmekten mutlu oldu. Zeynep'in dudaklarına dokunduğu anı hatırladı. Onu özlemişti. "Artık seninle de eskisi kadar vakit geçirmiyor, farkındayım. Kendisine başka bir arkadaş buldu o... Üzülme sen, ben arada gelirim yanına. Hem zaten çok vakit kalmadı, biz gittiğimiz zaman, o yine senin yanında olacak."

Ahmet önüne döndü, çiçeklerin arasında bitmiş yabani otları budamaya başladı. Suratından ince bir hüzün geldi geçti. Sanki bu kez duyduklarını az da olsa anlamıştı.

Metin genç adamın omzunu sıvazladı, "İyi çocuk..." diye mırıldandı. Arkasına dönüp konağa doğru yürümeye başladı, az önce dakikalarını harcayarak aştığı yolu birkaç saniyede gerisinde bıraktı, içeri girdi. Gece buraya yeniden gelecekti. Gerçekten karanlık olduğunda. Düşünmesi gereken şeyler vardı ve bunun için yalnız olmak istiyordu.

-24-

Rıza Bey, üzerinde süslü harflerle Büyük Ada yazan finca-
nı dudaklarına götürdü, acı Türk kahvesinden kocaman
bir yudum aldı. Dudaklarında kalan tortuyu diliyle sıyırıp yut-
tu, ağzına yayılan tadın keyfini çıkardı. Güzel olmuştu meret, iyi
beceriyordu şu kahve işini. Ne zaman şöyle leziz bir kahve pişir-
se, "Seni alan kadın yaşadı Rıza Efendi," diye ona takılırdı Ayşe
Hanım.

Yorucu bir gün geçirmişti, arka bahçede patlayan su boru-
suyla boğuşmuş, tamirci gelene kadar suların konağa girmemesi
için akla karayı seçmişti; haftalık temizliğe gelen kadınlara ne-
zaret etmiş, sonra da sahile inip konağın aylık faturalarını öde-
mişti. Bahçedeki süs havuzunu temizletmek için de birini çağır-
mıştı çağırmasına, ama son anda ekmişti onu adam. Bir aciliyeti
olmadığı için bunun üstünde durmamıştı, yarın hallederdi nasıl
olsa. Yemek faslı sona erip çalışanlar ve misafirler odalarına çe-
kildiğinde, kendisine ayırabileceği birkaç saatlik zaman kalmış-
tı. Hiçbir sorumluluk almadan, sadece kafa dinleyerek geçirebil-
diği bu vakitleri seviyordu.

Bahçeye çıktığında, onun gibi gecenin karanlığında ruhunu
dinlendirmek isteyen birinin daha olduğunu gördü. Ağaçların ve
çiçek kümelerinin arasındaki banklardan birine oturmuş, yarı
uyuklar görünüyordu. İlk günden beri sempati beslediği, soh-
betinden keyif aldığı bir adamdı Metin, bu yüzden onun varlı-

ğından rahatsız olmadı, bilakis bir merhaba demek için usulca o yöne yürüdü. Şayet yalnız kalmak istediğini sezerse, bir bahane bulup uzaklaşmak niyetindeydi.

Genç adam birinin yaklaştığını fark edince başını çevirip o tarafa baktı, kahyayı görünce gülümsedi, gelenin başka biri olmamasından memnun gibiydi. "İyi akşamlar," dedi sevecen bir ifadeyle. "Seni de mi uyku tutmadı Rıza Bey?"

"Yok beyim, henüz denemedim uyumayı. Çok koşturdum bugün. Biraz kafam değişsin dedim. Gece ada havası güzel olur."

"Otursana. Ben de bir başıma sıkılmaya başlamıştım."

Kahya genç adamın yanına oturdu, kahvesinden bir yudum aldı.

"İster misin beyim? Kahve taze, yeni yaptım. Getireyim istersen?"

"Yok yok otur," dedi Metin. "Bu saatte içmem ben. Sağ ol."

İki adam bir süre sessizce önlerinde uzanan boşluğu, çiçeklerin ve ağaçların sakinliğini seyrettiler. Hava serindi. Bahçenin üç köşesinde yükselen direklerdeki lambalar, etrafı görebilmelerini sağlasa da insanı dinlendiren, tatlı bir loşluğa izin veriyordu.

Bir zaman sonra, Metin gözlerini önündeki boşluktan ayırmadan sordu: "Rıza Bey, kaç yıldır bu adada yaşıyorsun sen?"

"Geçen ay altı yıl oldu."

"Altı yıl ha, altı yıldır sıkılmadın mı bu yerden? Burda her gün bir diğerinden farksız geçiyor, zaman donmuş sanki. Bana birkaç hafta bile fazla geldi."

"Ben severim bu adayı. Toprağını, denizini... Huzur buldum ben burda, kolay kolay bırakamam herhal."

Metin, kahya ile günlerdir birçok konuda sohbet ettiklerini hatırladı, ada hakkında, konak ve Yiğit Bey hakkında; ama birbirleri hakkında pek bir şey konuşmamışlardı.

"Daha önce neredeydin? İstanbullu musun?"

"Öyle. İstanbul'da doğdum. Ama aramam oraları. Yılda birkaç kez, konağın ihtiyaçları için giderim, işim biter bitmez kaçar gibi dönerim. Buraya alışan için büyük şehir yorucu beyim."

"Yok mu şehirde çocuk, torun? Hiç evlenmedin mi?"

Kahya bu soruya hemen cevap vermedi. Kahvesindeki son yudumu içti, sonra fincanı bankın üzerine, Metin'le arasına bıraktı.

"Nasip olmadı beyim. Uzun hikaye o..."

"Burada vakitten bol şey yok Rıza Efendi. Hikaye dinlemeyi severim ben. Sakıncası yoksa tabii. Anlatmak istersen."

Rıza hafifçe gülümsedi. Aslında çok hazzettiği bir öykü değildi bu, ama o an bunu bir yabancıyla, birkaç hafta sonra hayatından çekip gidecek ve muhtemelen bir daha görmeyeceği biriyle paylaşmak hoş bir düşünce gibi geldi.

"Bir kere nişanlanmıştım. Ama olmadı. Evlenemedik. Kısmet değilmiş demek kolayı. İşin aslı ben her şeyi elime yüzüme bulaştırdım. Çocuktuk o yıllarda. Ben daha bir çocuktum sanırım."

"Canını sıkacaksa anlatma," diye araya girdi Metin, adamın sesinde artan hüznü fark edince.

"Yok beyim. Dert değil. Çok yıl oldu, geçti acısı. Karışık zamanlardı senin anlayacağın. Herkesin birbirine diş bilediği, dost ya da düşman diye baktığı günlerdi, ortası yoktu. Ben de delikanlılık namına, tüm arkadaşlarım gibi bir gruba dahil olmuştum. Ülkeyi komünistlerden kurtarma sevdasına, öyle derlerdi başımızdakiler. Kavga ettiğimiz olurdu, dayak yediğimiz, hapiste çok gecelediğim oldu. Sevdiğim bir kız vardı. Adı Fatma'ydı beyim, böyle iri zeytinlere benzeyen gözleri vardı. Ne yalan söyliyeyim, güldüğü zaman içimin yağları erirdi. O hiçbir gruba yakın durmazdı. Çatışmalardan, sloganlardan nefret ederdi. Ama beni sevmişti, cidden sevmişti beyim. Hoşuna gitmeyen bir sürü şey yaptığım halde bırakmamıştı beni. Her gittiğin yürüyüşte, her gittiğin eylemde içime ateş düşüyor Rıza derdi. Gitme derdi, bize yazık olacak derdi, dinlemezdim. Tüm bu karmaşa içinde nişanlandık. O zaman ben kendimi geri çektim biraz. Her çağrılan eyleme gitmemeye başladım, bahaneler buluyordum. Ama bir gün, bu davaya birlikte baş koyduğum bir arkadaşım, en yakın arkadaşım, bana son bir kez ihtiyaçları olduğunu söyledi. Kalkıp gittim o akşam. Fatma'nın bütün ağlamalarına karşın gittim. Son kez dedim. Arkadaşıma gönül borcum var dedim. Gene de küs baktı bana o canım gözleriyle. Oraya vardığımda işlerin karışacağını hissetmiştim, bizimkiler dolu gelmişti, hepsinde bıçaklar, tabancalar vardı. Elime bir silah tutuşturmaya çalıştılar, almadım. Birlikte bir okul yurduna gittik, komünistlerin yurduydu, öyle bilirdik. İçeri girip sloganlar atmaya başladık, bizimkiler bir iki çocuğu tartakladılar. O sırada odalardan birinden ateş ettiler bize. Ya da belki ilk bizden biriydi tetiğe basan, bunu hiç bilemedim. Tek bildiğim, sonra her yerden kurşunların gelmeye başladığı. Bir arkadaşım vurulup önüme düştü, can havliyle elindeki silahı kaptım. Sadece dışarı çıkmak istiyordum, çıkıp o cehennemden kurtulmak. Fatma'ma dönmek, bütün bu deliliği arkamda bırakmak. Ama yoluma eli bıçaklı biri çıktı, durdurmak istedi. Korkudan beyim, sadece korkudan, çektim tetiği, çocuk kanlar içinde yere düştü. Koşa koşa uzaklaştım ordan. Arkama bile bakmadım. Sonra asker gelmiş zaten, toplayıp götürmüşler hepsini. Onları da bizimkileri de..."

Rıza derin bir nefes aldı. Yüzünden bir acı geldi geçti.

"Allahıma bin şükür ölmemiş çocuk. Kimse de adımı vermemiş askere. Sonra haberini aldık, komünistler peşime düşmüşler. Çocuğun abileri kan davası diyorlarmış. Doğru mu yalan mı bilemedim, ama şehirde de daha fazla kalamadım. Doğu'ya kaçtım, yıllarca dönmedim geriye. Uzak bir akrabanın yanına sığındım. Fatma benimle gelmedi. Tüm sevdikleri İstanbul'daydı, okuyordu, benim için bunları bırakamadı. Aslında bırakmak da istemedi bence. Birinin kanını dökmüştüm, bunu öğrendikten sonra bana bir daha asla eskisi gibi sevgiyle bakmadı o."

"Yıllar sonra dava arkadaşlarımın hepsi aile kurdu, bense bir daha kimseyi sevemedim öyle. Fatma'dan sonra içim kurumuştu sanki, gönlüm kimseyi kabul etmedi. O evlenmiş, bir çocuğu olmuş, hiç gidip görmedim. Cesaret edemedim. Bu adada buldum huzuru. Alıştım yalnızlığıma."

"Üzüldüm bu olanlara," dedi Metin, başka ne diyebileceğini bilemeyerek. O ana kadar Yücetepe gibi, Dilburnu gibi adanın bir parçası olarak gördüğü adamın böyle bir geçmişinin olmasına şaşırmıştı.

"Üzülme beyim. Ben bir hata yaptım. Bedelini de ödedim. Geçmişte kaldı hepsi. Çocuktuk işte, kullandılar toyluğumuzu. Şimdi sen söyle bakalım, nasıl gidiyor şu öykü işi? Yiğit Beyim'e güzelinden bir tane yazabildin mi?"

Metin gülümsedi.

"Hiç sorma Rıza Efendi... Aklımda bir sürü fikir var da, bir tanesini seçip başlayamadım."

"O neden?"

"Hepsi kendince güzel, birini seçsem gönlüm diğerine kayıyor. Başlayıp başlayıp yarıda bırakıyorum. Deli olacağım valla. O kadar çok ilginç şey var ki yörükler hakkında, hepsini bir öyküde toparlamak zor. Okurlar için tümüne ışık tutmak istiyorum."

Rıza biraz düşündü. Sonra yüzüne bir gülümseme yayıldı.

"Işık sana çok şey gösterir beyim. Ama bazen asıl görmen gerekeni saklar gözünden."

"Bu ne demek Rıza Bey?"

"Daha önce hiç bahçeye indin mi bu saatte, ilk seferin mi?"

"İndim çok. Saymadım ama defalarca."

"Bak sana bir şey göstereceğim. Ama söyle, şimdi ne görüyorsun?"

"Ağaçları," dedi Metin, lafın nereye geleceğini merak ederek. "Çiçeklerin bir kısmını. Parmaklıkların çoğunu. Havuzu. Işıklar iyi aydınlatıyor bahçeyi."

"He ya. İyi aydınlatıyor."

Rıza kalktı. Yakınlardaki elektrik panosuna doğru yürüdü. Metin arkasından ne yapacağını anlamaya çalışarak baktı. Kahya dönüp genç adama gülümsedikten sonra, uzandı ve panodaki bir düğmeyi çevirdi. Direklerdeki lambalar birden ve aynı anda söndüler. Her yer zifiri karanlığa gömüldü.

"Şimdi ne görüyorsun beyim?" diye sordu Rıza, sesinde keyifli bir tını ile.

"Hiçbir şey görmüyorum Rıza Efendi..." diye cevap verdi Metin, bunun kötü bir şaka olduğunu düşünerek. Kahya gözleri kapalı dolaştığı zamanları mı görmüştü acaba, onu mu ima ediyordu? Sonra başını biraz yukarı kaldırdı ve nutku tutuldu. Hayır, bir şey görüyordu. Az önce orada olmadığına yemin edebileceği bir şey.

Gökyüzü baştan başa, bir çuvaldan cömertçe serpilmiş gibi, yıldızla kaplıydı. Hayatında hiç bu kadar çok yıldızı bir arada görmemişti.

Binlerceydiler. Bir lamba gibi parlayanları, zar zor seçilenleri, birlikte çeşitli şekiller yaratanlarıyla, başının üstünde şahane bir tablo vardı sanki.

"Gördün beyim, öyle değil mi?" dedi Rıza sırıtarak. Genç adamın sessizliğini doğru yorumlamıştı.

Düğmeyi çevirdi ve ışıklar yeniden yandı. Yıldızlar yokluğa karıştılar.

"Bu lambaları bize çok şey göstersinler diye diktik buraya," dedi, banka doğru yürürken. "Öyle de yaptılar. Ama beni gecenin en sevdiğim manzarasından mahrum ettiler. Tüm bu etraftakileri görmektense, yalnız o yıldızları görebilmeyi yeğlerdim ben. Sen de şu bahsettiğin ışığı tutarken bunu düşün hele."

Metin kahyaya sevgi ve minnettarlıkla baktı. İçinde kilitli bir kapı açılmıştı sanki. "Emin ol Rıza Efendi," dedi mutlu bir ifadeyle. "bu hep aklımda olacak."

"Bir bahçıvanın asıl işi Mart ayında başlar evlat. Çimler yeni yeni büyümektedir, hava ve toprak çalışmaya uygundur. İlk başta dökülmüş yaprakları temizlemek için tırmıklama yapacağız, aklında tutman gereken bunu yaparken çime zarar vermemek, çok derine gitme, dene bakalım, hah, aynen öyle. Aferin sana. Şunu asla unutma, ilk biçimde çimlerin üst kısmından alınır. Fazla alçak biçersen sararmalar olur, o zaman hiç hoş görünmezler. Azar yersin, ona göre!"

İhtiyar bahçıvan, alnında biriken teri elinin tersiyle sildi. Bakışları bahçe duvarında gezindi. Epeydir güneşin altındaydılar, yorulduğunu hissediyordu. Derin bir soluk aldı ve yanındaki çocuğu sırtından usulca itti.

"Hadi yürü bakalım, tembellik etmeyelim. Bu ay şöyle iki sağlam biçim yeter bize. Çimlerde hastalık olup olmadığını bu günlerde anladık anladık, yoksa yandı gülüm keten helva. Eğer öyle bir şey sezersek ilacı boca ederiz, o zaman sana ilaçlamayı da öğretirim." Çocuk son söylediğini anlamadığını bakışlarına yansıtınca, yaşlı adam gülümseyerek yanaklarını okşadı. "Öyle kaygılı bakma güzel şey, hay allah! Öğreneceksin hepsini, merak etme. Yavaş yavaş."

Bahçenin tam ortasındaydılar. Yeni dikilmiş ağaçların arasında, yanyana duruyorlardı. Çocuğun elinde boyu kadar bir tırmık vardı, o ise içi su dolu bir kova taşıyordu. Suyun bir kısmını önündeki çiçeklerin dibine döktü. Bu arada elini ıslattı, nemli parmaklarıyla ensesini ovaladı.

"Hadi çimenlerin kokusunu içine çek. Bak! Ne kadar güzel, öyle değil mi, insan doğduğu zaman aldığı ilk koku bu olmalı! O zaman gönlü şen, kafası berrak olur. Şu çiçeklere bir dokun. Hadi dokun, korkma ama hadi, parmağının ucuyla. Hah öyle işte. Nazik ol, çok narindirler. Onlara doğru dokunursan, sevildiklerini anlar hepsi."

Teninde çiçeğin yumuşaklığını hisseden çocuğun suratına neşe geldi. Başını çevirip ustasına minnetle baktı.

"Nisan ayı biterken biz gübrelemeye başlarız," diye anlatmaya devam etti bahçıvan. Çocuk onu dinlerken gözlerini dokunduğu çiçekten ayırmıyor, sanki ayıramıyordu. "Toprak ısınınca çimlere Amonyum Nitrat uygulayacağız, vakti gelince onu da anlatacağım. O ay çimlerin fazla uzamasını engelleyecek sıklıkta biçim yapmamız lazım. Hele Mayıs olsun, sen o zaman gör işi, her bir yanın ağrımazsa adam değilim. Bütün aylar içinde Mayıs zararlıları defetmek için en uygunu, bunu yaz aklına. Önce havanın iyi olduğu bir günü bekleyeceğiz. Çimimiz kuru, toprağımız nemli olmalı. Hani bazen sert bir sıcak gelir, bozar tüm planları ya, eğer öyle olursa hemencecik sulamaya başlayacağız. Yani sen sulayacaksın Ahmet oğlum, herhalde yaşlı Stradi'ye bırakmayacaksın bu işi! Ben senin yaşındayken ohooo... Nereye ne kadar dökeceğini söyleyeceğim, merak etme sen."

Ahmet, uzun zamandır güneşin altında durmaktan terlemiş alnını ayasıyla sildi, süs havuzunu çevreleyen taşlardan birine oturdu. Bakışları ağaçların arasında dolandı; orada ihtiyar bir adamı, koca elini bir çocuğun omzuna koymuş neşe içinde konuşurken görebiliyordu. Öğütleri aklında yer etmiş ustasıyla yaşadıkları, hayalinde daha bu dersleri dün dinlemişçesine canlıydı. Birlikte ne çok zaman geçirmişlerdi bu duvarların arasında. Bahçe makasını eline ilk aldığında nasıl da yabancı gelmişti, zamanla ona bedeninin bir parçası kadar alışacağı aklının ucundan geçmezdi.

Adanın yerlilerinden ihtiyar bir Rum bahçıvanın yardımcısı olarak başlamıştı bahçe işlerine. Haftalar geride kaldıkça, çiçeklerle konuşmayı sevdiğini, kendisini en huzurlu hissettiği anların onlarla geçirdiği anlar olduğunu fark etmişti. Küçük bir çocukken kimsesizler yurdunda, loş bir odada tek çiçek görmeden geçen yıllar mıydı sebep yoksa bu arzuyu doğduğu andan beri derinlerinde bir yerde mi saklıyordu, zamanı gelince mi tomurcuklanmıştı, bilmezdi. Önünde yeni ve renkli bir dünyanın kapısı açılmış gibi hissediyordu. Başka konularda hayatı ve insanları anlamakta ne kadar zorlanıyorsa, çiçeklerle ilgili şeyleri kavramakta da o denli becerikliydi. Konuşmayı pek seven hocasını can kulağıyla dinlemiş, anlattığı şeyleri ölümsüzlüğün sırrıymış gibi aklına kazımış, onu seyrederken öğrendiği her yeni şeyle çiçeklere biraz daha yaklaştığını hissedip mutlu olmuştu.

Kış aylarında gövdeleri ölen fakat kökleri canlı kalan çalı bitkilerin varlığını öğrenmişti. Haziran başından Ekim sonuna kadar çiçek açan çok çeşitli türleri olduğunu; bulutun beyazı, denizin mavisi, limonun sarısı, artık hangi renk isterse. Bahçeyi hep çiçekli tutmak için en iyi seçimin mevsimlik bitkiler olduğunu, zararlı böceklerin kökünü nasıl kurutacağını ve daha nice faydalı bilgiyi hazinesine katmıştı. Binbir renkte güller, sardunyalar, begonyalar en yakın dostlarıydı artık.

İlk görevleri oldukça basitti. Yaz aylarında, sıcaklar bastırdığında bitkileri bol bol sulamalı ve hastalanmamalarına dikkat etmeliydi. Kendisinden beklenen bundan ibaretti, asalak gördüğünde hemen bahçıvana haber verir, onları yok eden ilaçlarla gerekli önlemleri alırlardı. Yaprakların alt yüzlerinde pas renginde ağ görmesi, kırmızı örümcek bulunduğunu gösterirdi mesela.

İlaçlamada en önemli nokta, hangi ilacın hangi zararlı için etkili olduğunun bilinmesiydi ve ihtiyar Rum bu konuda ayaklı bir kütüphaneyi andırıyordu.

Yapılması gereken önemli bir işlem ayıklama işlemiydi, kuru ve sararmış yapraklar, küçük ve zayıf dallar, solmaya yüz tutan taçlar makasla temizlenirdi. Güllerde ve süs çalılarında dipten çıkan yabani sürgünler kesilir, bitkiler rahat bir nefes alırdı. Yıldız çiçeklerindeki ikinci goncalar kesilip, yalnızca ilk açanlar bırakılırdı, böylece taçlar daha büyük olurlardı. İhtiyar Stradi kendisine iyi bir dinleyici bulduğu için mutluydu, anlattıkça anlatırdı, o da kulaklarını açar ve duyduğu hiçbir şeyi unutmazdı.

Zaman geçtikçe ağaçları da öğrenmeye başlamıştı. Yiğit Bey ilk başta bahçesinde büyük ağaçlar görmek istediği için, boyları üç metre ve üzeri olan manolya, oya ağacı, ıhlamur, hatmi gibi çiçek verenlerden dikmişlerdi. Sonra meyve ağaçlarına merak salmış, güzel ve etkileyici bir koku özlemiyle turunçgiller ektirmişti. Maalesef onların hiçbiri tutmamıştı, yakınlarda binbir özenle büyüttüğü elma ağacına kadar, bu hevesten vazgeçmek zorunda kalmışlardı. Ve elbette gardenyalar... Kokusuyla onu büyüleyen gardenyalar uzun zaman çiçekli kaldıklarından bahçeye ayrı bir hava katarlardı.

Ağaçları canlı ve zinde tutmak için zamanı geldiğinde budama yapmak gerekirdi. Ahmet bunu bilir ve hiç ihmal etmezdi. Dallarını uygun boyutlarda keser, büker, seyreltir ve ışığı güzel almaları için nasıl gerekiyorsa, açılarını genişletir ya da daraltırdı. Böylece sadece onlara istenilen şekli vermekle kalmaz, sürgün oluşumunu da dengeler, dal kırılmaları ve sarkmaları azaltırdı. Bahçe makasını neredeyse bir sanatçı maharetiyle kullanır ve bundan mutlu olurdu.

Stradi onu bazen yanına oturtur, hayranlıkla karışık bir sevgiyle bakar, "tanrının güzelliği, tanrının güzelliği," diyerek huşu içinde yanaklarını okşardı. Ona kendisinin çiçeklere baktığı gibi bakardı. Çocukluğunda güzel olmanın Ahmet için anlamı yetimhanede arkadaşları tarafından sıkıştırılmak ve dayak yemekti, itip kakarken "güzel çocuk" diye gülerlerdi suratına, yetimhane müdürü Nilüfer Hanım'ın ona seslenişini taklit ederlerdi. Oyunlarına almaz, hastalıklıymış gibi ondan uzak dururlardı. Sonra Yiğit Bey girmişti hayatına ve güzel olduğu için kendisini ilk defa şanslı hissetmişti. Beyi Nilüfer Hanım'a "Bu çocuğu bir insan doğurmuş olamaz. Suratı bir dahinin fırçasından çıkmış olmalı," demişti. Yüklü bir bağış karşılığında velayetini almış, hiç sevemediği o karanlık binadan kurtarmıştı. Güzel olmanın bir sonraki anlamı kocaman, beyaz bir tuvalin önünde saatlerce hareketsiz kalma mecburiyetiydi, hoşlanmamıştı bu işten, çok canı sıkılmıştı, bütün bedeni isyan ediyor, kolları bir tarafa ayakları başka tarafa kaçmak istiyordu, ama Yiğit Bey'ini üzmemek için dayanabildiği kadar dayanmıştı bu eziyete. Beyi ona bakıp tuvale bir şeyler çiziyor, arada bir durup olmuyor, olmuyor diye öfkeyle homurdanıyor, yüzünü gölgeler basıyordu. Bazen daha anlamlı bakmasını, düşünceli ya da kızgın görünmesini istiyor, o bunun için yüzünü şekilden şekile sokunca da gülerek "Boşver, en iyisi olduğun gibi dur," diyordu. Birkaç kez fırçasını olanca kuvvetiyle yere fırlattığında Ahmet çok korkmuş, kendisini yeniden yetimhaneye göndereceğini düşünüp ağlamıştı, o zaman beyi yanına gelip alnından öpmüş, "Senin suçun değil," diye teselli etmişti. Sonunda Yiğit Bey bu sevdadan vazgeçti ve Ahmet kendisini adada buldu. Güzel olmanın anlamı hep değişiyordu ama sevgili ustasının bunu söylerken sesine yerleşen sıcaklığa bakılırsa, tanrının güzelliği iyi bir şey olmalıydı.

Tanrı iyidir. Tanrı iyidir. Tanrı iyidir.

Bir gün Stradi yanaklarını okşarken yaşlı adamın yüzünde daha önce hiç görmediği garip ifadeler gördü, bunu iyiye mi kötüye mi yoracağını bilemedi. Elini bir türlü suratından çekmiyordu, bu biraz can sıkıcıydı, ama ona çiçeklerin dilini öğretmiş ustasını üzmek istemiyordu. Stradi gözlerini gözlerinden ayırmıyor, sanki ayıramıyor, o da kendisinden beklenilenin bu olduğunu düşünerek bakışlarına aynı şekilde karşılık veriyordu. Ustasının elleri omuzlarına, kollarına, kısa bir süre için göğsüne ve bacaklarına indiğinde şaşırmış ama sesini çıkarmamıştı. Nasırlı kocaman ellerin vücudunda dolaşması hoşuna gitmiş miydi, şimdi hatırlayamıyordu. Dakikalar sonra, yaşlı adam ağır bir yük kaldırıyormuş gibi zorlukla onu okşamayı kesmiş ve suratında büyük bir korku ifadesiyle bir ağacın dibine çöküp titremeye başlamıştı. Ağladığını gören Ahmet onu teselli etmek için yanına sokulduğunda, adam dokunuşundan korkuyormuşçasına panikle ayağa fırlamış ve uzağa kaçmıştı. Bu arada sürekli tövbeler olsun, tövbeler olsun diyordu ama Ahmet bunun ne anlama geldiğini anlamamıştı. Galiba ustası hasta olmuştu, buna çok üzülmüştü.

Stradi'yi o günden sonra konakta kimse görmedi. Rıza Efendi sadece "gitti" demiş, bir daha da ismini ağzına almamıştı. Ahmet ilk başta çok ağlamıştı, fakat bir süre sonra bahçenin tamamen ona kaldığını fark edip hüznünü bastıran bir mutluluk hissetmişti. Yiğit Bey İstanbul'dan bir başka usta bahçıvan getirmeye niyetlenmişti niyetlenmesine, ama delikanlıyı her zaman yakından gözlemiş olan kahya ona bir şans vermesini istemişti. Bu şansı en iyi şekilde kullanmıştı, sadece bir yıl sonra, bahçe Stradi'nin bıraktığından bile daha canlı ve renkli bir hal almıştı.

Ahmet elini süs havuzunun içine soktu ve parmaklarını serin suda usulca gezdirdi. Havuzdaki nilüferlerden birkaçı eline değip uzaklaştılar.

Bahçesini benzerlerinden ayıran yalnızca doğal güzelliği değildi, özenle seçilmiş zevkli süs eşyaları da ortama ayrı bir tat katıyordu.

Orada burada karşısına çıkan sevimli fenerleri, farklı renklerde rüzgâr güllerini ve çanları konağa Yiğit Bey'le birkaç kez gelen Işıl isimli bir kadına borçluydu. Kapıya yakın yerde yaprağını döken beyaz manolya yetiştirmelerini o tavsiye etmiş, birkaç ağacın yanına vazo şeklinde paslı demir saksılar koydurmuştu. Paslanmış demir leke yapmasın diye üzerlerine ince mat vernik sürmüşlerdi, böylece hem eski görünümlerini korumuşlar, hem de Ayşe Hanım'ın dırdırından kurtulmuşlardı.

Ama Ahmet'in en sevdiği süs eşyası, havuzun yakınlarında duran gümüş renginde, büyükçe bir aynalı küreydi. Ona baktığı zaman bahçenin tüm renklerini aynı anda görebilmeye bayılıyordu. Işıl denen kadın Yiğit Bey'le konuşurken, bu kürelerin bir adının da cadı topu olduğunu söylemişti, o an korkmuştu küreden, uzun süre yakınından geçmemeye özen göstermişti, zamanla zararsız olduğuna kanaat getirmiş ve buradaki en sevdiği oyuncağı o olmuştu.

Cadılar kötüdür. Cadılar kötüdür. Cadılar kötüdür.

Yeterince dinlendiğine karar verdi, kuşlar kondukça ağaçlardan dökülen dal ve yaprakları toplamak üzere ayağa kalktı. Derin bir nefes alıp bahçenin kokularını içine çekti, tüm renklerini gözlerine doldurdu, kendisini mutlu hissetti.

Burası onun cennetiydi.

Kimsenin dokunmasına, zarar vermesine, tehdit etmesine izin vermeyeceği bir cennetti burası.

-26-

"Şu senin Siyah Kalem, bir tür gezgin öyle değil mi?" diye sordu Zeynep. "Diyar diyar gezip öyküler anlatan biri. Bir tür dengbej yani."

Teoman kızın suratına hayranlıkla baktı. Elinin tersiyle yumuşak ve pürüzsüz yanağını sevgiyle okşadı. Eğilip kulağından usulca öptü.

"Biliyor musun güzelim... Romanımda konakta çay servisi yapan bir kız yaratsam ve kalkıp dengbejlerden bahsetse, inandırıcı değil diye değiştirmemi isterlerdi. Sen gerçekten inanılmazsın."

"Kütüphanede onlar hakkında birkaç kitap vardı," diye güldü Zeynep. "Burada okumaktan başka eğlencem yok. Yani sen gelene kadar yoktu! Hem ben de daima bir konakta çay servisi yapmıyordum beyefendi." Son cümle ağzından çıkar çıkmaz, aklına kütüphanede Metin'le yaptıkları sohbet geldi ve kendisini kötü hissetti. O anıdan uzaklaşmak için yanındaki adamın keyifli gülümsemesine odaklandı.

"Tam öyle denemez," diye açıklamaya çalıştı Teoman. "Yani evet, Kürtlerin dengbejleri de çoğu zaman gezginmişler ve Siyah Kalem gibi yazıya dökmedikleri öyküler anlatırlarmış. Bazen onları himayelerine alan beylerin yanında savaşlara gider, döndüklerinde gördükleri kahramanlıkları görkemli öykülere dönüştürürlermiş. Bazen de bizim aşıklar misali karşılıklı oturup atışırlarmış. Hatta bir keresinde ünlü dengbej Evdal öyle uzun, öyle sıkı atışmış ki, üçüncü günün sonunda gözlerine perde inmiş. Birgün sana onun hikayesini anlatırım, oldukça ilginçtir. Ama Siyah Kalem'i özel kılan, kelimelerle yetinmemiş olması, öykülerini benzersiz resimler eşliğinde anlatmış, sözle çizgiyi çok özgün bir üslupla birleştirmiş. Benim bildiğim kadarıyla dengbejlerin ya da aşıkların tarihinde buna benzer şeyler yok. Çok kendine özgü bir adam."

"Onun resimlerini öykülemek heyecan verici olmalı," dedi Zeynep içtenlikle. "Kendini tarihin bir parçası oluyor gibi hissetmiyor musun? Senin yerinde olsam için içime sığmazdı valla. Sense hiç bahsetmiyorsun bu konudan, arada bir hatırlatmasam buraya neden geldiğini bile unutacağız."

"Buraya senin için geldim farz et."

Kız Teoman'ın koluna şakadan bir yumruk attı. Ona iyice sokuldu ve omzunu omzuna sürttü.

"Demek öyle! Gene de yazdığın öyküyü merak ediyorum, birazını okusana bana, olmaz mı?"

Genç adam sessiz kaldı. Yüzü hafiften bulutlandı, sanki bu konunun açılması pek hoşuna gitmemişti. Zeynep'in içinde bir huzursuzluk uyandı.

"Daldın yine," dedi, belini sıkıca kavramış eli okşayarak. Bu kalın parmaklarda hissettiği güçten hoşlanıyordu. "Ne düşünüyorsun?"

Teoman, diğer elini kızın saçlarında gezdirdi ve gülümsedi. "Zaman çok çabuk geçiyor... İki ayı geride bıraktık, daha içime sinen hiçbir şey yazamadım sayılır. Aslına bakarsan bu beni çok bunaltıyor."

"Yarışma senin için gerçekten önemli mi?"

"Evet canım. Yıllardır yeteneğimi bir şekilde insanlara fark ettirmeye çalışıyorum. Sürüyle dergi için bir dolu kitap eleştirisi yazdım, bu sayede raflara çıkan romanların, öykülerin pek çoğunu okuyabildim, büyük kısmı çöpten ibaret olan, var olmasalar kimsenin bir şey kaybetmeyeceği bir yığın kitap... Bozuk kurgular, zamansal hatalar, vıcık vıcık, abartılı duygular, arka arkaya üç düzgün cümle kuramayan ama romancı geçinen şapşallar... Çok daha iyilerini yazabileceğim halde bunu kimseyle paylaşamamak kanıma dokunuyordu. Sonunda bir kitabım basıldı, artık anlarlar dedim, iyi roman nasıl olur görürler, ama ne oldu dersin? Hiç! Hiç kimse kıymetini bilmedi, başlarını çevirdiler, insanlara ulaşsa kendi beceriksizlikleri, yetersizlikleri ortaya çıkacakmış gibi görmezden geldiler. Öylesine gelip geçti raflardan, hiçbir değeri yokmuşçasına. Ne kadar öfkelendiğimi tahmin edemezsin... O sersemlere hadlerini bildirmek için yanıp tutuşuyorum. Yarışmayı kazanacak öykü pek çok yerde yayınlanacak, hemen her yerde tanıtımlarda kullanılacak. Farklı dillere çevrilip Siyah Kalem'in resimleriyle birlikte tüm dünyayı dolaşacak. Bu sonunda hayallerime ulaşabilmem demek. Nasıl yazabildiğimi herkese gösterip o süprüntülere neden süprüntü dediğimi, bu hakkı nasıl kendimde bulduğumu insanların anlamasını sağlayabilirim."

Zeynep, sevgilisinin gözlerindeki öfke pırıltılarını fark etmişti, onu rahatlatmak ister gibi yanağını okşadı. İnce parmaklar Teoman'ın dudaklarında gezinip çenesine indi, omzunda kendine bir yer buldu.

"Beyimize ünlü bir eleştirmen olmak yetmiyor galiba," dedi hafif alaycı bir sesle. "Bununla mutlu olamıyor musun? Nedir bu hırs beyefendi?"

Teoman başını iki yana salladı.

"Ben iyi bir eleştirmenim. Ama işte o kadar, daha fazlası değil. Asla hakkında konuşulan, eleştirdiği kitaplar kadar değer verilen biri olamayacağım. Bir Fethi Naci, bir Nurullah Ataç olabileceğime inanabilseydim belki... Evet, vasat kitaplar üzerine yazarken herkesin gözünden kaçmış hataları yakalayabiliyorum. Bu yeteneğim ve araya sıkıştırdığım birkaç edebi laf bana küçük çaplı bir şöhret kazandırdı. Ufak bir çevrede tanınıyorum. Ama ne zaman elime iyi bir roman alsam içimdeki yazar uyanıyor Zeynep, ipler onun eline geçiyor. Engel olamıyorum buna. Rahat durmuyor, ben yazsam nasıl yazardım diye düşünmeden edemiyor, kitabı bu gözle beğeniyor ya da beğenmiyor. Onun kendi ölçütleri var, tamamen kişisel, kendi zevki dışında dayanağı olmayan, birçok kişinin paylaşmayacağı ölçütler. Ama böyle olmaz, bu yaptığı doğru değil. Bu yüzden eleştirmen sıfatıyla mütevazı kalmaya mahkumum, sadece başkaları hakkında konuşan, hep geri planda, sislerin içinde duran biri. Şayet fazla öne çıkarsam içimdeki yazarı keşfederler, o zaman çiğ çiğ yerler beni, bir eleştirmen için günahtır bu. Yerden yere vurduğum bir kitapta bile aslında öznenin ben olmadığımı, okuyanların beni değil o kitabın yazarını düşündüklerini, onu merak ettiklerini bilmek beni deli ediyor Zeynep. Yıllardır, yıllardır sürüyor bu iç sıkıntısı... Artık benim hakkımda da konuşulsun istiyorum, perdenin ardından çıkmak istiyorum. Çünkü onlardan daha iyi yazabileceğimi biliyorum. Yani ben değil, içimdeki o yazar istiyor bunu, anlayabiliyor musun? Beni anlayabiliyor musun hayatım?"

"Öyleyse niye yazmıyorsun?" dedi Zeynep, duyduklarına şaşırarak. "Son günlerde bilgisayarın başına geçmedin hiç. Ben seni böyle gördükçe yarışmadan sıkıldığını düşünmeye başlamıştım."

Teoman gülümsedi. Kıza biraz daha sokuldu ve bir tutam saçını işaret parmağına doladı, kokusunu içine çekti.

"Çünkü yazabilmek için senden uzaklaşmam gerek. Bunu yapmak istemiyorum."

"Ne demek istiyorsun?" dedi Zeynep kaşlarını çatarak.

"Boş ver."

"Hayır, boş veremem. Bu ne demek şimdi? Benim yüzümden mi yazamıyorsun? Ben mi suçlu oldum şimdi? Sana engel mi oluyorum?"

"Hiçbir şey demek istemedim," dedi Teoman, canı sıkılmıştı. Kızdan biraz uzaklaştı, ayağa kalktı. Pencereye yürüdü, tam önünde durdu, aşağıdaki bahçeye, ağaçlara ve sert bir rüzgârın altında titreyen yapraklara baktı. Ne demeye söylemişti bunu şimdi...

Zeynep adamın arkasından gitti ve omuzlarını usulca okşadı. "Bunu konuşmamız lazım canım," dedi ciddi bir ifadeyle.

Teoman döndü, onu nazikçe kollarının arasına aldı.

"Mecbur muyuz?" Eğilip öpmeye çalıştı, ama Zeynep yüzünü başka yere çevirdi.

"Mecburuz."

"Hadi ama, unut gitsin," Yeniden öpmeyi denedi, yine başaramadı.

"Mecburuz Teoman."

"Peki tamam," dedi yenilgiyi kabullenerek.

Birlikte yatağa gittiler ve ucuna yanyana oturdular. Zeynep koluna girdi, ona cesaret vermek istiyor gibi elini tuttu.

"Son haftalarda seni düşünmekten başka bir şey yapamıyorum," diye anlatmaya başladı, alçak perdeden bir sesle. "Yanımda olsan da olmasan da, aklımda ne bir öykü fikri yer bulabiliyor ne de Siyah Kalem'e dair bir bilgi. Olmuyor, odaklanamıyorum. Bu senin suçun değil, lütfen öyle düşünme, daha önce de yaşamıştım bunu. Benim bir tür zaafım, zayıflığım diyebilirim. Birini çok fazla önemsemeye başladığımda her şeyim o oluyor, bu da beni yazmaktan uzaklaştırıyor, kafamı toplayamıyorum. Senden önce kalbime giren kadınları bu yüzden çok geçmeden hayatımdan çıkarıyordum. Onlardan uzaklaşmak bana acı veriyordu, onları üzmüş olmak da, ama yapabileceğim bir şey yoktu, yazamazsam bir süre sonra ruhum kararıyordu, nefes alamaz hale geliyordum. İkisi birlikte yürümüyordu. Seninle de böyle olacağını düşünmüştüm, ama bu sefer işler farklı gelişti canım. Gerçekten çok özelsin ve ben cidden yanında kalmak istiyorum. Arada içimin bunaldığı, yazmayı özlediğim oluyor, ama sevdiğim bir kadını daha kaybetmek istemiyorum, bu bana yazamama düşüncesinden daha ağır geliyor. Hayır, bu defa kaçmak istemiyorum, mutlu olduğum yerde kalabilmek istiyorum. Hayat hep böyle yarım yamalak yaşanmaz, böyle çok acı veriyor... Şimdiye kadar yazarlık uğruna fazlasıyla fedakârlık yaptım, ileride başka bir zaman, başka bir fırsat çıkar nasıl olsa."

Genç kız derin bir iç çekti. Suratındaki ifadeyi okumak zordu, ama Teoman iri, yeşil gözlerdeki bakışın hayra alamet olmadığını sezdi.

"Senin için bu kadar önemli olmaya başladığımı fark etmemiştim," dedi Zeynep içtenlikle, sesinde acı bir tını vardı.

"Ben de," diye itiraf etti Teoman.

Zeynep usulca ayağa kalktı, odanın ortasına kadar yürüdü, sonra döndü ve genç adama şefkatle baktı.

"Seni bu duruma düşürmek istemezdim."

"Lütfen böyle söyleme. Anlattığıma pişman etme beni."

"Yarışmanın bitmesine sadece bir ay kaldı Teoman. Yalnızca dört hafta. Bu süre zarfında birbirimizi görmeyelim, yani gerekmediği sürece, inan bana en iyisi bu olacak. Yarışmayı benim yüzümden kaybedecek olduğunu düşünerek yanında duramam. Acı çektiğini bilirken istesem de yüzüne gülemem, bu olacak iş değil. Hayalinin peşinden git lütfen, bir ay sonra, hâlâ bunu istiyor olursan, seninle olacağım. Ama şunu bilmen lazım, bu ilişki benim gözümde senin için olduğu kadar önemli değil. Çok güzel, evet, beni mutlu ediyor, ama yerinde olsaydım böyle bir hayal uğruna senden kolayca vazgeçebilirdim. Kalbini kırmak için söylemedim, sen harika birisin, ama bunu bilmeye hakkın var. Belki o zaman senin için daha kolay olur."

Genç kız adamın bir karşılık vermesine fırsat bırakmadan döndü, hızlı adımlarla odadan çıktı. Teoman, kapanan kapıya hiçbir şey düşünmeden bakarken, içinde büyüyen duygunun acıya mı yoksa rahatlamaya mı daha yakın olduğunu bilemiyordu.

Tek bildiği şey, kalması için ağlayan onca kadından sonra kızın bu anlayışlı ve güçlü hali ona karşı duyduğu sevgiyi bulutların üstüne çıkarmıştı.

"Sadece dört hafta," diye tekrarladı içinden. Evet, bunu içindeki yazara borçluydu. Sonra o yeniden kollarında olacaktı.

Bu defa onu bırakmayacaktı.

-27-

Yarışmanın sona ermesine bir aydan az kalmıştı ve artık iki genç adam da, gerçekten istediklerinin bu olduğundan pek emin olamasalar da, öykülerinden başka her şeyi hayatlarından çıkarmışlardı. Hemen hemen tüm vakitlerini odalarında geçiriyor, yalnızca yemek ve zaruri ihtiyaçlar için dışarı çıkıyor, o zamanlarda da konağın diğer sakinlerine eskisi kadar ilgi göstermiyorlardı. Sanki yazmadıkları anlarda bile akılları odalarında, yaratmaya çalıştıkları kurgularda kalıyordu.

Bu iki odada günler boyu cümleler birbirine bağlandı, birbirinden koparıldı, havada uçuşan kelimeler kovalandı, yakalananlar uç uca eklendi, onlarca diyalog yazıldı, birçoğu daha bitmeden karalandı, yüzlerce fikir çarpıştı, sağ kalanlar öykü parçalarına dönüştü, bu parçalardan irili ufaklı kurgular yapıldı, sonra beğenilmediler, her şeye en baştan başlandı.

Gün oluyor iki genç yörük bir iddia uğruna at yarıştırıyor, gün oluyor bir çocuk şaman babasından ruhlarla konuşmanın sırlarını öğreniyordu. Develer yeni göçlere hazırlanıyor, çadırlar kah ulu bir dağın yamacında kah coşkun bir nehrin kenarında kuruluyordu. Kötü ruhlar geceleri yörük kampından el değmemiş kızları kaçırıyor, gün doğduğunda ak-kamlar onların izini sürmek için midelerini kımızla doldurup dansa kalkıyordu.

Metin, kahyayla geçirdiği akşamdan sonra kafasındaki karmaşadan nasıl kurtulacağını bulmuştu. Dönüp dönüp okuduğu kitapları rafa kaldırmış, aldığı onlarca notu buruşturup çöp kutusuna atmıştı. Öyküsünde Mehmet Siyah Kalem hakkındaki her bilgi kırıntısını kullanmak yerine bunların içinden kendisini en çok etkileyen, duygularını en fazla tetikleyenleri seçip onlara odaklanmaya karar vermişti. Okurlarına bir ışık seli içinde birbirlerinin etkisini zayıflatacak sayısız ayrıntı göstermektense, gökteki yıldızları görmelerini sağlayacaktı. Teoman ise Zeynep'ten uzaklaştıktan sonra yıllardır biriktirdiği tüm hırsı yarattığı kurguya yansıtmayı başarmış, her cümlesinin, her paragrafının mükemmel olması için neredeyse nefes almadan çalışıyordu.

O iki odada bunlar olup biterken, konağın diğer köşelerinde sükunet ve son aylarda unutulmaya yüz tutmuş, halbuki daha önceleri tüm konak sakinlerinin aşina olduğu bir sessizlik hüküm sürüyordu. Rıza Efendi bir süredir ertelediği sahil kaçamaklarına yeniden başlamış, işlerini bitirir bitirmez soluğu orada alır, akran dostlarıyla bazen bir sıcak çay bazen bir kadeh rakı eşliğinde sohbete dalar olmuştu. Kimi zaman kadehinden bir yudum aldığında Metin'e anlatırken içinde canlanan geçmişin onu biraz hüzünlendirdiğini fark ediyor, gözleri dolar gibi oluyor, halini fark edip soran adalılara hiçbir şey söylemeyip bunu kendi içinde yaşamaktan neredeyse tuhaf bir zevk alıyordu. Ayşe Hanım evin bitmek bilmeyen işleriyle meşguldü, arada misafirlerinin ona tatlı tatlı takılmalarını özlese de, halinden şikayetçi sayılmazdı. Konakta her zaman yapacak çok iş vardı ve bu onun hayatını doldurmaya yetiyor da artıyordu.

Zeynep ise kalbinin hızlı çarpmasına yol açan son bir iki ayın etkisini üzerinde fazlasıyla hissediyordu. Yeniden konaktaki hayatın sıradanlığına alışmaya çalışıyordu, ama bu pek de kolay olmayacak gibiydi. Bundan emin olması, bir sabah bahçeye çıkıp da Ahmet'i bir çiçek kümesinin başında her zamanki huzurlu ifadesiyle gördüğünde içinde o eski neşeyi duyamadığını fark etmesiyle oldu. Sevgili güzel bahçıvanı bile kalbinde herhangi bir coşku yaratamıyorsa, kim onu bu durgunluktan kurtarabilirdi ki?

Adımları onu alışkanlıkla bahçıvanın yanına sürükledi. Bir süre arkasında durup çiçeklere okşarcasına dokunmasını, elindeki fısfıstan bazılarına su püskürtmesini, onlarla genzinden çıkardığı ince, hiçbir dilde anlamı olmayan seslerle konuşmasını seyretti. Sonra sevgiyle "Merhaba Ahmet," dedi.

Ahmet başını çevirip genç kıza baktı. Onu gördüğü için mutlu olduğu gözlerinden okunuyordu. Ama Zeynep'in yüzündeki hüzün birkaç saniye sonra ona da bulaştı, birbirlerini durgun ifadelerle süzdüler.

"Bugün hava çok güzel, öyle değil mi?" dedi Zeynep. Genç adam başını sallayarak onayladı.

"Çiçeklerin keyfi yerinde mi? Hasta olanı var mı?"

Bahçıvan kızın elini tuttu, boynu biraz bükük duran bir güle götürdü. Ona dokunmasını ister gibiydi. Zeynep karşı koymadı, teninde bu sıcak, güvenilir parmakları hissetmek hoşuna gitmişti.

"Buna biraz daha su sıkmak lazım," dedi. "Hava gittikçe ısınıyor."

Ahmet elini kaldırdı ve gökyüzünü işaret etti, kız oraya baktığında parlak güneş gözlerini kamaştırdı.

"Evet Ahmet, güneş çok güzel. Keşke içimi aydınlatmaya da yetse..."

Genç adam bu sözü anlamışçasına üzgün bir ses çıkardı.

"Üzülme canım, seninle bir ilgisi yok. Hepsi şu Siyah Kalem ve cinleri yüzünden. Konağı tümden ele geçirdiler, içeride huzur kalmadı. Güzel olan her şeyi benden aldılar."

Bahçıvanın yanağını bir çocuğu sever gibi okşadıktan sonra uzaklaştı. Genç adam ardından çaresizlik ve hüzünle baktı, yüreğinde eskiden yaptıkları uzun sohbetlerin özlemini duydu. Çiçekler kadar sevdiği tek kişiyi üzen cinlere beslediği öfkeyle çatık kaşlı bakışları konağa yöneldi. Zeynep'in suratı ne kadar da solgundu, onu daha önce hiç böyle görmemişti. Bir an için onun da çiçekler gibi solacağını, bir daha da açmayacağını düşündü ve bu olasılık onu çok korkuttu. Tüm cinlere lanet olsun!

Lanet olsun! Lanet olsun! Lanet olsun!

Elleri alışkanlıkla, neredeyse nefes alma kadar olağan bir refleksle çiçekleri budamaya devam ediyordu, genç adam o hırsla bir çiçek kümesini darmadağın ettiğini ancak yüzünü oraya çevirdiğinde fark etti. Parçalanmış dallar ve yapraklar kendisine içini acıtan bir sitemle bakıyordu.

Genzinden pişmanlık dolu bir hırıltı yükseldi. Cennetini kirleten bu cinlerden gerçekten nefret ediyordu!

-28-

Önce koyu siyah renkteki boynuzlarını çiziyorum, acele etmeden, her ayrıntısına dikkat ederek, özen göstermem lazım, çünkü bu boynuzlar sahibinin karakterini yansıtır. Bir ağaç dalını andırıyorsa korkun o iblisten, özgüveni yüksektir ve muhtemelen avlanmayı sever, bir boğanınki gibi düz ve sivri uçlu olursa kaypak, korkak, hatta içten pazarlıklı biriyle karşılaştığınızı düşünebilirsiniz. Şayet boynuzun ucu kırılmışsa bu kavgacı bir tabiata işaret eder, aman dikkat; fazla minikse özgüven eksikliğine, elbette istisnalar mümkündür. Onunkiler kısa birer geyik boynuzunu andıracak, bilgelik timsali. Yüzüne vereceğim zeki ifadeyi taçlandıracaklar.

Sivri dişlerle süslediğim ağzının üstünü ve altını, yaşını belli eden gri kıllarla kaplıyorum. Eline bir asa vereceğim, tek ayak üstünde duracak. Genç iblislere yaşadığı maceraları, gördüğü olağanüstü olayları, yolculukları boyunca tanıdığı kahramanları anlatırken, bir elini dikkati üzerinde toplamak istercesine havaya kaldıracak.

Karnındaki boğumları iblislere has dalgalar şeklinde çiziyorum. Hepsi birbirine paralel, gerçek olamayacak kadar düzgün olmalı. Aynı teknikle kıyafetini giydiriyorum, bu kez yukarıdan aşağı dalgalardan yaratıyorum eteği, dışı mavi içi kırmızı olsun. Yukarı kıvırdığı ayağının tam hizasına, kuyruğunun yılan başını konduruyorum.

Bu kuyruğun sahibinden bağımsız bir ruhu ve aklı olduğunu hissettirmek istiyorum. Ama nasıl... Nasıl... Evet, buldum, ona sahibinin ayağını ısırtacağım. İblis tüm bilgeliğiyle dimdik durup caka satarken, kuyruktaki yılan onunla dalga geçer gibi dişlerini baldırına geçirsin.

Bileklerindeki çemberleri de unutmamalı, onu zengin ve soylu, en azından ayrıcalıklı gösterirler, renklerini asa ile aynı yapmakta fayda var.

Henüz kâğıtta bir şekilden ibaret, cansız ve ruhsuz, dile gelip macerasına başlaması için ona vermem gereken son bir armağan kaldı. Kalemin ucunu içimde büyüyen bir heyecanla yüzünde bıraktığım iki beyaz boşluğa yaklaştırıyorum. Ona gözlerini veriyorum.

Artık beni görebiliyor. Ve ben de onu ancak şimdi gerçekten görebiliyorum.

"Seninle konuşmak için yanıp tutuşmuyorum Metin. Ama ne yaptığını sormadan da gidemiyorum bir türlü."

Metin, arkasından gelen sesle irkildi, elindeki kitabı dizlerinin üstüne koydu. Sesi tanımıştı, bu yüzden başını çevirip bakma zahmetine girmedi.

"Eh, artık sorduğuna göre gidebilirsin sanırım."

"Çok komik. Ne yani, bu bir meslek sırrı mı?"

Teoman, arkasında durduğu şık bankın etrafından dolandı, Metin'in yanına teklifsizce oturdu. Tepelerinde üstüne kırmızı çizgiler çekilmiş beyaz bir gölgelik vardı, tam süs havuzunun önündeydiler. Havuzun fıskiyesinden iki karış yükselip düşen suyun gürültüsü dışında, etrafa huzurlu bir sessizlik hakimdi.

"Dakikalardır arkanda duruyorum," diye itiraf etti Teoman. "Varlığımı hissetmedin bile. Çok dalmıştın. Kitaptaki resmin üstünden geçmenin anlamı ne? Dur bakayım, İpşiroğlu'nun kitabı değil mi bu, Bozkır Rüzgârı Siyah Kalem."

Genç adam elini uzatıp açık duran kitabın kapağına bakmaya yeltendi. Metin sert bir hareketle kitabı çekip diğer tarafa koydu. "Evet öyle. Sen de bunu zaten biliyorsun."

"Sadece sohbet etmeye çalışıyorum Metin. İçeride çok bunaldım. Huysuzluk etmene gerek yok."

Metin yan gözle adama baktı. Günlerdir tek kelime ettikleri yoktu. Bu tavır değişikliğinin nedenini anlayamamıştı, ama kendi duygularında bir yenilik olmadığı kesindi.

"Öykün nasıl gidiyor?" diye sordu Teoman. "Son noktayı koydun mu?"

"Fena değil, bitti sayılır." Dürüst davranmak için bir neden göremiyordu. Aslında daha epey işi vardı. Özellikle sonu konusunda ciddi sorunlar yaşıyordu. "Ufak detaylar kaldı, üstünde çalışıyorum. Ya seninki?"

"Daha çalışmam lazım. Henüz içime sinen bir noktaya gelmedi. Ama toparlarım, sıkıştığım zamanlar daha verimli yazıyorum. Benden iş çıkması için birinin beni kamçılaması gerek! Şayet sakıncası yoksa, kaç resim kullandığını sorabilir miyim? Sadece meraktan... Öyküyü kaç resim üzerine kurguladın? Beş? Altı?"

"Bunu söylemeyeceğim," diye güldü. "Ben seninkini merak etmiyorum açıkçası."

"Bundan emin misin?"

"Kesinlikle."

"Öyle olsun," dedi Teoman. Aldırmaz bir tavırla omuz silkti. "Gene de bir tesadüften bahsedeyim. Şu üzerini boyadığın resim var ya, asasına dayanarak duran iblis, ben de onu öykümde kullanıyorum. Gerçekten insana ilham veren bir karakter."

Metin başını çevirip rakibine baktı. Onunla konuşmaktan keyif alıyor değildi, ama az önce söylediğinin aksine, yazdığı öyküyü ölesiye merak ediyordu, bu yüzden sohbeti kesip gidemiyordu, kim bilir, belki ağzından bir şey kapardı.

"Ben onu kullanmadım," dedi sakince, bu kez doğruyu söylemişti.

"Kaleminle çizgilerinin üstünden geçiyordun. Hatta galiba bir kereden fazla geçmişsin. Onu sen çiziyormuşsun gibi. Özel bir resim değilse bunu niye yapıyordun?"

Kitabı aldı ve hafif bir gülümsemeyle genç adama uzattı. Teoman bu teklife hayır demedi, sayfaları hızlıca çevirdikten sonra, artık sorusunun cevabını biliyordu. Metin neredeyse tüm resimlerin üzerinden, onları yeni baştan çizmek ister gibi özenle geçmişti.

"Ne oldu, öyküyü bitirdin de canın mı sıkıldı, meşgale mi arıyorsun? Yoksa ek iş olarak ressamlık mı yapacaksın?"

"Siyah Kalem'le empati kurmaya çalışıyorum," diye açıkladı Metin. "Kendimi onun yerine koymayı deniyorum. Bu yörükleri, iblisleri çizerken neler hissetmişti... Çizgilerinin üstünden geçerken resimleri onun gözünden görebiliyorum, sanki dövüşen canavarlar, dans eden şamanlar karşımdalar. Beni onlar hakkında yazmaya heveslendiriyor. Daha gerçek, daha oradaymış gibi yazmamı sağlıyor."

"İlginç bir teknik," dedi Teoman içtenlikle. "Ben çoğunlukla öykülerimi neden sonuç ilişkileriyle yazıyorum. Kendimi olayların dışında tutmaya çalışıyorum, anlarsın ya, kontrolü kaybetmemek için. Bir eleştirmen olarak yıllarca büyük romancıların tekniklerini inceledim, hepsinden en beğendiklerimi aldım. Şimdi duruma göre farklı kombinasyonlar yapıp kullanıyorum. Bir satırımı Yaşar Kemal yazıyor bir diğerini Herman Hesse, duruma göre. Hem böylece yazarken kendimi hiç yalnız hissetmiyorum! Bazen onlarla tartıştığım bile oluyor, sen git başkası gelsin, sen bu tür sahnelerin ustası değilsin diyorum. Açık sözlülüğün için teşekkür ederim. Biraz da şaşırdım, bana tekniğinden bahsetmeni beklemezdim." Gülümseyerek ekledi: "Ya şimdi seninkini de kullanırsam?"

"Şayet becerebileceğini düşünsem bahsetmezdim," dedi Metin soğuk bir tavırla.

Teoman'ın gülümsemesi dudaklarında dondu.

Birkaç saniyelik gerilimli bir sessizlikten sonra, Teoman kitabı Metin'e geri verdi ve yeniden, bu kez imalı gülümsedi.

"Merak etme, tekniğinle ilgilenmiyorum. Senin yöntemlerin çok fazla hataya yol açıyor. Gözden kaçmayacak hatalar."

Metin, Teoman'ın kitabı hakkında yazdığı eleştiriye gönderme yaptığını sezdi, o yazıyı okuduğu zamanki hisleri canlandı, bu duygular onu Teoman'ın Zeynep'e dokunurken gözlerinin içine dalga geçercesine baktığı ana götürdü, öfkesi kabardı.

"Sen kendini ne sanıyorsun, bir otorite falan mı?" dedi, hasmının canını yakmak isteyerek. "İnan bana, kimse öyle olduğunu düşünmüyor." Sonra sesi alaycı bir hal aldı. "En azından benim kendime ait bir tekniğim var..." Konağa dönmek için banktan kalktı, birkaç adım atmıştı ki, Teoman'ın sesi onu durdurdu.

"Kendimi bir şey sandığım yok. Ama büyük yazarımız kusursuz olduğundan emin anlaşılan. Seni fazla havaya sokmuşlar. Benim yazarlığımı küçümsüyorsun öyle değil mi? Asıl derdin bu. Yazabilmek için ne tür bir fedakârlık yapman gerekti ha, nelerden vazgeçtin? Benim yaptıklarımdan haberin var mı? Hakkımda ne biliyorsun?"

"Kendini küçülten sensin. Hakkında bildiklerim bana yeter."

Teoman, yürümeye devam eden adamın arkasından seslendi.

"Şunu da bil Sayın Metin Soydemir! Seni yenmek için elimden gelen her şeyi yapacağım."

Metin tam dönmedi, ama yüzünü genç adamı görebileceği kadar çevirdi.

"Elinden gelen her şeyi yap Teoman. Buna ihtiyacın olacak."

Sonra onu düşünceleriyle başbaşa bırakıp köşkün merdivenlerine doğru yürüdü.

-29-

"Kadehimi sana kaldırıyorum," dedi Yiğit, karşısında oturan güzel kadına gülümseyerek. "Sana ve hayalim için yaptığın her şeye. Sen olmasaydın bu süreç bu kadar keyifli olmazdı."

Işıl, şarap kadehini kaldırırken, "Siyah Kalem'e içelim," dedi tatlı bir sesle. "Ve etkinliğimize, umarım sizi hayal kırıklığına uğratmam Yiğit Bey."

Yiğit, ona güven dolu gözlerle baktı. "Uğratmayacaksın. Bundan şüphem yok."

"Dün davet ettiğimiz gazetecileri bir bir arayıp hepsiyle teyitleştim. Hürriyet'ten Ayşe Hanım gelemiyor ama yerine Murat Süzer'i gönderecekler, o da iyidir. Hatta belki daha iyi, çünkü şu ara bir televizyon programına danışmanlık yapıyor. Yeni bir dergiye de ulaştım, kültür sanat dergisi, pek satmıyor ama prestijli bir yayın. Konuştum bir muhabir gönderecekler."

"Öyle diyorsan öyledir. Ben tanımıyorum hiçbirini."

"O gün tanışmanız gerekecek. Sanata bunca para yatıran adamı herkes merak ediyor."

"Hele o gün gelsin de..." diye güldü Yiğit.

Işıl, kadehinden bir yudum aldı. Yüzüne bir durgunluk yerleşti.

"Her şeye rağmen bu kutlamayı etkinlik sonrası yapsak kendimi daha rahat hissedecektim. Bu güveniniz beni biraz utandırıyor."

"Bu akşam, hazırlıkların tamamlanmasını kutluyoruz. Etkinlik sonrası, bir başka kutlama planlayacağız ve o Almanya'da olacak. Çok daha güzel, çok daha özel bir yemek. Seni Berlin'de görebileceğin en şık yere götüreceğim. Tabii şu senin Doktor Bey, doktordu öyle değil mi, bizi kıskanmazsa!"

Işıl gülümsedi.

"Aslında epey kıskançtır. Ama sizi kıskanmaz."

Yiğit'in yüzü biraz bozuldu, kadehini masaya bıraktı.

"Neden, ben çok mu yaşlıyım? Senin gibi bir kadınla hiç şansım yok mu?"

"Yok, hayır, olur mu... Öyle demek istemedim. Yani sizi biliyor. Patronum olduğunuzu biliyor. Bu etkinliğin sizin için önemini de... O yüzden bu kutlamaları normal karşılar demek istemiştim."

Işıl o her zamanki tatlı gülümsemesiyle bakınca, Yiğit'in suratı yumuşadı.

"Tamam, tamam, bu akşam huysuzluk etmek yok. Şerefimize içelim. Doktor Bey'in de şerefine."

İkisi birden kadehlerini kaldırıp birer yudum aldılar.

"Ben şimdi geliyorum," dedi Işıl, usulca masadan kalkarken. Yürüdüğü yöne bakılırsa tuvalete gidiyor olmalıydı. Yiğit uzaklaşan kadının çevik hareketlerini ve dar eteğinden belli olan biçimli kalçalarını hayranlıkla seyretti. Onları avuçlarının içine almak çok hoşuna giderdi, ellerinin arasından taşmalarını hayal etti. Ne yazık ki doktor bozuntusu haklıydı, onun gibi bir kadın için çok yaşlıydı.

Kızkulesi'nde yemek yemeyeli epey olmuştu. Pencereden manzarayı seyrederken, aklına Eyfel Kulesi'ni bir demir yığını olarak gören kimi Fransızların söylediği söz geldi: "Paris en güzel Eyfel Kulesi'nden görünür, çünkü Eyfel Kulesi'ni görmezsiniz!" Kızkulesi içinse bunun tersi geçerliydi, gördüğü manzarada onu rahatsız eden eksiklik tam da kulenin kendisiydi.

Tarihçesi milattan önce üçyüzlü yıllara dayanan bu mekân uzun hayatında ne işler için kullanılmamıştı ki? Kıyıya yakın küçük bir adada yükseliyor oluşu onu çok işlevsel kılmıştı. Gümrük istasyonu olmuş, üzerine anıt mezarlar yapılmış, kimi zaman toplarla donatılıp boğaz kıyılarını korumuş, yeri gelince feneriyle gemilere yol göstermişti. Osmanlı döneminde mehterler burada top atışları eşliğinde nevbet okumuşlar, kolera salgını şehre yayıldığında hastalar burada karantinaya alınmışlardı. Hatta kısa bir süre için siyanür deposu olarak bile kullanılmışlığı vardı.

Ne depremler ne yangınlar atlatan kule, farklı mimarların elinde farklı ayrıntılar kazanarak ama özünü kaybetmeden bugüne, yani insanların teknelerle gelip güzel bir akşam geçirebilecekleri lüks bir restorana dönüşünceye kadar ayakta kalmayı başarmıştı.

Gene de Yiğit, Kızkulesi'ni ilginç tarihçesinden çok hakkında anlatılan efsanelerle sevmişti. Bunların içinde en hoşuna gideni ve inanmak istediği ise, Ovidius'un naklettiği bir aşk hikayesiydi. Hero ile Leandros adlı iki gencin hüzünlü aşkını anlatan bu öykü, Hero'nun kuleden ayrılmasıyla başlıyordu. Efsaneye göre Hero Afrodit'in rahibelerindendi ve birine aşık olması dönemin inancına göre yasaktı. Hero senelerce süren yalnız hayatından sonra Afrodit'in tapınağında yapılacak bir törene katılmak için adadan ayrılmış ve orada Leandros isimli genç bir adamla karşılaşmış. Birbirlerine tutulan iki genç, Leandros'un gece yüzerek kuleye gelmesi ile sevgilerine şehveti de katmışlar. Kızkulesi aylarca iki gencin gizli aşkına ve yasak sevişmelerine tanıklık etmiş. Yine Leandros'un kuleye yüzdüğü fırtınalı bir günde, kimbilir beki de Afrodit'in kıskançlığı ve lanetiyle, Hero'nun yaktığı ateş sönmüş ve genç kız onu bir türlü yeniden yakamamış. Karanlıkta yolunu kaybeden Leandros boğazın dalgalarıyla uzun süre mücadele ettikten sonra derin maviliğe gömülmüş. Sevgilisinin öldüğünü gören Hero da kendini boğazın serin sularına bırakmış.

Yiğit bu öykünün gerçekte Çanakkale'de geçtiğini, Kızkulesi'ne sadece yakıştırıldığını bir tarihçi dosttan öğrendiğinde bunu kabullenmekte zorlanmıştı. Hatta hayallerini gölgelediği için kızmıştı adama, sanki ona soran olmuştu! Sonradan nasıl olsa bu bir rivayet, belki de tarihçiler yanılıyor diye rahatlatmıştı kendini, belki hem Çanakkale'de hem de İstanbul Boğazı'nda benzer olaylar yaşanmıştı, kim bilebilirdi ki bunu?

Hakkında anlatılan efsanelerdeki kavuşamayan aşıklar ve acı çeken kızlar, burasının Kızkulesi olarak nam salmasının en büyük sebebiydi. Yiğit özel bir kutlama yapacağı zaman buraya gelmeyi severdi. Belli bir saatten sonra yemeğe bir gitar ya da keman sesinin eşlik ettiği bu mekân, lüks eğlence yerlerinden daha sıcak geliyordu ona. Bir keresinde başarılı bir işi kutlamak için tüm restoranı kapatmış, şirketindeki müdürlere ve ortaklarına güzel bir gece armağan etmişti. Bu yüzden onu burada tanır, haber ilettiği zaman en iyi masalardan birini mutlaka ona ayırırlardı.

Bu düşünceler içindeyken dikkatini yakın bir masada oturan şişmanca bir çocuk çekti. Ona gülümseyerek bakmasının nedeni oğlanı sevimli bulması değildi, herhalde öyleydi, ama Yiğit bunu pek ölçemezdi, aslında çocukları sevdiği bile söylenemezdi. İlgisini çeken, ufaklığın önüne konan beyaz bir kağıda resim yapıyor olması ve bunu yaparken takındığı ciddiyetti. Ailesi arkadaşlarıyla sohbete dalmış ve muhtemelen oyalansın diye eline bir kâğıt ve bir kalem tutuşturmuşlardı. Çocuk resmin üzerinde bir süre daha çalıştıktan sonra durdu ve dikkatle eserine baktı. Ardından çizdiği şeyi sevmemiş olacak ki, onu aynı ciddiyetle karalamaya başladı.

Yiğit, çocuğun resmi karalamasını seyrederken, elinde olmadan yavaş yavaş geçmişindeki bir güne dönüyordu. Hayatının en kötü, unutmayı en çok istediği ve bu yüzden asla unutamayacağı gününe...

❖ ❖ ❖

Malikanesindeydi, resim çalışmaları için ayırdığı odada, pahalı bir tuvalin önünde, yurtdışında beğenip aldığı şık bir palet ve fırçayla durmuş, saatlerdir üstünde çalıştığı resme bakıyordu. Bitirdiği zaman köpeğini gezdirmeye çıkmış yaşlı ve kambur bir adamın resmi olacaktı bu, bitirdiği zaman... yani asla olmayacaktı. Kısılmış gözlerinde bir iğrenme ifadesi vardı, önündeki tuval hakkında hissettiği duygulara isim veremiyordu, onda kusma isteği uyandırıyordu, tek söyleyebileceği buydu. Onca emeğin, harcanan saatlerin karşılığında bütün yapabildiği sayısız kusurla dolu, bazı ayrıntılarında acınacak kadar acemice görünen bu karalama mıydı? Halbuki başlamadan önce nasıl da heyecanlıydı, aklında bir başyapıt vardı, gözlerini kapayıp çizeceği resmi hayal ettiği zaman gördüğü tablo değme ressamları kıskandıracak nadide bir eserdi. Bu hayalin tuvale geçirebildiği kısmı ise vasatlığın tiksinti verici sularında yüzüyordu.

Eskiden yaptığı resimlerdeki deha pırıltıları aklına gelince içinde bir acı büyüdü. Amcası başından beri haklıydı, bunu ona söyleyebilmeyi ne çok isterdi... Ama adam zaten bunu biliyordu, ölmeden birkaç gün önce, hastalıktan konuşamayacak hale geldiğinde bile, gözleriyle gözlerini bulmaya çalışmış ve bakışların diliyle ona ne pahasına olursa olsun kendini resme adamasını söylemeye uğraşmıştı.

Onu dinlememişti. Sonunda babasının koltuğuna oturduğunda, yüzlerce insana hükmetme duygusu, bir macera gibi görünen iş hayatı ve eline geçen güç başını döndürmüştü. Geri dönememişti.

İlk başlarda iki hayatı birlikte yürütebileceğine içtenlikle inanmıştı. Ama sonraları, ne zaman tuvalin önüne gelse, işiyle ilgili sıkıntılar, kovduğu insanlar yüzünden duyduğu vicdan azabı, yaptığı yatırımların sonuçlarına dair merakı ve benzeri bir sürü dert resme odaklanmasına engel olmaya başlamıştı. Aşık bir kadının gözlerini çizerken, şirkette ona dalkavukça bakan kadınların gözleri geliyordu aklına. Saatlerini adaması gereken bir ağacı, önemli bir toplantıya hazırlık yapması gerektiği için dakikalara sığdırmaya uğraşıyordu. Biraz ayrıntı eklesem şahane olur diye düşündüğü anlarda hep bir sorun yüzünden fırçasını bırakıp şirkete koşmak zorunda kalmış, o fark etmese de holdingi yönetmenin sorumluluğu bütün yaşam enerjisini tüketen bir meşgaleye dönüşmüştü. Neredeyse bir savaş atmosferinde yaşamanın, rakiplerini yok etmeye odaklanmanın içindeki ince duyguları öldürdüğünü karşısında duran tuval ona dürüstçe söylüyordu.

Şu andan sonra vazgeçebilir miydi? Şirketin başına bir başkasını geçirip eskisi gibi resmi hayatının odağına yerleştirebilir miydi? Bir anlığına bunu yapmayı çok istedi, günlerini renklerle doldurmayı, yeniden o huzurlu günlere dönebilmeyi. Ama hemen sonra, kalbinde büyüyen kaygılarla, bunun mümkün olamayacağını hissetti. Kime güvenebilirdi? Yanında çalışanlar konusunda bile içi rahat değilken ipleri nasıl başkasının eline bırakabilirdi? Hem bu çözüm kafasının boşalmasına yardımcı olmayacaktı ki, şirkete gitmediği her gün orada yaşananları merak edecek, kendisine sorulmadan alınan kararlardan endişe duyacak, bu kaygılar yine resme odaklanmasına engel olacaktı. Geri dönemeyeceği bir noktadaydı, bunu görebiliyordu. Bu kadar alıştıktan sonra elindeki imkanlardan, lüks yaşamın keyiflerinden vazgeçebilecek gücü yoktu. Hangi yolu seçerse seçsin, bundan sonra yapabileceği en iyi resim, şu karşısındaki ayarında olacaktı.

İçinde bir yerlerde dünyanın en iyi ressamlarından birini saklarken, vasat resimler yapmaktansa bir daha eline fırça almamayı yeğlerdi. Varsın onu kimse tanımasın, adını sanını bilmesin, hayalinde hâlâ mükemmel eserler olacaktı. Hak ettikleri emeği verebilecek biri tarafından çizilseler başyapıta dönüşecek resim fikirleri... Onları tuvalin üstünde kötü çizilmiş görmenin acısı ise dayanılmazdı, çünkü o zaman bu resimlerin hayallerini de kaybetmiş olacaktı. Şu an olduğu gibi, onları düşlediğinde gözünün önüne tuvaldeki kusurlu halleri gelecekti. Aklında saf halleriyle kalmaları daha iyiydi. Fırçasının ucunu, son kez kullanmak üzere siyah boyaya özenle buladı. Sonra tuvaldeki yaşlı adamın ve köpeğin üzerinden, ikisi de kara bir örtünün altında kalana kadar defalarca geçti. Fırçanın tuvale her değişinde, içinde, derinlerde bir yerde, ruhunun en sevdiği parçası da yavaş yavaş kararıyor ve ışıktan yoksun kalıp ölüyordu. Tuval simsiyah bir dörtgene dönüştüğünde, fırça kendiliğinden açılan parmaklarının arasından yere düştü.

❖ ❖ ❖

Işıl, masaya döndüğü zaman ihtiyar adamı dalgın ve mutsuz bir ifadeyle çaprazlarında kalan bir çocuğu seyrederken buldu. Patronunun aklından neler geçtiğine dair en ufak bir fikri yoktu, ama keyfini kaçıran bir şeyler olduğu belliydi. Hâlâ az önceki yanlış anlamayı mı düşünüyordu acaba, bunun çocukla ne ilgisi olabilirdi ki? Kendisini yaşlı hissetmesi hiç evlenmemiş patronunda çocuk özlemi mi yaratmıştı?

Yiğit, onu fark edince ellerini masanın üzerinde kavuşturup gülümsemeye çalıştı. Bu tatlı kızı buraya bir kutlama yapmaya çağırmıştı ve bunu mahvetmeyecekti. Ama masaya yeni bir şişe şarap söylemeden önce, verdiği kararı onunla paylaşmadan edemedi.

"Ben yarın adadaki konağa gidiyorum Işıl. Buradaki işler sana emanet."

-30-

"Sadece halini hatrını soracağım, sadece o kadar... Bunun hiçbir sakıncası yok. Onu aramayacağıma söz verdim, aramayacağım da... Ama mesaj atmak konusunda konuşmadık, yo hayır, bunu konuşmadık. İstemezse cevap yazmaz, kendi bileceği iş. Hem ya o da bunu yapmamı bekliyorsa? Ya şu an konuştuklarımıza boşverip bana ulaşmayı denese diye düşünüyorsa? O beni ölse aramaz, ne inatçıdır, gururu izin vermez. Denemezsem bunu nasıl öğrenebilirim?"

Metin yatağa yarı uzanmış, sırtını duvara dayamış, cep telefonunu elinde çevirirken, neredeyse kendisini değil de telefonu ikna etmeye çalışıyor, ondan tuşlarına basmak için izin istiyordu.

Leyla ile ilişkilerine nokta koymaya karar verdikleri gün, bir daha birbirleriyle görüşmemek konusunda anlaşmışlardı. Bu her şeyi daha da zorlaştırmaktan ve onları hüzünlendirmekten başka bir sonuç doğurmuyordu. En iyi başlayan sohbetleri bile sonunda bir tartışmaya ya da çoğunlukla Metin'in hedef olduğu incitici sözlere dönüşüyordu, bir türlü doğru cümleleri kuramıyor, anlaşmayı beceremiyorlardı. Yanlış zamanda tanıştık, demişti Leyla bir seferinde. Yeni bir ilişkiye hazır değildi, Metin'in çekimine kapılmış, ona karşı koyamamış, daha bir öncekinin yorgunluğu geçmeden yeniden zorlu sulara açılmıştı. Bu yüzden yürümemişti, yürütememişlerdi. Metin'in kafasında dönüp duran soru ise onu bir türlü rahat bırakmıyordu. Peki ya artık hazırsa? Ya şimdi, tam onu düşündüğü şu an, yanında olmasını istiyorsa...

Derin bir soluk aldı ve telefonun tuşlarıyla aklına gelen ilk cümleyi yazdı.

"Canım, ben sürekli seni düşünüyorum..."

Mavi ekrandaki beyaz harfleri bir süre can sıkıntısıyla seyretti, sonra sil tuşuyla hepsini yok etti. Fazla laubali bir girişti bu. Açıkçası fazla da ezik.

"Nasıl olduğunu merak ettim. İyi misin?"

Bu daha iyiydi. Kabul edilebilir sınırlarda... Gönder tuşuna basarken içinin rahatladığını hissetti. Geri dönüşü olmayan bir yola girmişti, bu bir yol ayrımında kendini yiyip bitirmekten daha iyiydi. Ama ferahlama hissi sadece birkaç saniye sürdü, sonra kaygı çok daha güçlenerek geri döndü, kalbindeki tahtına oturdu.

Dakikalar birbirini kovalarken o mesajı attığına pişman olmak üzereydi. Cesaret edip arasa en azından cevabı hemen alırdı, kendisiyle konuşmak istemiyorsa da bunu beklemeden öğrenmiş olurdu. Şimdi aklında onlarca kurgu birbiriyle boğuşuyor, onu meraktan meraka sürüklüyordu.

"Bir cevap gelmedi, okumadı mı acaba? Ya telefonu değiştiyse, o zaman asla okuyamayacak. Ben cevap vermek istemedi sanacağım, oysa onun haberi bile olmayacak mesajımdan. Belki telefonu kapalıdır, şarj etmeyi ne sık unuturdu canım benim. Şu meşhur dernek toplantılarından birinde de olabilir, ya da tiyatroda, sinemada, hiç açık bırakmazdı öyle zamanlar."

Birden telefonun iki kez ötmesiyle irkildi. Leyla'nın cevabı mıydı bu, yoksa o sersem reklam mesajlarından mı gelmişti yine? Ne olursa olsun diyerek telefonu aldı ve aç tuşuna bastı. Beklediği yanıt oradaydı, içindeki soru işaretlerinden kurtulması için okuması yetti. Üstelik kısa ve hiçbir yanlış anlamaya ihtimal bırakmayacak kadar netti.

"Şu an hayatımda biri var Metin. Lütfen bana bir daha mesaj atma."

Bir anlığına yüreğinde bir sıkışma hissetti. Bir acı, bir hayal kırıklığı, belirsiz bir yerden başlayarak ve hızla güçlenerek bütün bedenini kapladı. Hayatında biri mi var! Ama nasıl? Daha ayrılalı ne kadar oldu ki? Bir ilişkiye hazır değildin hani? Seni sürtük yoksa bu benden kurtulmak için bahane miydi! Bana neler demiştin... Seninle ilgisi yok Metin! Hepsi yalandı demek! Ama bu duygunun hakimiyeti yalnızca birkaç dakika sürdü. Acı hafifleyip yok olurken, yerini gerçek bir rahatlamaya bıraktı. Birdenbire böyle bir ruh haline girmek onu şaşırttı, içinde kalıcı bir sızı yaratmadığına göre, galiba Leyla'yı kaybettiğini çoktan kabullenmişti. Kafasındaki belirsizlikten, ona huzur vermeyen acabalardan kurtulmanın bu kadar iyi geleceğini bilse, çoktan atardı o mesajı.

Duygularındaki gelgit onun için yeni bir keşifti, uzanıp yakındaki kalemle not defterini aldı.

"İnsanın ruh hali ne kaypak!" diye yazdı, ileride bir kitabında kullanma düşüncesiyle, "Ne hızlı değişebiliyor duyguları, acıdan neşeye, sevinçten hüzne dönebiliyor, bazen hızını takip edemiyorum..."

Hemen sonra içinde yeniden bir sıkıntı büyüyünce defteri yatağın üstüne attı. Hava alma ihtiyacı duydu ve kalkıp kapıya yürüdü. Dışarı çıktığında aklından konağın bahçesine inip biraz dolaşmak geçiyordu. Ağaçların arasında sakince bu yeni keşfi üzerinde düşünmek istiyordu. Tam merdivenlerin başında, basamakları neredeyse ikişer ikişer çıkan kahyayla karşılaştı. Adamın suratında konakta yangın varmış gibi bir ifade gördü.

"Hayrola Rıza Efendi? Bir şey mi oldu?"

Kahya, yolunu kesen adama işine engel oluyormuşçasına öfkeyle baktı, ardından yaptıkları güzel sohbetleri hatırlayıp ifadesi yumuşadı, babacan bir tavırla "Aman beyim hiç sorma," dedi. "Az önce haberim oldu, aslında dün geceden aramışlar, ama bizim Ayşe Hanım sağolsun beni uyandırmaya kıyamamış, yeni söyledi bana, kızdım tabii ama çok da bir şey demedim, ben de ona kıyamadım."

"Ne oldu ki, kötü bir şey mi?"

"Yok yok, bilakis. Müjde sayılır. Yiğit Beyim akşam adaya geliyormuş, bir hafta kalacakmış. Evde bir sürü eksik var, onları halletmek gerek. Birkaç kapının kolu gevşemiş, bir musluk da tam kapanmıyor, beyim böyle şeylere kızar, sahilden birilerini çağırdım gelecekler az sonra. Ben de alışverişe gidiyorum şimdi. Konağı da iyice elden geçirmek lazım, gözden kaçmasın bir şey. Senin bir isteğin, emrin var mı, hazır çıkmışken alayım?"

"Yok bir şey, sağ ol," dedi Metin. Adamın heyecanı onu gülümsetmişti. "Hadi işine bak sen. Kolay gelsin. Bir yardım gerekirse söyle."

Kahya teşekkür edercesine güldü, sonra Metin'in yanından süzülüp odasına doğru hızlı hızlı yürüdü.

Genç adam, merdivenlerden aşağı dalgın bir ifadeyle baktı. Yiğit Bey konağa geliyordu demek? Yarışmanın sona ermesine sadece birkaç gün kaldığı düşünülürse bu manidardı. Gelişmeleri merak etmiş olmalıydı, işini şansa bırakacak bir adam değildi Yiğit Ulaşlı. Yarışmayı düşünmek onu az önce yaptığı planlardan uzaklaştırdı. Zeynep'i Teoman'a, Leyla'yı hiç tanımadığı bir adama kaybetmişti, onları geri almak için yapabileceği bir şey yoktu, ama bu sefer mutlaka kazanacaktı. Kadınlar konusunda pek şanslı sayılmazdı, bunu içine sindirebiliyordu, ama söz konusu olan yazmaksa, ipler onun elindeydi.

Dönüp odasına yürüdü. Hâlâ vakti varken öyküsünde birkaç cümleyi daha parlatması iyi olacaktı.

Bir huzursuzluk vardı Bozkayalılar'ın obasında. Dövülen derilerde, pişirilen yemeklerde, çadırlar arasında koşturan çocuklarda bir huzursuzluk vardı. Yüksek sesle söylenirse korkulan gerçek olacakmış gibi kaygılarını kendine saklıyordu herkes. Ama her baktıkları yerde, göz göze geldikleri her obalıda, aynı düşünceleri ve duyguları görebiliyorlardı.

Üç gün önce konmuşlardı bu nehrin kıyısına. Uzun ve yorucu bir göçün ardından, soluklanıp güç toplamak için en azından birkaç ay kalmak maksadıyla kurmuşlardı çadırlarını. Arkalarında orman, önlerinde pırıl pırıl bir nehir, onlara düşman tarikatlardan ve eşkıyadan uzak, burada rahat edeceklerini ummuşlardı.

Geceleri ormandan gelen uğultularla başlamıştı her şey. Ruhlarını üşüten, karanlığı koyulaştıran seslerdi bunlar. Belli belirsiz, arada bir duyulsa da bu uğursuz uğultular, başları göğe uzanan ağaçlar ilk günkü kadar dost görünmüyordu artık onlara. O yöne baktıklarında içlerinden türlü kaygılar geçiyor, bakmadıklarında hayallerinde karabasanlar büyüyordu. Geçen gece kaybolan at da korkusunu artırmıştı Bozkayalıların. Kol kalınlığındaki ipi bir bıçakla kesilmemiş, bir hırsla çekilip kopartılmıştı. Sadece bir çocuk görmüştü atı çalanı ve o da gördüğünden öyle korkmuştu ki nutku tutulmuş, o geceden sonra tek kelime etmez olmuştu. Ne ailesi ne de ulu şamanlar açabilmişti yavrucağın dilini. Ak-Kam Tayboğa sabah yüzünü ormana dönüp sınırsız bir kötülükten dem vurunca, uğursuz kehanetler sıralayınca obalının yüzü düşmüştü iyice.

İşte o yüzden göndermişti Oba Beyi en şanlı yiğitleri Kurtbeg'i önlerindeki yolu keşfe. Bir tehlike yoksa burada fazla kalmadan toplanacaktı çadırlar, kendilerini gene yola vuracaktı Bozkayalılar. Kimse bundan konuşmasa, onları korkutan hiçbir şey yokmuş gibi davransalar da, hepsinin akıllarında bu vardı, Kurtbeg bir an önce dönsün, bu uğursuz yerden gidelim istiyorlardı. Gözleri gayri ihtiyari ormana kaydığında o karanlık fısıltıları içlerinde duyuyorlardı.

Obada yalnızca bir kişi Kurtbeg'in bir an evvel dönmesini çok başka sebeplerle bekliyordu. Geçtikleri tüm yörelerde dillere destan olmuş, güzeller güzeli Güvercin'in yiğit delikanlıya aşkını bilmeyen yoktu. Ak-Kam Tayboğa'nın kızı gözleri yollarda yün eğirirken iyice sessizliğe gömülmüş, kendi içine kapanmıştı.

Tayboğa, çadırından çıktığında yere bağdaş kurmuş can parçasını gördü ve derin bir iç çekti. Ne dünyada ne Ulgen'in diyarında görmüştü kızının güzelliğiyle yarışabilecek bir insan evladı. Onu böyle durgun görmek canını yakıyordu. Yanına yürüdü ve kocaman bir gülümsemeyle günaydın dedi yavrusuna. "Yine yüzünden düşen bin parça güzel kızım, de bana derdin ne, niye içten içe ağlar gözlerin?"

"Kurtbeg'i merak ederim babam," dedi Güvercin başını yerden kaldırmadan. "Gittiği yolda neler gelir başına, ne şeytanlar çıkar karşısına?"

Tayboğa anlayışlı bir ifadeyle başını salladı. Oba göçe başlamadan önce güvenli bir yol bulmak için yiğitlerden birini önden gönderirlerdi hep. Çoğu zaman dönmezdi bu yiğitler, ya eşkıyaya ya da vahşi hayvanlara yem olurlardı. Kızının adını koydukları gün aklına geldi. Daha yeni doğmuşken, çadıra giriveren bir güvercin kanlar içindeki anasının üstünde iki kez kanat çırpıp dışarı kaçmıştı. Bebeğini kızıla bulanmış ellerine alan kadın çığlıklar içinde haykırmıştı ismini. Güvercin bu kızın büyüdüğünde kendisi kadar güzel ve narin olacağını bilmişti sanki. Onun günün birinde kanatlarını açıp yarine uçacağını düşünmek Tayboğa'yı üzdü, ama hayat böyleydi.

"Kurtbeg yiğitlerin yiğidi, aslanların aslanıdır. Yolda onu bekleyen şeytanlar varsa, Kurtbeg için değil o şeytanlar için kaygılan güzel kızım."

Güvercin o gün ilk kez gülümsedi. Ay parçası gibi yüzünü babasına kaldırdı ve bakışlarıyla teşekkür etti.

Gün alçaldı, hava yavaş yavaş karardı. Geceyle birlikte obalının söze dökülmeyen kaygıları ağırlaştı. Çocuklar ve kadınlar çadırlara çekildi, yiğitler yaktıkları ateşlerin etrafına bağdaş kurup nöbete durdular. Mızraklarıyla kılıçlarını yanlarına çatmışlardı, ormandan gelen her çıtırtıda gözleri onlara kayıyordu.

Bir huzursuzluk vardı Bozkayalıların obasında. Uyumaya çalışan kadınlarda, sıkı sıkı bağlı atlarda, ateşlerin dumanında bir huzursuzluk vardı.

"Sessiz ol!" diye emretti iblis, saklandığı ağacın ardından ilerideki çadırları süzerken. Yılan başlı kuyruk havada bir daire çizdi, sahibinin koluna dolandı, önce nöbet tutan yiğitlere, sonra da iblisin gözlerine büyük bir özlemle baktı.

"Bana bir keçi..." dedi bir tıslama eşliğinde. "Bana bir çocuk..."

"Kapa çeneni!" diye kızdı iblis. Kuyruğun yılan başını boğazından tuttu, nefessiz bırakacak kadar sıktı. "Bunun için gelmedik! Ses etme daha!"

Yılan baş, sahibine öfkeyle tısladı. İçinden atılıp sivri dişlerini koca yaratığın boynuna geçirmek geldi. Ama o ölürse kendisi de ölürdü, bunu biliyordu, iblis içinse aynı şey geçerli değildi. Dilerse onu tuttuğu gibi çekip koparır, bir kenara fırlatır, yarası iyileştikten sonra hayatına devam ederdi. Bu haksızlığı düşünmek onu hırslandırdı, iblisin pençesinden kurtulunca atıldı, dişlerini topuğuna geçirdi, çok canını yakmadan ısırdı. İblis buna güldü geçti.

Devasa yaratık, gece karası rengindeydi. Ağaçların arasında sessizce ilerlerken görülmesi neredeyse imkansızdı. Bunun rahatlığı içinde obanın iyice yakınına sokuldu. Atlar varlığını hissetmişçesine huzursuzca kişniyorlardı, ama onlar için gelmemişti. Nöbetçilerin o tarafa yönelmesi işine geldi, böylece çadırların yakınında fazla adam kalmamıştı. Derin bir soluk aldı, yılan başlı kuyrukla bakışlarıyla anlaştı, kara bir rüzgâr gibi iki ağacın arasından obaya aktı. Uzun bacaklarının üstünde olanca hızıyla en yakın çadıra koştu. Çadırı bir hamlede tutup yana savurdu, kalın bir kilimin üstünde uyuyan genç bir adamı tuttuğu gibi sırtına vurdu. Çadırın uçuşu ve adamın çığlığı, yiğitleri ayaklandırmıştı, ama onlar mızraklarını, yaylarını alıp oraya varana dek, iblis avıyla birlikte ağaçların arasına dönmüştü bile. Peşinden birkaç ok savurdular, bir iki mızrak attılar, ama takibi çok uzun tutmadılar. Orman uğursuzdu, bilinmez tehlikelerle doluydu, gece karanlığında daha içlere gitmeye kimsenin yüreği yetmedi. Kös kös döndü yiğitler, tümü ayaklanmış obalıların yüzüne bakamadılar, çadırlara dağıldılar.

Gün doğdu, etraf ışıdı. Yiğitlerden biri bile dışarı çıkmadı, bir yana savrulmuş çadırı, boş kalmış saman yatağı görmekten, dostlarını kötü kaderine terk ettiklerini hatırlamaktan korkuyorlardı.

İşte bu yüzden Kurtbeg apak atının üstünde obaya döndüğünde, etrafta yalnızca yaşlıları, çocukları ve kadınları gördü. İşte bu yüzden obaya koyu bir karanlığın çöktüğünü daha ayağı yere basmadan anladı. Onu karşılamaya gelen şamanların piri Tayboğa'ya bir cevap arayarak baktı.

Yaşlı şaman, karşısında dağ gibi duran yiğidi süzerken, onun doğduğu günü hayal etti. Obanın üstüne Er-lik'in hışmının çöktüğü gecelerden biriydi. Çevredeki dağlardan sayısız kurt inmiş, önlerine gelene saldırmışlar, çoluğu çocuğu, kıymetli develerini boğazlamaya başlamışlardı. Yiğitler onları kovalayana kadar neredeyse tüm çadırlara girmişlerdi. Bir tek anasının o gece Kurtbeg'i doğurduğu çadıra, önünden defalarca geçtikleri halde dokunmamışlardı. Kurtlar bebeği kutsadı demişti şamanlar, Tayboğa da bunu onaylamıştı. Çocuğun adını onlar değil kurtlar koymuştu.

Kendi adını alış hikayesi aklına geldi, hafifçe gülümsedi. Bunu bilenlerden kimse hayatta değildi bugün. Öyle olması da en iyisiydi.

❖ ❖ ❖

Teoman, parmaklarını tuşlardan çektiği zaman kendisini ölesiye yorgun hissetti. Arkasına yaslandığında bileklerindeki ağrının daha fazlası sırtından beline aktı. Saatlerdir bilgisayarın başından kalkmamıştı, neredeyse her cümleyi yeni baştan yazıyor, parlatıyor, zenginleştiriyordu. Dün gece öyküsünü eline alıp sakin kafayla okuduğunda, bir başkasının kaleminden çıkmış gibi eleştirmen gözüyle ölçüp biçtiğinde büyük bölümünü, özellikle de aklı Zeynep'le doluyken yazdığı kısımları fazlasıyla zayıf bulmuştu. Ben neler yapmışım diye kızmıştı kendisine, nasıl cümleler bunlar, yarısı düşük yarısı gereksiz, amatörce bile denemez, daha çok gülünç, böyle mi yazıyorsun sen, bu kadar mısın? Öyküyü yalnızca birkaç gün sonra jüriye teslim etmesi gerektiğini düşündükçe içini bir bunaltı kaplıyordu. Bu haliyle okumalarına izin veremezdi, hayır, bu olamazdı. Çayından bir yudum aldı, beyaz ekrandaki kara harflere kaygılı bir ifadeyle baktı.

"Yetişecek," dedi hırsla, "Yetişecek, yetişmeli..."

Uykusuzluktan ve ışık saçan ekrana odaklanmaktan gözleri kan çanağına dönmüştü. İçinde çocuksu bir ses her şeye boş ver diye fısıldıyordu, bunu kendine neden yapıyorsun? Bunu bize neden yapıyorsun? Git yat yatağına, olduğu kadar işte, sanki Metin orospusu daha iyisini yapabilir... Zeynep'in göğüsleri ne lezzetli... Çal kapısını, çök üstüne, huzur bul.

Başını çevirdi, karşı duvardaki aynaya, yansımasına baktı. Oradaki adamın suratında gördüğü kendine güvenmeyen, pes etmeye hazır yılgın ifade hoşuna gitmedi.

Yorgunum... Çok yorgunum...

O an gözlerinin içine baktığı o adamdan nefret etti. Tiksinirdi böyle tiplerden. Kolaycı, her şey önüne altın tepside sunulsun isteyen, kötü yazmasına hep bir bahanesi olan, yıllar boyu eleştirilerinde yerden yere vurduğu o süprüntülerin yazarları gibi...

Ne oldu, zoru görünce kaçıyor musun?

Avucunu masanın sivri kenarına sertçe vurdu, aynadaki adamın suratı çarpıldı.

Elini havaya kaldırdı. Aynadaki adamın avucunda büyük kırmızı bir leke vardı, kan oturmuş olmalıydı.

Masaya güçlü bir yumruk vurdu, acı bedenine yayıldı.

"Bunu sana her gün yaparım," dedi kararlı bir sesle. "Her gün yaparım."

Aynadaki adam gözlerini kaçırdı. Teoman yeniden ekrana döndü.

Oda bir kez daha klavye tıkırtılarıyla doldu.

-32-

Maiora 24, denizi kıvrak hareketlerle yararak adaya doğru yaklaşırken, sandallarında balık tutan birkaç adalı bu her ayrıntısına özenilmiş bembeyaz yatı seyretmek için oltalarını bırakıp ayağa kalktılar. Yazları adaya yerli yabancı pek çok tekne gelirdi, irili ufaklı, motorlu ya da yelkenli, ama böyle güzeline ender rastlanırdı. Bu İtalyan mucizesi yat Yiğit'in en sevdiği oyuncaklarından biriydi, Madrid'li ortağını ziyarete gittiği bir gün ilk görüşte âşık olmuştu ona. Ortağı yata gösterdiği aşırı ilgiden milliyetçi bir gurur duymuş, bir üst modelini aldığında aralarındaki dostluğun hatırına onu Yiğit'e uygun bir rakama satmaya gönül indirmişti. Yiğit daha sonra bu jestin altında teknenin epey hoyrat kullanılmış olmasının da yattığını fark etmişti fark etmesine, ama servet avcısı bir kadını sırf güzelliği için sineye çeker gibi omuz silkmiş, çıkardığı bakım masraflarına rağmen her fırsatta kendisini onun kucağına ve açık denizlere atmıştı.

Maiora yatlarının iç dekorasyonu ısmarlama yapılır, her ayrıntısına müşteri karar verir, bu yüzden denizin üstünde birbirinin aynısı iki Maiora'ya rastlamak mümkün değildir. Eski sahibi zevkli bir adam olduğu için Yiğit yatta çok fazla değişiklik yaptırmamıştı, ama salona el dokuması bir Türk halısı koydurup duvarları sevdiği ressamların tablolarıyla donatarak ortama imzasını atmaktan geri durmamıştı. Bir de kendi kullanacağı odadaki çift kişilik yatağı değiştirmişti, fantazileriyle meşhur italyan dostunun bu yatakta neler yaptığını düşünmek rahatını kaçırır diye korkmuştu.

Yirmi dört metrelik yat için iskelede uygun yer yoktu, bu yüzden Maiora, gösterişli bir manevrayla dönüp adaya paralel olarak demir attı. Denize indirilen motorlu bot kıyıya doğru yol alırken, sahildeki birkaç esnaf iyi tanıdıkları bu tekneyi birbirlerine gösterip, bonkörlüğü nedeniyle adada sevilen bir sima olan Yiğit Ulaşlı hakkında konuşmaya başladılar.

Bot biraz daha yaklaşıp içindekiler daha iyi seçilince, esnafın konuşmaları Yiğit'ten uzaklaştı, onun yanındakilere odaklandı. Yazlık kıyafetler içinde olmalarına rağmen sert ifadeleri ve kaslı bedenleriyle bu üç kişi, ihtiyar adamın ortakları ya da müdürleri olamazdı. Kendi halinde bir adamın gece karanlığında rastlamak istemeyeceği, bulaşırsanız muhtemelen zararlı çıkacağınız tiplere benziyorlardı. Bot iskeleye yanaştığında, adamlardan biri inip etrafı dikkatle gözledi, sonra elini uzatıp Yiğit'in yukarı çıkmasına yardımcı oldu. Herkes iskeleye ayak basınca, Yiğit kıyıda onu karşılayan adamına botu kendisine ait yere bağlamasını söyledi, ardından olduğu yerde gerinip sahile doğru yürüdü. Üç ızbandut patronlarını hemen arkasından takip ettiler, birinin elinde siyah, büyük bir resim dosyası vardı ve bu aykırı görüntü çok geçmeden dedikoduları üstüne çekti. Herhalde zengin holding patronu, şu meşhur koleksiyonuna yeni bir parça eklemişti. Kim bilir kaç para saymıştı, evinde kaç resim vardı, vesaire.

Birkaç dakika önce cep telefonundan aranıp çağrılan faytoncu, onları görünce şapkasını çıkardı, saygıyla selam verdi.

"Hoş geldiniz beyim, sefalar getirdiniz. Yolculuğunuz iyi geçmiştir inşallah."

"Sağ ol delikanlı," dedi Yiğit, adamın adını unuttuğu için kendine kızarak. Halbuki hep onu çağırıyorlardı bir fayton gerektiğinde, yüzünü hatırlamıştı. Bunu telafi etmek için inerken yüklü bir bahşiş bırakmaya karar verdi.

"Doğrudan konağa mı gidecez, yoksa biraz dolaşacak mısın beyim?"

"Konağa gidelim, yorgunuz biz," dedi Yiğit. "Başka zaman dolaşırız artık. Gene de sen acele etme, sakin sür."

Korumasının yardımıyla arkaya bindi ve kırmızı deri koltuğa kuruldu. Adanın havasını içine çektiği an özgürleştiğini, neredeyse gençleştiğini hissetmişti, burada olmayı seviyordu.

"Dosyayı bana ver," dedi korumasına sakince. Onu alıp kucağına koyunca kendisini daha da iyi hissetti.

Rahat ve keyifli bir yolculuktan sonra konağın kapısında faytondan bir bir indiler. Korumalar koleksiyoncunun etrafına yarım ay halinde dizildiler. Yiğit kahyası Rıza'yı kapının dibinde onları beklerken bulunca şaşırmadı, işini tutkuyla yapan bu sadık adam ona hiçbir zaman saygıda kusur etmemişti. Kahya, sevgili patronunu gördüğüne sevinmiş, biraz da heyecanlanmıştı, ama yanında getirdiği üç tedirgin edici adamla ilgili merakı hepsinden güçlüydü.

"Çantaları alayım beyim," dedi, adamlara doğru atılırken. Yiğit onu bir el hareketiyle durdurdu.

"Gerek yok Rıza. Onlar taşır. Nasılsın bakalım, her şey yolunda mı? Ben yokken keyfiniz yerinde miydi?"

"Elhamdülillah Beyim. Nazar değmesin, iyiydik çok şükür. Ama seni özledik, gözlerimiz yollarda kaldı."

Yiğit, bir başkası söylese yalakalık sayacağı bu sözlerdeki içtenliği görebiliyordu.

"Bahçeye iyi bakmışsınız. Bıraktığımdan güzel buldum."

"Ahmet işte beyim. Deli oğlan durmadan çalışıyor. Sana sürprizi de var, sonunda bir meyve ağacımız oldu. Görsen bizimkinin sevincini. Baba olan böyle sevinmez."

Yiğit gülümseyerek başını salladı. "Peki misafirler nasıl?" diye sordu konağa bakarak. Kahya patronunun asıl neyi merak ettiğini sezip doğrudan konuya girdi.

"İyiler beyim, haftalardır odalarından çıkmadılar. Yazıp duruyorlar, başka bir şey yaptıkları yok."

Yiğit bunu duyduğuna memnun olmuştu. Yüzüne mutlu bir ifade yayıldı. O sırada kahyanın yanındaki adamları kuşkuyla süzmesi gözünden kaçmadı. "Bu arkadaşlar bizimle birlikte kalacaklar," dedi. "Yanımda Almanya'daki etkinlik için bir resim getirdim. Değerli bir parça, güvende olduğundan emin olmalıyım. Almanya'ya kendim götüreceğim, o zamana kadar onlara emanet. İşlerinin ehlidirler, yanlarında rahat olabilirsin. Konağın içine karışmayacaklar, orası senin sorumluluğunda kalacak. Sadece bahçeyi ve kapıları gözleyecekler, dönüşümlü nöbet tutacaklar. Duvarlardaki alarm sistemleri çalışıyor mu?"

"Çalışıyor beyim, emrettiğin gibi her hafta kontrol ediyorum."

"En son Pazartesi ettin demek," Yanındaki korumaya döndü. "Ali, şu alarmlara bir bakın," dedi. "Bu gece içim rahat uyumak istiyorum. Rıza Efendi, sen arkadaşlarla bir tanış, sonra onları misafir odalarına yerleştir. Ayşe Hanım'a söyle, kurt gibi açız, şöyle mükellef bir sofra kursun, akşam yazar dostlarımla birlikte yemek istiyorum. Ama önce çalışma odama gidin, resmi kasaya koyun. Şifresini biliyorsun."

Rıza başıyla onayladı ve resmi taşıyan irikıyım adama kendisini takip etmesini işaret etti. Diğer korumalar alarm sistemini kontrol etmeye giderlerken, Yiğit küçük bir traktörü andıran çim biçme makinesini temizlemekte olan bahçıvanın yanına yürüdü. Ahmet işine öyle dalmıştı ki ne gelenlerin ne gidenlerin farkındaydı. Arkasında durup çalışmasını bir süre seyrettikten sonra, "Merhaba Ahmet" dedi sevecen bir sesle. Delikanlı döndü, ona gülerek baktı, sonra bir çocuk gibi sımsıkı sarıldı.

Bu sevgiyi özlemişti, içeride onu bekleyen güzel Zeynep'i, Ayşe Hanım'ın şen kahkahalarını, bahçesini, konağını, her şeyi özlemişti.

Burası mükemmel çizilmiş, kocaman bir resim gibiydi ve hayatta bütün hedeflerine ulaştığında, bu resme kalıcı olarak katılıp, bir köşesinde küçük bir figüre dönüşerek zamanı dondurmaktan daha çekici bir gelecek düşünemiyordu.

-33-

Yiğit Ulaşlı'nın hayatında iyi günler de olmuştu kötü günler de. Bazıları geçip giderken iz bırakmamıştı, şimdi durup düşündüğünde aklında bir hatıra canlandırmıyorlardı. Bazıları istese de aklından çıkmıyor, sık sık o anlardaki üzüntüsünü ya da sevincini hatırlatıyorlardı. Büyük aşklar yaşamıştı, aynı derede büyük korkular duymuştu. İlk defa bir kadının içine girmesi, babasının koltuğuna ilk oturuşu, amcasının resimlerine dair ilk övgüsü, hepsinin yeri ayrıydı. Ama bu parşömenleri eline aldığı gün hissettiklerini pek azıyla kıyaslayabilirdi.

Timur Yakupoğulları ismi, daha önce Yiğit için sosyetenin vasat simalarından biri olması dışında anlam taşımıyordu. Orta halli bir inşaat şirketinin sahibiydi Timur, ailesinden kalan servetin üstüne tek taş koymamış, kazandığı tüm parayı eğlenceye ve manken sevgililere harcıyordu. Bu sayede kendisinden daha zengin kişilerle aynı sosyete dergilerinde boy gösterebiliyor, aynı ortamlarda bulunabiliyordu. Köklü bir ailedendi Timur, bununla insanı bıktıracak kadar övünürdü. Yakupoğulları'nın ünü Osmanlı'nın ilk zamanlarına kadar uzanan soyağaçlarına dayanıyordu, içlerinden paşalar, milletvekilleri çıkarmışlardı.

Yiğit, Timur'la çok da istemeden katıldığı bir düğünde tanışmıştı. Gelin hatırlı ortaklarından birinin kızıydı. Bir an evvel bu sıkıcı ortamdan kaçabilme umuduyla şarapları birbiri ardına yuvarlarken, kendisi kadar bunalmış görünen bir adamla sırf oyalanmak için sohbete koyulmuştu. Yiğit'i uzaktan tanıyan ve iş hayatındaki hızlı yükselişine hayranlık duyan adam, laf resim tutkusuna gelince onu konuklardan Timur'la tanıştırmıştı. Timur yıllardır tek tablo satın almamıştı, ama ailesinden kalan zengin bir koleksiyona sahipti, hoş bir sohbetten sonra Yiğit'i resimlerini görmesi için evine davet etmişti. Bu davetin ardında, kendisinden daha zengin ve başarılı insanlara hava atmayı sevmesi yatıyordu, Yiğit de bunun farkındaydı, yine de koleksiyonunu merak ettiği için teklifi memnuniyetle kabul etmişti.

Sahip olduğu şirkete nazaran oldukça gösterişli bir yalıda yaşıyordu Timur Yakupoğulları. Hiç kuşkusuz o da ailesinden kalmış olan yalı bir tepenin yamacına kurulmuştu; üç yanı şahane boğaz manzaralarına bakıyordu. Yiğit, ukala evsahibinin büyük bir gururla gösterdiği tablolara gülüp geçmişti, en iddialı parçası orta halli bir Amadeo Preziosi olan bu koleksiyon onunkiyle boy ölçüşemezdi. Açıkçası Yakupoğulları'nın duvara gerçek bir ağaç boyutunda nakşedilmiş, isim hanelikleri altın çerçevelere konmuş şaaşalı aile soyağacı, etrafındaki tablolardan daha ilgi çekiciydi. Timur misafirindeki alaycı yaklaşımı fark edip, ailesinin yüzyıllardır biriktirdiği resimlerden daha fazlasına tek bir insan ömründe sahip olduğunu öğrenince, içinde büyüyen kıskançlığa hakim olamamıştı. Son kozunu oynamaya, ona aslında pek az kişiyle paylaştığı aile sırlarını göstermeye karar vermişti.

Yiğit, bu sırdan bahsettiği an adamın gözlerinde parıldayan ışığı hiç unutmayacaktı.

Timur kısa bir süre ortadan kaybolmuş, döndüğünde cam muhafazalar içindeki üç parşomeni bir bir masaya dizmişti. Yiğit yaşadığı anın gerçekliğine inanamamıştı. İşte oradaydılar, göçe hazırlanan yörükler, kuyrukları yılan başlı iblisler, atlarını besleyen yiğitler, Siyah Kalem'in fırçasından çıktığı su götürmeyen resim dizileri görmesini bilen gözlere bir aşk, intikam ve tutku öyküsü anlatıyorlardı. Yıllardır pek çok sergide eserlerini görmüştü bu gizemli dahinin, hakkında kitaplar okumuştu, ona ait parçalanmamış bir parşomenin varlığı hakkında hiçbir şey duymamıştı. Saray albümleri dışında yabancı koleksiyoncular arasında elden ele geçen birkaç parça resmi olduğunu biliyordu, vaktiyle Schulz koleksiyonunda bulunan iki resim, daha sonra Claude Anet ve Vignet koleksiyonlarına girmişti, Halil Ethem koleksiyonunda bulunan başka bir resim parçası koleksiyoncunun ölümünden sonra iz bırakmadan ortadan kaybolmuştu. Ama parçalanmamış parşomenler! Bu hayallerinin ötesinde bir sürprizdi.

Timur misafirinin şaşkınlığını ve hayranlığını fark edince, mutlu bir ifadeyle öyküsünü anlatmaya başlamıştı.

"Bu parşomenlerin kişisel koleksiyonuma katılmaları oldukça eskiye dayanır Yiğit Bey. Öykünün bir kısmını ailemin tarihçi üyeleri uzun araştırmalar sonucu derlemiş, bir kısmı ise ağızdan ağıza aktarılan, bir miktar şüpheli rivayetler. Bir tutku ve aşk hikayesi bu. Ama bir kadına ya da erkeğe duyulan türden değil, bir emanete ve emanet edene karşı beslenmiş, asırlar boyu kalplerden kalplere taşınıp bugünlere kadar ulaşmış. Aslında her şeyin başladığı zamana, Yavuz Sultan Selim'in İran seferine çıktığı tarihe gitmek en doğrusu olacak.

Ulu Sultan büyük bir zaferle İstanbul'a döndüğünde, iki cengaveri atlarının terkisinde o dönem İslam alimlerinin topunun küfür sayacağı birer tomar parşomen taşıyordu. Bunlardan biri Yeniçeri Ağası Üsküplü Cafer idi, üzerlerinde her türden insanın, hayvanın ve iblisin çizili olduğu parşomenleri çok güzel bulmuş, kendisine saklamaya niyetlenmişti, ama rivayet o ki gördüğü bir rüya ile onların cehennemde yanacağı ateşi tutuşturacağı korkusuna kapılmış, hepsini saray kütüphanesine terk eylemişti. Orada kim bilir kim tarafından parçalara ayrıldılar, hangi düşünceyle bütünüyle yok edilmediler, meçhul. Bazıları günümüze kadar gelebilen bu resimler, köşelerine yazılı notlardan anlaşıldığı üzere ismi Mehmet lakabı Siyah Kalem olan gizemli bir çizerin eserleri olarak addedildiler. Sergilere konu oldular, haklarında kitaplar yazıldı, seminerler düzenlendi. Sonradan bu parçalardan bir kısmının saray kütüphanesinden her nasılsa çıktığı anlaşıldı. Belki de onları parçalayan kişi bir sebepten yanında götürmüştü, bilen yok... Bazı zengin ailelerin koleksiyonlarında izlerine rastlandı, ama hiçbiri tam ve bütün bir parşomene sahip değildi.

İran'dan benzer bir ganimetle dönen diğer adam ise adı sanı bilinmeyen genç bir yeniçeriydi, ilk görüşte vurulduğu parşomenleri son nefesine kadar tek göz evinde sakladı, karısına ve çocuklarına bile göstermedi. Ölmeden önce onları saray hattatlarına çıraklık yapan genç bir delikanlıya emanet etti. Kimileri o gençle arasında bir nevi yasak aşk olduğunu da rivayet ederler, ama orasını Allah bilir. Bana sorarsanız olmayacak iş değil, ailesinden sakındığını bu delikanlıya teslim edebildiğine göre, onun için fazlasıyla özelmiş anlaşılan. Çırağın adı Hüseyin'di ve emaneti uzun yıllar gözü gibi sakladı. En zor anlarında onlara bakıp sevgili yeniçerisini hatırlayarak mutlu oldu. Ta ki parasızlıktan inlediği bir gün, yeni tanıştığı bir Fransız seyyaha sırrından bahsedip kendisine yapılan cömert teklife hayır diyemeyene kadar. Seyyah, parşomenleri bir süre ülkesinde tuttu, sonra canı yeniden doğulu kadınları ve Türk yemeklerini çekince soluğu İstanbul'da aldı. Kadın uğruna karıştığı bir kavgada tam kellesinden olacakken imdadına namlı bir kabadayı yetişti. Elbette kabadayı bir gavura karşılıksız yardım edecek değildi. Seyyah ona olan borcunu ödemek için parşomenleri zengin bir Osmanlı tüccara satmaya mecbur kaldı. Zaten uğursuzluktan başka bir şey getirmediklerini düşünüyordu. Ama onları satmak da kendisine yaramadı, Fransa'ya dönerken ince hastalıktan gemide ölüp gittiği söylenir. Parşomenlerin öyküsünü büyük ölçüde bu maceraperestin aksatmadan tuttuğu günlüğe borçluyuz. Tüccarın adı Yakup'tu ve parşomenler bir daha onun ailesinden dışarı çıkmadı. Oğuldan oğula geçtiler, bir aile mirası olarak, Yakupoğulları'nın sırrı ve şanı olarak kaldılar. Ailem nice badireler atlattı, Cumhuriyet'in kuruluşunu gördü, mallarına el konuldu, pek çok açıdan sıfırdan başlayıp yeniden zenginleştiler. Ama parşomenleri ellerinden çıkarmayı bir an olsun düşünmediler.

Onların gerçek değerlerini, daha doğrusu değer biçilemez olduklarını, ben ancak İngilizler kalkıp da biz Türklerin bin yıllık tarihini sergileştirince anladım. Sergide en cafcaflı yerin Mehmet Siyah Kalem denen bu gizemli ressamın eserlerine verildiğini görünce, ailemin sahip çıktığı ve yüzyıllarca sapasağlam sakladığı parşomenlerin kıymeti açığa çıktı. Ailemin yaptığı gibi, yıllardır onları sadece çok yakın dostlarımla, değerlerini bilecek, onlara ticari bir meta olarak bakmayacak insanlarla paylaşıyorum sevgili dostum. Elbette bu bir sır olarak kalmalı, hırsıza uğursuza gün doğmamalı. Bunun için de size, hayatını koleksiyonuna adamış ve kaygılarımı anlayabilecek birine güvenebileceğimden eminim. Onlar asla bu odadan dışarı çıkmayacaklar. Asla o anlamsız sergilerde, çoluk çocuğun gezindiği müzelerde değer bilmez gözler tarafından hor görülmeyecekler. Varlıklarına dair dedikodulara tek tepkim yalanlamak oldu, bundan sonra da öyle olacak. Onları sadece benim seçtiğim özel kişiler görebilecekler. Bu emanete sahip çıkanların verdiği mücadelenin değerini anlayabilecek kişiler.

Mehmet Siyah Kalem de hayatta olsaydı, böyle olmasını isterdi eminim."

Yiğit, ellerini cam muhafazaların üzerinde tatlı bir rüyadaymış gibi gezdirdi. Ne kadar güzellerdi, ne kadar eşsizlerdi...

Odada birkaç saniye sessizlik oldu. Timur, zengin dostunun suratındaki ifadeden ne kadar etkilendiğini okuyabiliyor ve bundan sınırsız bir mutluluk duyuyordu.

"Bunları insanlardan saklamak olmaz..." dedi Yiğit, gözlerini parşomenlerden ayırmadan. "Olamaz! Tüm insanların bunları görmesi lazım. Tüm insanlığın..."

"Ne için?" diye burun kıvırdı Timur. "Birer gazete haberi, ansiklopedi maddesi olmaları için mi? Yapmayın Yiğit Bey, sizin beni anlamanız gerekiyor. Siz de bir koleksiyoncusunuz, herkesten çok sizin anlamanız lazım! İnsanların müzelerde gördükleri şeylere bir kıymet verdiğini mi zannediyorsunuz? Sergilerde gezerken Picasso'nun resimlerine, Rodin'in heykellerine alay ederek bakan insanlar gördüm ben. Hayvanat bahçesinde demir parmaklıklar ardında tutulan hüzünlü hayvanlar gibi, zarar görmemeleri için kurşun geçirmez camlara, alarmlara, korumalara ihtiyaç duyan zavallı sanat eserleri... Düşünen Adam heykelinin karşısındayken, etraftaki kızların kalçalarını seyretmeyi tercih eden sefillerle karşılaştım. O heykelin bir pop ikonu haline geldikten sonra kaç aşağılık karikatürde kullanıldığından, kaç düzeysiz espriye konu edildiğinden haberiniz var mı? Değer bilmez yaratıklar! En kötüsü de ne biliyor musunuz? Günışığına çıktıkları takdirde bu parşomenlerin fotoğraflarını çekecek ve binlerce, yüzbinlerce kopya halinde dünyanın her yerine ulaştıracaklar, en ücra köşelere bile. Kitaplara, gazetelere basılacak, kartpostallar halinde üç kuruşa satılacak, onları özel kılan biricikliklerini kaybedecekler. Birebir kopyaları var olduktan sonra yanıp kül olsalar kaç kişi ağlar arkalarından? Atalarımın, Çırak Hüseyin'in, o adı meçhul yeniçerinin, diğer hepsinin hayatları pahasına koruduğu bu güzellikler, internetten birkaç saniyede ulaşılabilir hale gelecek... Yo, Yiğit Bey, bu resimler asla sergi malzemesi olmayacaklar! İnsanlar kolay ulaşabildikleri şeylerin kıymetini bilmezler. Uğurlarında kuşaklar boyu verilen mücadeleyi bilirken, ayaklar altına alınmalarına izin veremem ben."

Yiğit, Timur'u dinlerken gözlerini bir an olsun parşomenlerden ayırmamıştı. Adamın sözlerinde bir miktar samimiyet olduğunu hissetmişti, gene de asıl sorunun bunlar olmadığından adı gibi emindi. Parşomenler Timur'un kendisini özel ve ayrıcalıklı hissetmesini sağlayan, başka özel insanları onları görmek için kendisine mecbur kılan bir oyuncağıydı; kimseyle paylaşmak istemeyişinin asıl nedeni bu olmalıydı. Başka türlü nasıl kendisini ayağına getirtebilir, ukalalıklarını sineye çekmesini sağlayabilirdi? Öyle değilse bile, bu mirasyedinin duygularına ya da takıntılarına herhangi bir önem verdiği söylenemezdi. Siyah Kalem eserlerini insanlardan saklamak için değil, tam tersine onlara ulaştırmak için ter dökmüştü. Bunun için obadan obaya dolaşmış, öykülerini merak eden herkesle sakınmadan paylaşmış, belki de bu yolda ölmüştü. Sonradan başkalarının resimlerine atfedecekleri tartışmaya açık değerler Siyah Kalem'in derdi değildi, Yiğit'in de olmayacaktı.

Belki sergilerde onların değerini anlamayacak insanların acımasız bakışlarına hedef olacaklardı, ama o kalabalığın içinden bu parşomenlerin üzerinde sadece birkaç çizgi, birkaç renk değil, onları çizen kişinin tutkusunu, yeteneğini, hayallerini, her ayrıntısına verdiği emeği görebilecek olanlar da çıkacaktı ve onlar bu resimleri, bu resimler de onları hak ediyordu.

O günden sonra bu parşomenler Yiğit için hayatının en büyük tutkusu olmuştu. Timur'a akla hayale gelmedik rakamlar teklif etmişti, ama adam her seferinde alaycı bir ifadeyle reddetmişti. Gözü yükseklerde değildi Timur'un, sahip olduklarıyla mutluydu, ailesinden kalanlar, şirketinin düzenli geliri, son nefesine kadar yaşam düzeyini korumasına yeter de artardı.

Parşomenleri para karşılığı elinden çıkarması ihtimal dahilinde görünmüyordu. Yani bu durumdan hoşnut olmayan biri tüm hırsıyla onun ve şirketinin üstüne çullanmasaydı...

Adı sanı duyulmamış yeni bir firma, tam da o günlerde Timur'un inşaat şirketinin girdiği tüm ihalelere katılıp zararı göze alarak onun iş yapmasına engel olmaya başlamıştı. Timur ilk başlarda bunu pek ciddiye almamıştı ama zaten ince bir ip üzerinde yürüyen mali dengesi sarsılınca bazı önlemler alması gerektiğini fark etti. Bu firma elbette Yiğit'in tanıdıklarına kurdurduğu bir paravan şirketti, ama zavallı Timur Yakupoğulları'nın bunu anlayabilecek kadar ticari zekası yoktu. Birkaç yıl içinde elindeki tüm serveti kaybedecek hale gelince, kurtarıcı olarak kapısını çaldığı ilk kişi, tam da onun beklediği gibi, bu süre zarfında sohbete devam ettiği Yiğit Ulaşlı oldu. Bu andan sonra atalarının emaneti, sosyete dergilerinden dışlanacak bir sefalete düşme riskinin yanında önemini yitirmişti. Yiğit parşomenleri ilk telaffuz ettiği rakamlardan çok daha azına satın aldı ve onu bu mafyavari firmaya karşı koruyacağına söz verdi. Kısa süre sonra, Timur'un başına bela olmuş şirket gerçekten de tası tarağı toplayıp İstanbul'daki tüm faaliyetlerini sona erdirdi. Timur Yiğit'e minnettardı, ama koleksiyoncunun sonuca tek bir telefonla ulaştığını bilse herhalde duyguları oldukça farklı olurdu.

❖ ❖ ❖

Yiğit, bir elini masanın üstüne yaydığı parşomenlerin üzerinde sevgiyle, teninde hissettiği kabartılardan ve kırışıklıklardan, ne kadar eski olduklarını hatırlatan her ayrıntıdan büyük bir keyif alarak gezdirdi. Üstündeki yörüklere, vücutları boğum boğum atlara, bir ateşin etrafında güreşen iblislere tutkuyla, hayranlıkla ve sahiplenerek baktı.

Işıl'ın Almanya'da düzenlenecek etkinlikle ilgili sözleri aklına geldi. "Hiç unutulmayacak bir gece olacak" demişti genç kadın kendisine, ne kadar haklı olduğunu bir bilseydi...

Bu resimleri insanlığa sunarak bir nevi hayatının diyetini ödemiş olacaktı. Her gördüğü resimle, derinlerinde bir yerde benzersiz resimler yapabilecek bir yeteneğin saklı olduğunu hatırlamanın, bunu kimseyle paylaşamamanın acısını ondan iyi kim bilebilirdi? Siyah Kalem'in resimlerini günışığına çıkartarak, günahının kefaretini biraz olsun ödemiş olacaktı. Onun yeteneği daima gizli kalacaktı, ama olsun varsın, Siyah Kalem'in de gerçek kimliği bir sır perdesinin ardında saklıydı. Onun kimliğiyle Siyah Kalem'in çizgileri buluşacaktı, onunla birleşecekler, o eserlerini, kendisi ise ismini verecek ve dünya durdukça, insanlar resimlere hayranlık ve tutkuyla bakmaya devam ettikçe, tarih onlardan bahsedecekti.

-34-

Ulu bir çınar boyundaki iblis, kayaların üstünden uçarcasına geldi. Yörükler onu gördükleri zaman dehşet içinde dört bir yana dağıldılar, kadınlar ve çocuklar çığlık atıp kaçışırken, erkeklerden yiğit olanlar yakınlara çattıkları mızraklarına koştular. İblisin yumruğunu yiyen birkaç bahtsız, ayakları yerden kesilip etrafa uçuştu, kimi bir kaya parçasına yapışıp kaldı, kimi tozlu toprakta taklalar attı. Dev yaratığın kollarının uzanamadığı yerlere uzun kuyruğu erişiyor, kuyruğun ucundaki yılan başı kah tıslayıp kah sivri dişlerini göstererek sahibinin sırtını sağlama alıyordu.

Iblis ayaklarının dibine yüzükoyun düşmüş genç bir adamı bir çırpıda sırtına aldı. O an ağzından avını yakalamış bir aslanın zafer çığlığı çıktı, yer gök korkuyla titredi. Yiğitler mızraklarını ardından fırlatırken, iblis tutsağıyla kayaların üstünde keçi çevikliğinde sıçrıyor, onu aklı başında kimsenin girmeye cesaret edemeyeceği ormana doğru kaçırıyordu.

Genç adam, bir ağaç gövdesini andıran kollar onu kavradığında çaresizlikten kaskatı kesilmişti. İblisin sırtında kayaların üstünde uçar, ormanın derinliklerine yol alırken, gözlerini sımsıkı yummuştu, inleyemiyordu bile. Bir ara durduklarında, yardım isteyen gözlerini araladı ve tam karşısında, ona aç gözlerle bakan yılan başını görüp acı bir çığlık attı.

İblis onu bir hamlede toprağa savurdu. Düştüğü yerde dizlerinin üstünde durdu, etrafına bakındı; kurban töreninde iblislerin çıplak elleriyle parçalara ayırdıkları bir attan geriye kalanların ortasındaydı. Ellerini koyduğu toprak ıslaktı, kana doymamıştı, belli ki daha fazlasını istiyordu. Dev yaratığın ona bakışındaki anlamı çözdüğü an çocuk gibi ağlamaya başladı. Yeni bir kurban gerekmişti. Yeni kurban kendisiydi.

❖ ❖ ❖

Ahmet yatağında bir çığlık atarak sıçradı, kızarmış yanakları gözyaşlarıyla yıkandı. Karanlığın içinde iblisin alev rengi gözlerini kabusundaki kadar net görebiliyordu sanki. Birkaç saniye kaskatı yattı, soluklarının düzene girmesini bekledi, gerçek dünyada olduğuna, yılan başlı kuyruklardan kurtulduğuna inanmakta zorlanıyordu.

Herkes Ahmet'e bir şeyler anlatırdı. Bahçede yanına gelir, onunla gün boyu içlerine attıklarını, başkasına söyleyemedikleri dertlerini, en mahrem sırlarını, umutlarını paylaşırlardı. Nasıl olsa Ahmet bunları başka birine fısıldamazdı, nasıl olsa onları yargılamaz, suçlamaz, olmadık hayalleriyle dalga geçmez, yüzlerine her zaman onunla konuştukları için mutlu olmuş bir ifadeyle bakar ve en çok genzinden çıkardığı bir hırıltıyla karşılık verirdi. Ama Ahmet bunları unutmazdı da. Dinlediği her şey, öğrendiği her karanlık sır ya da ayıplanacak olay aklında dönüp durur, şekilden şekile girer, kimi zaman düşlerinde olmadık yerlere bağlanır, çoğunlukla da büyür ve ona yük olurdu.

Yatağında yarı oturdu. Sırtını duvara dayadı, gözleri tavana kilitlendi. Karanlığın içinde yalnız ve korku doluydu. İblisler bu evdeydi, en korkunçları, en gerçekleri, sadece birkaç oda uzağındaydı, şu zavallı tahta kapılar onları kendisinden uzak tutabilecek kadar güçlü değildi. Ne kendisinden ne de biricik, canından çok sevdiği Zeynep'inden.

Öğlen Kahya Efendi her zaman yaptığı gibi bahçede yanına gelmişti. O çim biçme makinasını temizlerken, bir ağaca sırtını verip "Neler gördüğüme inanamazsın Ahmet," demişti. İblisleri anlatmıştı; onları kasaya kilitlediklerini, ne kadar görkemli olduklarını, daha önce gördüğü hiçbir şeye benzemediklerini... Sesinde hem hayranlık hem de bir korku vardı. Ahmet iblisleri biliyordu. Daha önce Zeynep de anlatmıştı onları; evi istila ettiklerini, hayatın tüm keyiflerini yok ettiklerini söylemişti, kızcağızın günlerdir gülmemesinin, gözlerinin önünde solup gitmesinin başlıca sebebiydiler. Şu misafir adamlar da anlatmıştı ara ara. Diğerleriyle konuşmak istemedikleri zaman gelip içlerini ona dökmüşlerdi. İblisler hakkında yazdıkları korkunç hikayeleri paylaşmışlardı. Ahmet onları biliyordu. Kasaya kilitlenenler, hiç kuşkusuz en tehlikelileri olmalıydı.

Yatakta dönüp duruyor, ama huzur bulamıyordu. Kötülüğün nereden ne zaman geleceğini bilememek onu deli ediyordu. Sessizliğin içinde duyduğu çıtırtılar konakta gezinen pençeli ayakları, sürünen yılanları hatırlatıyordu.

Bir şey yap! Yap! Yap! Yap!

Yataktan usulca kalktı. Karanlığın içinde el yordamıyla dolabını buldu ve açtı. İçinden çıkardığı bahçe makasını güçlü elleriyle sımsıkı tuttu. Parmaklarını keskin kenarında gezdirdi. O şeytani yaratıkların cennetini kirletmelerine izin veremezdi. Zeynep'ini üzmelerine seyirci kalamazdı. O kasadan kurtulup sevdiklerini bir daha geri getirmemek üzere uzaklara kaçırırlarsa ne yapardı? Onun tüm dünyası bu konaktı, kalbi buradakilere aitti.

İblis kötüdür. İblis kötüdür. İblis kötüdür.

Herkes Ahmet'e bir şeyler anlatırdı. Onun yanında en mahrem sırlarını çekinmeden dile getirirlerdi. Yiğit Bey'inin kahyaya kasanın şifresini söylediği günkü gibi, yanıbaşlarında çiçeklerle meşgul olmasına aldırmaz, onu görmezden gelir ve rahat rahat konuşurlardı. Ama Ahmet hiçbir şeyi unutmazdı. Hatırlayacak fazla bir şeyi yoktu zaten.

Genç adam bahçe makasını önünde tutarak, her metrede karşısına şeytan yüzlü bir yaratık çıkacak, yılan başlı bir kuyruk yolunu kesecek gibi tedirgin, onu Yiğit Ulaşlı'nın çalışma odasına götürecek adımları bir bir attı.

İblisleri buradan kovacaktı. Bunu ilk önce kendisi için değil, güzel Zeynep'inin yeniden gülümsediği görebilmek için yapacaktı.

-35-

"Yine şu piç kuruları..." diye homurdandı Teoman, yatağında huzursuzca dönerek. Ev sahiplerinin yanında getirdiği korumaların bazı geceler konağın içinde tur attıkları, kendilerince güvenliği sağlamak adına etrafı kolaçan ettikleri oluyordu. Gecenin koyu sessizliğinde adamların ayak sesleri ve yıllanmış tahtaların gıcırtısı, onun gibi tavşan uykusu uyuyan birini sık sık yatağında zıplatıyor, arkalarından okkalı küfürler savurmasına yol açıyordu. Genç adam, daha geçen akşam odasının önünden dikkatli geçmeleri için onları uyarmıştı, bu kez gerçekten sıkı çıkışmak için ayağa kalktığında, üzerinde sadece bir külot olduğunu düşünüp duraksadı. Kim bilir, belki de dışarıdaki Ayşe Hanım'dı, ona bu saatte kötü bir sürpriz yapmak istemezdi. Zeynep olabileceği aklına gelince ise bir an kızı kolundan tuttuğu gibi odaya çektiğini ve yatağa fırlattığını hayal etti. Teninin sıcaklığını, dudaklarını, yumuşaklığını, her şeyini çok özlemişti. Ne yapardı acaba, karşı koyar mıydı, yoksa o da uzun zamandır bunun ateşiyle mi yanıyordu? Sonunda kapıya yürümeden önce, bir sandalyenin arkasına asılı pijama altını giymeyi tercih etti.

Koridora çıktığında önce kimseyi göremedi. Sonra Yiğit Bey'in çalışma odasına giren bir karaltı fark etti, Zeynep olamayacak kadar iri, koruma olamayacak kadar ufak tefekti. Koca bir poposu olmadığına göre Ayşe Hanım da değildi. İçinde uyanan merakla o tarafa yürüdü. Şayet Yiğit ya da kahya ise, gecenin bir yarısında burada dolaşmasının öğrenmeye değer bir nedeni olmalıydı.

Bir gizemin peşine düşmenin heyecanıyla yürürken, karşılaşacağı sürprizi merak ediyordu. Belki konağa yerleşen korumaların ve bunca korunan şeyin sırrını öğrenirdi. Koleksiyoncu onca ısrarına rağmen hakkında tek kelime etmemişti. Nasıl bir resim bu kadar önemli olabilirdi ki? Koca konak bir kahyaya emanetken o resim için üç adam gece gündüz nöbet tutuyordu.

❖ ❖ ❖

Ahmet kasayı açarken elindeki makasla her türlü şeytana karşı savaşmaya hazırdı. Cennetini kirleten bu yaratıklardan intikamını almak ve onlardan sonsuza kadar kurtulmak istiyordu. İçeride yalnızca birkaç parça eski kâğıt olduğunu görünce önce şaşırdı, sonra misafirlerin anlattığı öyküler geldi aklına, iblislerin kâğıtların üstünde yaşadıklarını hatırladı. Parşomenleri tek tek çıkardı, elinde kirli bir şey tutuyormuş gibi iğrenerek, nefret dolu bir ifadeyle çalışma masasının üstüne yaydı. Açık durmaları için uçlarını kâğıt ağırlığının altına sıkıştırdı. Bahçeden gelen ışık içeriyi loş bırakıyordu, acaba aradığı gerçekten bunlar mıydı? Parşomenlerden cehennem yaratıkları fırlayacakmış gibi birkaç adım geri çekildi, bez şapkalı masa lambasını yaktı. İşte hepsi oradaydı, en büyük korkularının da ötesinde: Bir kurban töreni yapan iblisler ateşin etrafında çılgınca dans ediyor, ellerindeki mendilleri sallıyor, savurdukları at parçalarından çevreye saçılan kan damlalarına bakıp kahkaha atıyorlardı. Bir köşede iki tanesi atın kafası için kavga ediyor; yılan başlı kuyrukları zehirli dillerini çıkararak birbirlerine saldırıyordu. Yerde bir kayanın dibinde kolları bağlı bir adam yatıyordu, muhtemelen tören sonrası kurban sırası ona gelecekti. Parşomenlerde başka şeyler de vardı, atlarını hazırlayan genç yörükler, siyah bir tencere üzerine pazarlık yapan iki ihtiyar, büyük bir çadırın önünde bağdaş kurmuş kadınlar, ama Ahmet gözlerini iblislerden ala-mıyordu. Söyledikleri korkunç şarkıları, attıkları vahşi çığlıkları oradaymış gibi duyabiliyordu. Onunla konuşmaya, bir şeyler an-latmaya çalışıyorlardı, ama tanrı aşkına, o dehşet verici sesleri-ni dinlemek istemiyordu.

Susun! Susun! Susun! Susun!

Her yanda kelimeler uçuşuyordu, ona bağırıyor, kahkaha atıyor, homurdanıyor, mırıldanıyorlardı. Bu resimleri çizen bü-yücü her kimse, sanki onlara bir nevi ruh üflemişti, canlıydı-lar, pençelerini uzatıp onu tutmaya, parşomenin içine, yanları-na çekmeye uğraşıyorlardı. Birdenbire, yanı başında duran biri-nin varlığını hissetti, "Burda ne arıyorsun!" diye yükselen bir ses duydu. İçinde karşı konulmaz bir korku büyüdü, bu korku bir sa-niye sonra tüm kontrolü eline alan bir paniğe dönüştü. Şeytanlar dışarı çıkıyordu, hemen kaçmalıydı, buradan kurtulmalıydı! Bahçe makasını kendisini ve sevdiklerini korkunç dünyasına gö-türmek için gelen iblise olanca gücüyle savurdu. Uzun boylu ca-navar sarıldığı yarı çıplak kadın heykeliyle birlikte yere yığılır-ken, Ahmet kapıya doğru koşmaya başlamıştı bile. Son anda du-rup peşinden geliyor mu diye iblise baktı, yerdekinin kim oldu-ğunu görünce dondu kaldı. Misafir adamlardan biriydi bu, kı-pırtısız yatıyordu ve başından oluk gibi kan akıyordu. Hâlâ elin-de olan bahçe makasına gözü kaydı, uçlarını kaplayan al kanları fark edince gözleri korkuyla büyüdü.

Genzinden acı dolu iniltiler çıkararak Teoman'ın yanına geldi. Dizlerinin üstüne çöküp ne yapacağını bilemeyen elleri-ni genç adamın göğsünde gezdirdi. Özür dilemeye çalışıyordu, ama bunu nasıl yapacağını bilemiyordu. Her yer kızıla boyan-mıştı, yayılan ve ellerine bulaşan kanı durduramıyordu. İçinde önü alınmaz bir öfke kabardı, ona bu kötülüğü yaptıran iblislere bildiği tüm lanetleri okudu.

Hayır! Hayır! Hayır! Hayır! Hayır!

Gözleri kararmış bir halde doğruldu, masanın yanına gitti. Resimler hâlâ konuşuyordu, olan bitene hiç aldırmamış gibi, kendi öykülerini anlatmaya devam ediyorlardı. Sanki bu bizim suçumuz değil diyorlardı. Ama onların suçuydu! Bahçe makasını bir kez daha, bu sefer hırstan tüm kasları titreyerek havaya kaldırdı.

Cehennem yaratıklarını yok etmeye öyle odaklanmıştı ki, kapıdan içeri dalan bir başka adamın varlığını fark edemedi. Adam üstüne atladığında onunla birlikte, masayı da devirerek yere yuvarlandı. Ne yaptığını bilmeden hasmıyla boğuşmaya başladı, delice çırpınıyordu, kısa bir mücadeleden sonra rakibini alt etti, belki daha güçlü olduğu için değil, ama yüreğindeki öfkenin ona verdiği hırsla. Adamı üzerinden savurup ayağa kalktı, elindeki makasla yerdeki parşomenlere doğru yürüdü. Ancak odaya giren başka adamlar kollarına yapıştılar ve onu çok geçmeden hareketsiz bıraktılar. Yüzüne inen sert bir yumruktan sonra, yaşadığı heyecandan zayıflamış bilincini tümden yitirdi. Etraf yavaş yavaş karardı, çok ihtiyaç duyduğu huzurlu bir uykuya daldı.

❖ ❖ ❖

"İyi misiniz Metin Bey?"

Metin, delikanlıdan aldığı darbeler yüzünden sersemlemişti. Oda etrafında dönüyordu. Ellerinin ve dizlerinin üstünde duruyordu, ayağa kalkacak gücü bulamıyordu. Yanında çömelmiş adama, iki adım ötede kanlar içinde yatan Teoman'a baktı. Sonra gözleri üzerlerine birkaç damla kan sıçramış parşomenlere kaydı. Gördüğü şeyin ne olduğunu anladığı an, içinde tüm olan biteni bastıran bir şaşkınlık büyüdü. Adamlar onu kaldırıp kollarına girerlerken, neredeyse sürükleyerek odanın dışına çıkarırlarken, gözlerini yerdeki parşomenlerden bir an olsun ayıramadı.

-36-

"Şayet yetişmeseydiniz bu resimler yok olacaktı," dedi Yiğit, gözleri masanın üstündeki parşomenlerdeydi. Bir uçurumun kenarından dönmüş gibi hissediyordu, dibi görünmeyen zifiri bir karanlığa bakmış ve düşmesine ramak kalmıştı. Onları kaybetmenin kendisi için ne anlama geleceğini kimseye anlatamazdı; anlamazlardı.

"Buna inanamıyorum. Yüzyıllara direndikten sonra... Benim evimde... Olacak iş değil."

Böyle şeylere inanıyor olsa, Yakupoğulları'nın lanetine uğradığını düşünecekti. Acaba onları gözlerden uzak tutmakta bir bildikleri var mıydı?

"Yetişmeseler ben de yok olabilirdim," dedi Teoman iğneleyici bir ses tonuyla, "Tabii bunun pek önemi yok. Ben eşi bulunmaz bir sanat eseri sayılmam nasılsa."

"Kusura bakmayın Teoman Bey," dedi Yiğit, tam karşısında oturan yazara. "Ucuz kurtulduğunuz için mutluyum gerçekten."

"Hayatımı Metin'e borçlu olmak pek ucuz kurtulmak değil ya..." diye güldü Teoman. Genç adama baktı.

Metin bu fikirden rahatsız olmuşçasına başını iki yana salladı.

"Yok canım. Korumalar benden iki saniye sonra geldiler. Benim şansım odalarımızın aynı katta olması. Düşerken epey gürültü çıkarmışsın, mıknatıs gibi çektin hepimizi. Aslında resimlerin kurtulmasında en büyük pay senin, iyi ki uykun hafifmiş."

"İkinize de müteşekkirim," dedi Yiğit. Kollarını kavuşturdu, uzaklarda bir noktayı görmek istercesine pencereden dışarı baktı. "Bu deli çocuğun böyle bir şey yapacağı kimin aklına gelirdi? Tanrım, kafasından neler geçiyordu acaba!"

"Onu nereye götürdüler?" diye sordu Metin. Ahmet'le yaptıkları güzel sohbetleri hatırlayıp delikanlı için kaygılanmıştı.

"İstanbulda bir klinikte biraz dinlenecek. Bu ona iyi gelecektir. O benim oğlum sayılır... Buradan uzakta yaşayamaz, onu yakında evine getireceğim. Bu üzücü olay hiç yaşanmamış gibi davranacağız. Resimler konakta kalmayacak nasılsa. Almanya'daki etkinlikte tüm insanlıkla buluştuktan sonra, dileyen herkesin görebileceği bir müzeye konacaklar. O da evinde yeniden huzuru bulacaktır."

"Çocuğa fazla kızmayın," dedi Teoman, "Bu resimlerin benzerleri daha önce de yok edilmiş, ilk olmayacaktı. Anlamlarını çözemeyen zihinler için varlıkları gerçekten dayanılmaz olmalı."

"Galiba haklısınız. Kör inanç ya da zihin bulanıklığı, ikisi de bu tür eserler için ölümcül."

Teoman başındaki bandajı yokladı. Metin bu sırada elinde olmadan Zeynep'i ve Teoman'ın başına o bandajı sararken yüzünde gördüğü şefkati hatırladı, canı sıkıldı. Sonra böyle bir anda bunu düşünebildiği için kendine kızdı.

Yiğit masanın başından ayrılarak misafirlerinin yanına geldi. Yüzünde gizemli bir ifade vardı.

"Siz onların anlamlarının çözülmesine yardımcı olacaksınız beyler. Tarihi birlikte yazacağız."

Metin ve Teoman birbirlerine baktılar. Metin, koleksiyoncunun ne kastettiğini ikisinin de anlamadığını fark edince, merakla sordu.

"Bunu açıklar mısınız?"

"Öncelikle," dedi Yiğit, keyifli bir sesle. "bu sırrı şimdiye kadar sizinle paylaşmadığım için özür dilerim. Onların varlığını tüm insanlıkla birlikte öğrenmenizi istemiştim. Sürpriz olmasını. Tabii artık mümkün değil... Yazdığınız öykülerden hangisi seçilirse, ilk başta konuştuğumuz gibi kullandığınız resimlerin eşliğinde kitaplaşacak. Sözüm söz. Ama ben bununla yetinmeyeceğim. Kazanan yazardan bu yeni bulunmuş, günümüze kadar tek parça gelmiş parşomenleri temel alan öyküler de yazmasını isteyeceğim. Yarışmayı bunu en iyi yapabilecek kişiyi keşfetmek için düzenlemiştim. Siyah Kalem'in öykü anlatıcısı olabilecek kişiyi bulmak istiyordum. Bu parşomenler tüm dünyada büyük bir sansasyon yaratacak, inanın bana! Sanata önem veren bütün ülkeleri dolaşacaklar. Ve kazanan yazar da bu resimlerle birlikte, yeteneğini tüm dünya ile paylaşma şansı bulacak. Şöhretin yanında elbette tatmin edici bir maddi kazancı da olacak. Yarışmanın ödülünden çok daha büyük bir rakamdan söz ediyorum beyler... Hem Siyah Kalem için hem resim sanatı için hem de kendimiz için tarihi bir olayın eşiğindeyiz."

"Yani ikimizden biri için," dedi Teoman, dudağında ince bir tebessümle. Öykülerini bu sabah teslim etmişlerdi. Bundan sonra jürinin vereceği kararı beklemekten başka yapacak bir şeyleri yoktu. Bu sırrı daha önce öğrenmiş olsaydı öyküsüne daha fazla özenir miydi, bir an düşündü, sonra rahatladı, hayır, zaten elinden geleni yapmıştı, sınırlarını sonuna kadar zorlamıştı.

"Evet," diye kabul etti Yiğit. "Anlaşma anlaşmadır. Şayet öykülerden biri diğerinden çok daha iyi olursa, bu keyfi maalesef yalnızca birinizle paylaşabileceğim. Ama kim bilir, belki jüri arada fazla bir fark görmez, o zaman ikinizi de plana dahil edebilirim. Bu benim için zevk olur."

"Peki artık burada yapacak işimiz kaldı mı?" diye sordu Metin.

"Ne o? İstanbul'u çok mu özlediniz Metin Bey? Gürültüyü ve hava kirliliğini?"

"Kötü alışkanlıklar diyelim."

"Elbette. Umarım burada sizi iyi ağırlamışızdır. Son günkü tatsızlığı saymazsak tabii. Sırrımızı etkinliğe kadar saklayacağınızdan eminim. İmzaladığınız gizlilik sözleşmesini hatırlatmama gerek yok sanırım."

"Merak etmeyin," dedi Metin. "Sırlarla aram iyidir."

Teoman, kendine bir bardak içki doldurmak için ayağa kalktı, mini bara doğru yürüdü. Bir kadeh seçtikten sonra, "İzin verirseniz ben biraz daha kalmak istiyorum," dedi. "Şimdiye kadar hep çalıştım, ayrılmadan önce birkaç gün de olsa adanın tadını çıkarmak istiyorum."

Metin, Teoman'ın kendisine yan gözle bakışını ve imalı ifadesini görünce içinde bir öfke büyüdü. Herifin tadını çıkarmak istediği adadan çok Zeynep'ti kuşkusuz.

"Seve seve," dedi Yiğit. "Ben yarın ayrılıyorum. Almanya'ya gidip etkinlikle ilgili düzenlemeleri kontrol etmem lazım. Yarışmayı kazanan kişiyi ya da belki her ikinizi birden etkinlikten hemen önce özel bir uçakla oraya getirteceğim. O zamana kadar burayı eviniz bilin."

Teoman kadehinden bir yudum aldı, teşekkür edercesine başını öne eğdi.

Metin koltuğundan kalkarken, bir an evvel ayrılmak için sabırsızlanıyordu. Sadece Ayşe Hanım'a ve her zaman dostluğundan keyif aldığı Rıza Efendi'ye veda edecekti. Kahyaya ona verdiği öykü fikri için bir kez daha teşekkür etmeliydi. Odadan çıkmadan önce Teoman'a öfke dolu son bir bakış fırlattı.

Zeynep'i bu kendini beğenmiş herife kaybetmişti, elinden bir şey gelmezdi, gene de yarışmayı kazanacağından emin olması acısını dengeliyordu. Tek dua ettiği, öyküsünün onunkini uçakta yan yana oturma eziyetini engelleyecek kadar ezebilmesiydi.

-37-

Genç adam, kadının üzerinde ağır ağır gidip geliyordu. Bir haftadır sevişmedikleri için özlediği diri vücudun tadını çıkarmak istemişti, saatlerdir kısa aralarla devam ediyorlardı, artık yorulmuştu. Yüzüstü yatan sevgilisinin kollarını sıkıca kavradı, boşalacağını hissettiği zaman durdu, bütün gücüyle son bir hamle yaptı ve çıplak bedenin üzerine boylu boyunca uzandı.

Solukları yavaşladıktan sonra, bu kez fazlasıyla çabuk tükendiğini düşündü, kendisini suçlu hissetti. Altındaki bedenin daha doymadığı belliydi, aceleci nefes alışlarını hissediyordu, onu bu kadar mutlu eden kadını hayal kırıklığına uğratmak istemedi. Bir elini aşağılara götürdü, yarım bıraktığı işe oradaki cenneti parmak uçlarıyla usulca okşayarak devam etti. Az sonra yeniden sertleştiğini hissedince son bir gayretle kadının içine girdi. Bu şekilde kendini zorlayarak devam etmek canını yakıyordu, damarları sızlıyordu, ama aldırmadı. Avuçlarını terli omuzlarla doldurdu, onlardan güç almaya çalıştı. Dakikalar geçip sevgilisinin daha da hızlanan soluklarını, inlemelerini işitince acıya mutluluk karıştı. Kadının zirveye ulaştığını anlayınca derin bir rahatlamayla durdu ve yeniden üstüne uzandı. Elini ağzına koydu, parmaklarıyla dudaklarını okşadı. Birkaç dakika sonra yatağın kendisine ait yarısında huzurlu bir uykuya dalmıştı.

Beyza, yanında yatan sevgilisinin suratına uzun uzun, hayranlıkla baktı. Horlarken seyretmekten bile keyif aldığına göre, bu adama gerçekten aşık olduğunu düşündü. Neredeyse güneş doğacaktı, terlemişti ve kendisini kirli hissetti, belki uyandığı zaman delikanlı yeniden sevişmek isterdi, bir duş alsa iyi olacaktı. Murat onu bayağı hırpalamıştı bu gece, sırtı fena halde ağrıyordu, neredeyse yaşını hatırlatacak kadar. Ama bir şekilde haz da alıyordu bu ağrının varlığından.

Serin sular vücudundan aşağı akarken yaşamayı sevdiğini düşündü. Kendisini sabunlarken az önceki sevişmelerini hayal etti, çıplak tenine dokunmak hoşuna gitti. Vücudunu bir süre sakince, elleri bir başkasının elleriymişçesine usul usul okşadı, köpüklü sular onu dinlendirdi. Uzun beyaz bir havluya sarındıktan sonra duşakabinden çıktı, saçlarını kurulamak için aynanın karşısına geçti.

Aynaya bakar bakmaz, az önce içinde yüzdüğü tatlı duygular bir fırtınayla dağıldılar. Karşısında gördüğü de neydi böyle? Bütün makyajı silinmiş suratı, uykusuzluktan şişmiş gözleri, öpülmekten ve aşk ısırıklarından kırmızı lekelerle dolmuş yanakları, yastığa sürtünmekten alnında büyümüş iri sivilce, bu kendisi miydi?

Saçlarını kurularken bir an banyodan hiç çıkmamak istedi, hep burada kalsa, kendisini kimse böyle görmese... Hayat bu aynanın karşısında, tam şu an sona erseydi keşke. Sonra yavaş yavaş rahatladı, yüzüne bir süre el değmezse kızarıklıklar geçerdi, sivilceyi ve morarmış göz altlarını makyajla gizlemesi mümkündü, korkacak bir şey yoktu. Bir tek gözlerindeki bakışa çözüm bulamazdı, bu işler için yaşı geçmiş bir kadın gibi bakıyordu, öyle olmadığını bilse de, o bakışı bir türlü silemiyordu.

Odaya döndüğünde sevgilisi hâlâ uyuyordu. Yatağın kenarına oturdu, genç adamın battaniyeden taşmış bacağını okşadı. Murat gıdıklanmışçasına mırıldanıp bacağını kaçırınca gülümsedi. Daha da yaşlanıp kilo aldığında, vücudu kırışmaya başladığında bu adam onu arzulamaya devam eder miydi acaba? Genç yatak arkadaşları onu geçen zamanı düşünmekten bir nebze olsun uzaklaştırıyorlardı, ama içten içte hep yanında kalmayacaklarını da biliyordu. Günün birinde ona baktıklarında ihtiyar bir kadın görecek ve burada ne yapıyorum diyeceklerdi, şüphesi yoktu. Bu yüzden genelde onlar gitmeden, kendisi onları terk ediyordu.

Sevgilisi uyanmadan önce yapması gereken bir telefon konuşması vardı. Sonra vaktini tamamen ona adayacaktı. Madem şu an yanındaydı, bunun tadını sonuna kadar çıkaracaktı.

Gene de telefonun tuşlarına basarken, az sonra konuşacağı adamın ona kalıcı bir sevgi duyduğunu düşünmek kendisini iyi hissettirdi.

"Günaydın Metin."

"Günaydın..."

"Bir an aramaktan çekindim. Belki uyuyorsundur dedim. Ama şu aralar erkencisin, biliyorum."

"Pek uyku tutmuyor..."

"Anlıyorum canım. Daha iyi misin? Bir ara görüşmek ister misin?"

"Yalnız kalmak daha iyi. Sağ ol hayatım. Hazır olduğumda ben seni ararım."

"Peki canım. Sana söylemem gereken bir şey var."

"Evet?"

"Teoman. Dün akşam beni aradı. Seninle konuşmak istediği şeyler varmış. Telefonunu bilmediği için benden yardım istedi. Gece sana e-posta attım, telefonunu yazdım, dilersen onu ararsın."

Kısa bir sessizlik oldu. Sonra Metin, derin bir iç çekişle, "Tamam," dedi. "Teşekkürler."

"Kendine iyi bak canım olur mu?"

"Sen de," dedi genç adam. Elindeki telefonu koltuğa bıraktığında, bir zincirden kurtulmuş gibi rahatladı.

Teoman ona ulaşmak mı istiyordu? Hangi Allah'ın cezası sebepten böyle bir şey yapmak istesindi ki? Şimdiye kadar yaptıkları yetmemiş miydi?

Şu an kendisini tamamen aklından çıkarmış, Zeynep'le keyif çatıyor ya da kazandığı şöhretin tadını çıkarıyor olması gerekmez miydi? Sırf daha fazla nispet yapabilmek için mi peşine düşmüştü, bu nasıl bir nefretti! Alacağını almıştı, tüm dünya onu konuşuyordu, neden artık hayatından tümden çıkmıyordu?

Az ötede duran gazeteyi aldı ve kucağına koyup açtı. İşte oradaydı, Teoman Uysal, Yiğit Ulaşlı ile birlikte doymak bilmeyen objektiflere poz veriyordu. Yüzünde mağrur bir ifade vardı. Yiğit uzun zamandır omuzlarında taşıdığı ağır bir yükü atmış görünüyordu, rahat ve mutluydu. Onların yanına Mehmet Siyah Kalem'in yeni bulunmuş parşömenlerinden resimler basmışlardı. Manşet etkileyiciydi: *Tarihin Sır Perdesi Aralandı.* İngiltere'deki etkinlikten yeni dönmüşlerdi ve önümüzdeki ay iki farklı ülkeye daha gideceklerdi. Mehmet Siyah Kalem sonunda hak ettiği üne kavuşmuştu, bir zamanlar obadan obaya, çadırdan çadıra gezen hayalleri şu an kıtadan kıtaya dolaşıyor, on binlerin, yüz binlerin düşlerine giriyordu. Yiğit haklı çıkmıştı, dünyanın önemli bir bölümünde ses getiren bir keşif olmuştu bu, Teoman'ın yazdığı ve yazacağı öyküler de büyük ilgi görmüştü. Orospu çocuğu yarışmayı kazanmakla kalmamış, jürinin yazılı ifadesine göre "bu projede tek başına rol almasının daha uygun olacağı" şekilde onu ezip geçmişti. Bunu nasıl becermişti, bilmiyordu, ama becermişti işte. Zeynep'ten sonra şöhret de onundu, kendisine kalan ise günlerdir her gecesini süsleyen kadeh kadeh rakı ve bir türlü azalmayan bir acıydı.

Jürinin kararı açıklandığından beri hiç yazamamıştı. Bundan sonra yazabilecek miydi, onu da bilmiyordu, şu an içinden gelmediği kesindi.

Resme dikkatlice bakarken, Teoman Uysal hakkında almak istediği tek haberin ölüm haberi olduğunu hissetti ve kendinden korktu. Onun ölmesini ikinci kez istiyordu, bu yüzden suçluluk hissetti. Ne kabahati vardı ki adamın, ondan daha çekici bir erkek olması bir hata mıydı ya da daha iyi yazabildiği için mi cezayı hak etmişti? İnsanların onu ve yazdıklarını daha fazla sevmesi kendisine kurulan bir komplo değildi ki. Gazeteyi bir kenara fırlatıp derin bir soluk aldı. Az önce düşündükleri yüzünden kendisini cezalandırmak ister gibi kalkıp bilgisayarına yürüdü.

Onu arayacaktı. Eğer son kez yüzyüze gelip zaferinin tadını çıkarmak istiyorsa, bu herife o şansı verecekti. Belki böylece ondan nefret etmesi için daha güçlü, suçluluk hissettirmeyecek bir sebebi olurdu.

Bilgisayarın açılmasını beklerken gözlerini yumdu, ilahi bir güce sitem edercesine mırıldandı.

"Karanlığın içindeyim... Her şeyi yutan, sindiren, anlamsız kılan karanlık... Senin en dibindeyim."

-38-

İnsanın gözleri görmeyince diğer duyuları hassaslaşır derler, doğrudur. Bu durum benim için onları sadece daha işlevsel kılmadı, aynı zamanda birer zevk aracına dönüştürdü. Birisiyle öpüşürken, birisini okşar ya da okşanırken karşımdakini göremiyor olmak aldığım hazzı artırıyor, çünkü diller ve eller artık dokunurken görüyorlar, eskiden gözde toplanan güzellik tenin kendisine kayıyor.

Şu an elimde tuttuğum bardağı görebilmeyi isterdim, çayın kendine has rengini, bardağın ince belini; havada dağılan dumanı bakışlarımla takip edebilmek beni gülümsetirdi. Parmaklarım belinde gezinirken bir çay bardağını değil bir zevk nesnesini okşuyor gibi hissetsem de, tenime yayılan sıcaklığın yarattığı uçuk hayallerden fazlasıyla keyif alsam da, onu bu ana tüm varlığıyla katabilmek hoşuma giderdi. Bardağın yüzünde kendi yansımamı görmek onunla bütünleştiğim gibi tatlı bir yanılgıya yol açardı, mutlu ederdi beni. Gene de madem bunu yapamıyorum, o zaman en iyisi dokunmanın tadını olabildiğince çıkarmak. Kör olmanın iyi bir tarafı da budur. Bir bardağı dakikalarca okşarsınız ve kimse bunu garipsemez.

Benim gibi göremeyen biriyle sevişmenin nasıl olacağını hayal ediyorum bazen. Kuşkusuz unutulmaz bir deneyim olurdu, sadece elleriyle görebilen birinin parmaklarını tenimde hissetmek, o ellerle beni yalnızca sevmediğini, aynı zamanda tanımaya çalıştığını bilmek... Onu öpeceğimi dudaklarımı hissetmeden önce bilememesinin heyecanını duymak... Seviştiğim kadınlar da bazen bunları düşünüyorlar mı acaba? Ama düşünseler bile hiçbir zaman tam olarak anlayamazlar, bu yaşanmadan öğrenilemeyecek bir şey.

İnsan birlikte olduğu kadını ancak son görüşüymüş gibi bakarsa gerçekten görebilir. Aslında o bakışın son bakışı olmayacağını, hayatın hazırladığı sürprizleri de hiçbir zaman bilemez. Ben belki seviştiğim kadınları hiç görmüyorum. Ama çoğu erkek de kollarındaki mucizenin öyle az bir kısmını görebiliyor ki kendimi bahtsız saymıyorum.

❖ ❖ ❖

Metin bardağı masaya bıraktıktan sonra gözlerini ağır ağır açtı. Önce her zamanki gibi her yer ışık oldu, sonra ışık dağıldıkça manzara netleşti, uçsuz bucaksız deniz, sayısız balıkçı teknesi, limanın iki kenarına çekilmiş dalgakıranlar ve kıyıda ağ onaran balıkçılar görünür oldu. Rumelifeneri'nde, tepeye kurulmuş balıkçı lokantalarından birindeydi. Burası biraz huzur aradığında sığındığı yerlerin başında gelirdi, kayalara çarpan dalgaları ile İstanbul'un süslü Boğaz'ına göre çok daha doğal görünen deniz karamsar düşünceleri dağıtırdı. Manzaraya öyle dalmıştı ki, yanına birisinin geldiğini ancak adam bir sandalye çekip oturunca fark etti.

"Merhaba Metin," dedi Teoman, ne düşmanlık ne dostluk içeren bir sesle.

"Merhaba. Daha erken bekliyordum."

"Kusura bakma. Buraya epeydir gelmemiştim. Biraz etrafta dolandım, fenere uğradım. Fenerin içine girdin mi hiç, içerde bir türbe olduğunu unutmuşum, ilginç bir öyküsü olmalı."

Bir martı önlerinden süzülerek geçti, hızla kanat çırparak kıyı boyunca uçuşan onlarcasına katıldı. İki adam sessizleşip kuşları seyredaldı, sonra Metin, "Buraya fenerden ya da türbelerden bahsetmeye gelmedik, öyle değil mi?" dedi.

"Hayır," dedi Teoman, "Hayır, bunun için gelmedik."

Metin, Teoman'ın suratındaki yorgun ifadeyi Siyah Kalem'le ilgili katıldığı sayısız etkinliğe yormuştu, ama şimdi ona daha dikkatli bakınca, bunun bir ruh yorgunluğu olduğunu görebiliyordu. Genç adamın gözlerinde ezik denebilecek bir ifade yakalayınca hem şaşırdı hem de ona elinde olmadan şefkat duydu. Bu adamın bir derdi vardı, ilk başta sandığı gibi niyeti kendisiyle bir kez daha dalga geçmek değil miydi acaba?

"Zeynep nasıl?" diye sordu gayri ihtiyari. Soru ağzından çıktığı an, o güzel kızı gerçekten özlediğini ve merak ettiğini fark etti, kendisini kötü hissetti.

"Bilmem, iyidir herhalde," dedi Teoman.

"Bilmiyor musun?"

"En son bir ay önce gördüm."

"Ayrıldınız mı? Er geç olacağını tahmin etmiştim, sen birine bağlanacak adam değilsin. Baştan beri biliyordum bunu. Ama bu ne hız..."

Teoman, gözlerine konuşmakta zorlanan biri gibi baktı.

"Yanımda kalmasını istemiştim Metin. Cidden..."

"Yani o mu seni bıraktı?" diye sordu artan bir şaşkınlıkla.

"Evet. Yurtdışına gitti. Uzun zamandır planlıyormuş bunu."

Metin, adamın suratında içten bir acı görünce elinde olmadan kendisini ona yakın hissetti. Günlerdir türlü sızılarla yaşıyordu ve buna neden olan kişinin de benzer durumda olduğunu öğrenmek bir rahatlama hissi yaratmıştı.

"Sana anlatmam gereken bir şey var," dedi Teoman, boşluğa bakarak. Sanki kendisini buna ikna etmeye çalışıyordu.

Metin, yanlarından geçen garsona, "İki çay lütfen," dedikten sonra onu hakiki bir merakla süzdü.

"Dinliyorum..."

"Zeynep yurtdışına gitmeyi aylar önce kafasına koymuş. Fransa'da yaşayan akrabaları varmış. Ona eğitimine orada devam etmesi için yardım etmeyi önermişler. Ailesini bir kazada kaybetmişti, belki biliyorsun, bu yüzden İstanbul'da, onu üzen anılarla yaşamak istemiyormuş. Adada da kendisini kapana kısılmış gibi hissediyormuş. Akrabaları birkaç aydır orada bir okul ayarlamaya çalışıyorlarmış, arada bir arayıp gelişmeleri anlatıyorlarmış. Evdeki rahatı kaçmasın diye bu iş kesinleşmeden birilerine bahsetmekten kaçınmış. Kendisi için en doğrusunun bu olduğuna emindi biz ayrılırken."

"Umarım öyle olur..." diye başını salladı Metin. "O iyi bir kız. Mutlu olmasını isterim." İlk şaşkınlığı üzerinden attıktan sonra aklına gelen bir düşünceyle sordu.

"Peki sana bunları neden anlatmamış? Çok yakındınız siz orda."

Teoman derin bir iç çekti.

"Gitmeden önce bana bir şey söyledi. Bilmemi istemesinin iki sebebi varmış. Birincisi, eğer bunu bilirsem onu daha kolay unutacağımı, daha az özleyeceğimi düşünüyordu. Eh, haksız da sayılmaz... İkincisi, senin de bunu öğrenmeye hakkın olduğuna inanıyordu. Seni üzdüğünün farkındaymış, bu onu mutsuz ediyormuş. Ama bunun kararını bana bırakmak istedi."

"Benden gerçekten hoşlanmış... Benimle geçirdiği her dakikadan keyif aldığını söyledi. Ama beni hiç sevmemiş Metin, yani aşktan bahsediyorum, yanından bile geçmemiş. Yurtdışına gitmeye kararlı olduğu için burada kimseye bağlanmak istemiyormuş. Ben kolayca bırakabileceği ve bu yüzden vicdan azabı çekmeyeceği biriymişim. Eğlenceli biri, ilgi çekici bir adam, ama hepsi o kadar işte. Senden de aynı sebepten uzak durmuş Metin. Yakınlaştığınız günleri anlattı, senden çok etkilenmiş.

Şayet sana daha fazla yaklaşırsa bağlanabileceğini hissetmiş ve bu onu korkutmuş. Benimle biraz da bu yüzden bu kadar çabuk birlikte olmuş. Seni düşünmekten uzaklaşabilmek için. Aynı sebepten de yurtdışı konusunu benden saklamış. Senden uzak durabilmek için sığındığı limanı kaybetmek istememiş. Gitmeden hemen önce bana bunları anlattı... Ve eğer benim için çok zor olmayacaksa, seninle de paylaşmamı rica etti. İnan bana, çok zor oldu, tahmin edemeyeceğin kadar zor, ama işte yaptım sonunda. Onun güzel dudaklarından bu sözleri dinlerken, seni ne kadar kıskandığımı bilemezsin. Aynı romanın hakkında çıkan yazıları okurken kıskandığım gibi..."

Metin duyduklarını sindirebilmek için birkaç saniye hareketsiz kaldı. Sonra hiçbir şey düşünmeden masadaki bardağı aldı, dudaklarına götürdü, dili sıcak çayı hissedince yaşadığı anın gerçekliğine geri döndü. Zeynep bütün güzelliğiyle gözlerinin önündeydi, o faytonun içindeydi ve kendisine tatlı tatlı gülümsüyordu. Kız da bütün bu süre zarfında onunla olmak istemişti demek. Bunu o an nasıl görememişti? "Işıklar," diye mırıldandı sonra, kahyayla yaptıkları konuşmayı hatırlayarak, "Çok fazla ışık vardı..." Ahmet, adanın süsleri, Siyah Kalem, hepsi birden gözlerini kamaştırmış, görmesi gereken pek çok şeyi ayırt edememişti.

"Bunu bana anlattığın için teşekkür ederim," dedi, her kelimenin hakkını vererek. Teoman'a bakışında biraz mahcubiyet de vardı. "Ben yapabilir miydim, bilmiyorum..."

"Mecbur kalmadığın için şanslısın."

"Peki şimdi nasılsın?"

"Daha iyi... İlk başta benden böyle bir şey istediği için ona çok kızdım. Nefret ettim ondan. Sonra ne yapmaya çalıştığını anlayabildim. İstediği de buydu zaten. Kendisinden nefret etmem... Gidişine fazla üzülmemem. Şaşırtıcı bir kız, öyle değil mi? Boşuna tutulmadık biz ona. Çoğu zaman insanlar asla yanında olmayacakları, olamayacakları kişiler tarafından bile sevilmek isterler. Bunun o kişilere ne kadar acı vereceğini düşünmeden... Zeynep farklıydı."

"Kötü olduklarından değil," dedi Metin, bir anlığına eski ilişkilerini düşünüp üzerine alınarak. "Zayıf oldukları için. Bazı insanlar sevilmeden yaşayamaz."

Bunları söylerken kızın aslında ondan Teoman'a anlattığı kadar etkilenmemiş, genç adamı kendisinden uzaklaştırmak için böyle şeyler uydurmuş olabileceğini düşündü. Belki de onu tercih etmeme nedeni ayrılığı Teoman kadar kolay atlatamayacak olduğunu fark etmesiydi, o kadar. Elma ağacının altındaki konuşmalarını hatırladı. *Siz iyi bir adamsınız Metin bey. Böyle hissettirmek istemezdim...* Kafası bulanır oldu, sonra omzunu silkti, öyleyse bile gerçeği öğrenmek istemezdi.

Teoman sözlerine hak verir gibi başını salladı.

"Gene de bütün bunların sonunda benden daha iyi bir yazar olduğun ortaya çıktı, mutlu olmalısın. Dünyanın pek çok ülkesinde tanınıyorsun, daha da fazla tanınacaksın."

"Tanınma kısmına lafım yok. Ama daha iyi yazma konusunda aynı fikirde değilim."

"Yarışmayı sen kazandın Teoman. Adil koşullarda. Jüriyi ikimiz de tanıyoruz, bu işten anlayan insanlar. Üstelik..."

Teoman, elini kaldırdı ve Metin'in sözünü kesti.

"Öykünü okudum Metin."

"Nasıl? Ne zaman?"

"Yarışmadan sonra öykünü okumama izin verdiler. Niye kazanamadığını bilmek ister misin? Ben yazardan önce bir eleştirmenim, yıllarca başkalarının eserlerini inceledim, bu konuda sözüme güvenebilirsin. Kaybettin, çünkü sen lanet okunacak kadar iyi yazıyorsun! Ismarlama yazamayacak kadar iyisin. Bu yarışmanın amacı en iyi öyküyü yazmak değildi, Siyah Kalem'in resimleriyle en çok uyum gösterecek, onları en fazla parlatacak metni ortaya çıkarmaktı. Sen böyle bir hedefe odaklanabilecek adam değilsin. Yazarken kendini kaptırmışsın, resimlerden uzaklaşmış, yarattığın öykünün ve karakterlerin içinde kaybolmuşsun. Siyah Kalem'in resimleri sadece birer fon, birer süs olarak kalmış anlattığın hikayede. Bu yüzden seni tercih etmediler. Onların aradığı bu değildi. Ama bunun dışında, muhteşem bir öyküydü okuduğum, bunu söylemekten nefret ediyorum ama öyleydi."

Metin bardağı masaya bıraktı ve genç adama minnetle baktı.

"Gerçekten böyle mi düşünüyorsun?"

"Yarışmayı kazandım... Hayal etmediğim kadar ünlüyüm artık. İyi de para aldım. Bundan sonra yıllarca sıkıntı çekmeden yazabilirim. Ve yazacağım da, mutlaka, bu benim en sevdiğim uğraş. Ama hiçbir zaman iz bırakacak güçte eserler yaratamayacağımı da biliyorum. Bende sende olan derinlik yok. Orta karar bir yazar olarak yaşayıp öleceğim, kimse romanlarımı hatırlamayacak. Dert değil, hayatta beni mutlu eden tek şey bu değil."

Genç adam gülümsedi. "Kadınlar var en azından... Ama sen gerçekten denersen tarihe geçecek romanlar yazabilirsin. Sende bu yetenek var. Bunu öykünü okurken gördüm, aynı kitabını okurken gördüğüm ama kıskançlıktan gözardı ettiğim gibi. Bu söylediklerimi bir tür günah çıkarma farz et. Sanırım yarışmanın bana kazandırdıkları sana karşı duygularımı yenme gücü verdi. Bunları seni çok sevdiğim için söylediğimi de düşünme, bunları söylüyorum, çünkü roman sanatını seviyorum. Sana değil, yazacağın romanlara kıyamadığım için seninle bu kadar içten konuşuyorum."

Metin, o an Teoman'a baktığında o güne kadar olduğu gibi bencil ve hırslı birini değil, hayatını sanatına adamış bir adam gördü, birlikte geçirdikleri hiçbir an kendini ona bu kadar yakın hissetmemişti. İblislerin gerçek olmadığını öğrenen bir çocuğun şaşkınlığını duydu, uzun zamandır tatmadığı kadar masum bir duyguydu, sonra güldü, belki de insanların gerçek olduğunu öğrenen bir iblisin şaşkınlığıydı bu. Kendisini ve Teoman'ı Siyah Kalem'in resimlerinden birinde görmeyi diledi. Belki onun çizgileriyle görse daha iyi anlayabilirdi.

"Sende sandığından fazla derinlik var," dedi içtenlikle, "Öyle olmasa bunları anlatamazdın."

Teoman gülümsedi. "Öyle mi dersin?"

Metin başını salladı.

Teoman, bir şey düşünür gibi işaret parmağını bardağın ağzında gezdirdi.

"Umarım haklısındır..."

Genç adam çaydan bir yudum bile almamıştı. Suratında ve bakışlarında, söyleyecek başka bir şeyi olmadığını, omuzlarındaki tüm yüklerden kurtulduğunu hissettiren bir rahatlama vardı. Sonra, "Benim artık kalkmam lazım," diyerek ayaklandı. "Akşam görmem gereken biri var. Geç bile kaldım. Burdan şehre dönmek de uzun sürer şimdi."

"Sarışın mı esmer mi?"

Teoman güldü. "Sarışın."

"Arada görüşelim," dedi Metin, bunu söylediğine kendi de şaşırarak.

"Olur Metin," dedi genç adam. Başını sallarken hafifçe tebessüm etti.

İkisi de bir daha hiç görüşmeyeceklerini biliyorlardı. Birbirlerine bunu yapamayacak kadar çok kötü anı hatırlatıyorlardı. Gene de söyleyebilmek hoşlarına gitmişti.

Teoman lokantanın çıkışına doğru yürürken, Metin arkasından duyguları ve düşünceleri karmakarışık baktı. Genç adamın acelesiz adımlarla uzaklaştığı, son anda dönüp onu seyredip seyretmediğini merak etmiş gibi kendisine baktığı, gözgöze geldiklerinde gülümsediği ve kapıyı açtığı sahnenin tüm ayrıntılarını, bu anı hiç unutmamak istercesine aklına kazıdı. Onun suratına bir kez olsun son bakışla bakmadığı için bir hüzün duydu. Belki bunu yapmış olsaydı onu gerçekten görebilirdi, aralarında geçen bütün o kötü olaylar hiç yaşanmazdı, birbirlerine bu acıları tattırmaz, belki dost bile olabilirlerdi. Ama sadece belki... Yaşanmayan bir şey bilinemezdi.

Teoman kapıdan çıktıktan sonra bakışları engin maviliğe, kayaları döven dalgalara, huzurlu bir sessizlik içinde kıyıda bekleyen balıkçı teknelerine, sahilde başıboş dolanan sokak köpeklerine, üst üste yığılmış ağlara döndü. Bundan da ötesini görebilmek istedi, gözlerini yavaş yavaş kapadı. Tüm görüntülerle birlikte kafasındaki karmaşa da silindi, içini uzun zamandır hasretini çektiği bir sukunet kapladı.

"Karanlığın içindeyim... Her şeyi yutan, sindiren, anlamsız kılan karanlık... Ah Tanrım... Karanlığın içinde ne çok ışık var!"

❖ ❖ ❖

Oradan çok uzak bir mekânda yaşlı bir adam karşısındaki duvara asılı üç cam muhafazaya ve muhafazaların içindeki parşomenlere sevgiyle baktı. Nicedir kendini bu kadar rahat ve huzurlu hissetmediğini düşündü. Amcasının hayali, kendi arzusu gerçekleşmişti, dünyaya eşi benzeri olmayan resimler armağan etmişti. İsmi onlarla birlikte asla silinmeyecek şekilde tarihe kazınmıştı. Artık sadece keyif almak, mutlu olmak için çizebilirdi. Şarabından bir yudum aldı, kadehi masaya bıraktı, fırçasını siyah boyaya batırıp yanındaki tuvale döndü. Epey vasat bir çalışmaydı, neredeyse amatörce. Omzunu silkti, daha fazlasına ihtiyacı yoktu. Yıllar sonra bitirdiği ilk resime son noktayı koyarken gülümsedi.

❖ ❖ ❖

O andan çok uzak bir zamanda bir kurt kısa bir dua okudu ve yarı çıplak bir insana dönüştü. Önüne konan kartalı şaşkınca süzdü, görmeyi beklemediği bir dostla karşılaşmak onu sevindirmişti. Bir adam kurban töreninde bıçağın boğazına yaklaşmasını seyretmemek için gözlerini kapadı. Kurtulma umudu yoktu; ta ki dağ gibi bir yiğit kılıcıyla iblislerin içine dalana kadar. "Kurtbeg!" diye bağırdı avazı çıktığınca. "Şimdi korkun şeytanlar!" Cengaverin narası kayalarda yankılandı. Yılan başlı bir kuyruk, sahibi çamaşır yıkarken sıkıntıyla etrafı gözlüyordu. Daha renkli bir hayatı hak ettiğini düşünüyordu, bu miskinle ömrü çürüyordu. Bir delikanlı ineğinin ipini yaşlı bir kadına verirken hüzünlendi. Sahip olduğu tek serveti elinden gidiyordu, ama sevdiği kıza değerdi, gönlü aşkla doluydu. Bir şaman kımızından büyük bir yudum aldı, mendillerini sallayarak dansa kalktı. Ruhu yavaş yavaş bedenini terk etti, dev bir kuşa dönüşüp karanlık diyara doğru uçmaya başladı. Bir adam tüm bunları gördü. Bir adam tüm bunları özenle çizdi. Sonra parşomeni dikkatle burdu, atının terkisine koydu, gerçekleri ve hayalleri anlatmak için bir sonraki obaya doğru yola koyuldu.